John Wyndham

DZIEŃ TRYFIDÓW

W serii „Wehikuł czasu" w 2023 roku
ukazały się między innymi:

Arthur C. Clarke
SPOTKANIE Z RAMĄ

Poul Anderson
OLŚNIENIE

Arthur C. Clarke
ODYSEJA KOSMICZNA 2061

Harry Harrison
BILL, BOHATER GALAKTYKI

Pat Frank
BIADA BABILONOWI

Arthur C. Clarke
ODYSEJA KOSMICZNA 3001. FINAŁ

Arthur C. Clarke, Gentry Lee
RAMA II

Rok 2024

Fred Hoyle
CZARNA CHMURA

Arthur C. Clarke, Gentry Lee
OGRÓD RAMY

R.C. Sherriff
RĘKOPIS HOPKINSA

Ken Grimwood
POWTÓRKA

John Wyndham
DZIEŃ TRYFIDÓW

W przygotowaniu

Arthur C. Clarke, Gentry Lee
TAJEMNICA RAMY

Pełną listę wydanych książek serii
zamieszczamy na końcu książki.

John Wyndham

DZIEŃ TRYFIDÓW

Przełożyła
Wacława Komarnicka

Dom Wydawniczy REBIS

Tytuł oryginału
The Day of the Triffids

Redaktor serii
Sławomir Folkman

Redaktor tego wydania
Grzegorz Dziamski

Projekt i opracowanie graficzne serii i okładki
Sławomir Folkman / www.kaladan.pl

Ilustracja na okładce
Igor Morski

Wydanie VI poprawione
Poznań 2024
Wydanie I ukazało się w 1975 roku nakładem Wydawnictwa Iskry.

ISBN 978-83-8338-193-0

9 788383 381930

Dom Wydawniczy REBIS Sp. z o.o.
ul. Żmigrodzka 41/49, 60-171 Poznań
tel. 61-867-47-08, 61-867-81-40
e-mail: rebis@rebis.com.pl
www.rebis.com.pl

Początek końca

Kiedy wiemy na pewno, że jest środa, a wszystkie odgłosy rozpoczynającego się dnia wskazują na to, że jest niedziela, coś chyba musi być nie w porządku.

Poczułem to w chwili, gdy się ocknąłem ze snu. Jednakże po całkowitym przebudzeniu zacząłem się wahać. Koniec końców wszystko przemawiało za tym, że się mylę – chociaż nie bardzo rozumiałem, jak to jest możliwe. Czekałem więc, wciąż jeszcze niezupełnie pewien. Po chwili jednak zdobyłem pierwszy obiektywny dowód: gdzieś w oddali zegar wybił, jak mi się zdawało, ósmą. Słuchałem uważnie i podejrzliwie. Wkrótce odezwał się inny zegar, głośny i stanowczy. Wolno, dobitnie wybił bezsprzeczną ósmą. Nie miałem wątpliwości, że coś się musiało stać.

Koniec świata – no, powiedzmy, tego świata, który znałem blisko trzydzieści lat – ominął mnie najczystszym przypadkiem: ocalenie, jeśli się dobrze zastanowić, zwykle jest przypadkowe. Z natury rzeczy w szpitalach znajduje się zawsze sporo pacjentów, a probabilistyka mniej więcej przed tygodniem wybrała mnie na jednego z nich. Mogła mnie wybrać równie dobrze o tydzień wcześniej – w tym wypadku teraz bym tego nie pisał: w ogóle by mnie nie było. Ale traf chciał, że leżałem w szpitalu właśnie w tym czasie, ponadto moje oczy, a ściśle biorąc, całą głowę, szczelnie spowijały bandaże. Dlatego powinienem być wdzięczny losowi czy komukolwiek, kto rządzi probabilistyką. W owej chwili jednak byłem tylko zły, zastanawiając się, co się u licha dzieje, bo leżałem już w szpitalu dość długo, aby wiedzieć, że po siostrze przełożonej najświętszą wyrocznią jest tu zegar.

Bez zegara szpital w ogóle nie mógłby funkcjonować. Co sekunda ktoś spogląda na niego, żeby ustalić czas narodzin, śmierci, podawania leków, posiłków, zapalania i gaszenia światła, rozmów, pracy, snu, odpoczynku, odwiedzin, opatrunków, mycia – i jak dotychczas nakazywał, żeby ktoś zaczynał mnie myć i oporządzać punktualnie trzy minuty po siódmej rano. To głównie dlatego ceniłem sobie separatkę. Gdybym leżał na sali ogólnej, te niemiłe zabiegi zaczynałyby się niepotrzebnie o całą godzinę wcześniej. Ale dzisiaj różne mniej lub bardziej dokładne zegary wciąż i zewsząd wybijały ósmą, a nikt dotąd nie nadszedł.

Mimo że nie cierpiałem, kiedy mnie myto gąbką, i nieraz daremnie prosiłem, by zaprowadzono mnie do łazienki, co wyeliminowałoby ten przykry proces – jego dzisiejszy brak poważnie mnie zaniepokoił. Poza tym mycie z reguły zapowiadało rychłe nadejście śniadania, a byłem już porządnie głodny.

Byłbym pewnie tym wszystkim zirytowany każdego innego dnia, ale ten dzień, środa ósmego maja, miał dla mnie szczególne znaczenie. Chciałem odwalić czym prędzej całe to zawracanie głowy, bo tego właśnie dnia miano mi zdjąć bandaże.

Wymacałem dzwonek i naciskałem go przez całe pięć minut, żeby dać do zrozumienia pielęgniarkom i salowym, co o nich wszystkich myślę.

Czekając na gniewną reakcję, jakiej spodziewałem się po tym alarmie, bacznie nasłuchiwałem.

Odgłosy z zewnątrz, jak sobie teraz uświadomiłem, były jeszcze dziwniejsze, niż mi się przedtem zdawało. Były nawet bardziej niedzielne niż w normalną niedzielę – i doszedłem znów do niezachwianego przekonania, że mimo wszystko jest środa.

Dlaczego założyciele szpitala Świętego Merryna uznali za stosowne zbudować go przy niezmiernie ruchliwym skrzyżowaniu w dzielnicy handlowej i narażać w związku z tym nerwy pacjentów na ustawiczną szarpaninę, stanowi pytanie, na które nigdy nie potrafiłem znaleźć odpowiedzi. Ale dla tych nielicznych szczęśliwców, których cierpień nie powiększał nadmiernie hałas uliczny, miał on tę zaletę, że pozwalał im – gdy leżeli w łóżku – trzymać, że tak powiem, rękę na pulsie życia. Autobusy jadące na zachód pędziły zazwyczaj z łoskotem, usiłując zdążyć przed czerwonym światłem na rogu; najczęściej jednak świdrujący pisk hamulców i salwa strzałów z tłumika obwieszczały, że im się to nie udało. Po chwili ze skrzyżowania rozlegał się znów warkot i ryk silników, gdy pojazdy, spuszczone ze smyczy przez zielone światło, zaczynały się wspinać po pochyłości. Co pewien czas zdarzała się odmiana: głośny trzask, zgrzyty, a potem przerwa w ruchu – rzecz niezmiernie drażniąca dla kogoś w mojej sytuacji, kto mógł wnioskować o rozmiarach zajścia tylko na podstawie liczby i natężenia dobiegających z ulicy przekleństw. W każdym razie nikt z pacjentów szpitala Świętego Merryna za dnia ani w nocy nie mógł choć na moment uznać, że wszelkie życie ustało tylko dlatego, że chwilowo został wycofany z obiegu.

Ale tego ranka było inaczej. Niepokojąco inaczej, bo tajemniczo. Żadnego turkotu kół, żadnego ryku autobusów – na dobrą sprawę w ogóle nie było słychać jakiegokolwiek pojazdu. Ani zgrzytu hamulców, ani buczenia klaksonów czy nawet człapania koni zaprzężonych do furgonów, które z rzadka tędy przejeżdżały. Nie dobiegał też, jak powinno być o tej porze, różnoraki tupot nóg śpieszących do pracy.

Im dłużej nasłuchiwałem, tym dziwniejsze mi się to wszystko wydawało i tym bardziej mnie niepokoiło. Natężając uwagę, w ciągu mniej więcej dziesięciu minut pięć razy usłyszałem szurające, niepewne kroki, trzy razy niezrozumiałe krzyki z oddali i raz histeryczny kobiecy szloch. Ani razu nie zagruchał gołąb, nie zaćwierkał wróbel. Nic, prócz śpiewu drutów telegraficznych poruszanych wiatrem...

Zaczęło we mnie narastać ohydne uczucie pustki. To samo uczucie miewałem jako dziecko, kiedy wyobrażałem sobie, że w mrocznych kątach sypialni czają się różne potwory; kiedy nie śmiałem wysunąć nogi spod kołdry ze strachu, że jakieś ukryte pod łóżkiem okropieństwo złapie mnie za stopę; kiedy nie śmiałem nawet sięgnąć do przełącznika, bo gdybym się poruszył, jakieś inne okropieństwo mogłoby zaraz na mnie skoczyć. Musiałem zwalczyć to uczucie, podobnie jak musiałem je zwalczać, będąc dzieckiem w ciemnościach. A wcale nie przychodziło mi to łatwiej. Zadziwiające, z ilu rzeczy nie wyrastamy, jak się okazuje, w godzinie próby. Pierwotne, atawistyczne lęki wciąż mnie otaczały, czyhając tylko na sposobność, aby mną owładnąć, i prawie już biorąc mnie we władanie tylko dlatego, że miałem zabandażowane oczy, a ruch uliczny ustał...

Kiedy się trochę wziąłem w garść, spróbowałem się uciec do logicznego rozumowania. Dlaczego zamiera ruch uliczny? Zwykle dlatego, że ulicę zamknięto, żeby dokonać jakichś napraw. Zwykła sprawa. Za chwilę zjawi się brygada z młotami pneumatycznymi i zada nieszczęsnym chorym nową odmianę akustycznych tortur. Ale logiczne rozumowanie miało tę wadę, że nie sposób go było w tym punkcie zatrzymać. Rozwijało się dalej, podkreślając z naciskiem, że nie słychać nawet dalekich odgłosów ruchu samochodowego, nie słychać gwizdu holowników na Tamizie. Nie słyszałem nic aż do chwili, kiedy zegary zaczęły wybijać kwadrans po ósmej.

Pokusa, żeby spojrzeć – tylko rzucić okiem, naturalnie, tylko zerknąć, żeby się zorientować, co się u licha dzieje – była ogromna. A jednak się jej oparłem. Przede wszystkim taki rzut oka stanowił zadanie znacznie bardziej skomplikowane, niżby się mogło zdawać: opatrunek składał się z niemałej ilości waty, gazy i bandaży. Co ważniejsze jednak, bałem się tej próby. Przeszło tydzień kompletnej ślepoty potrafi odstraszyć człowieka od lekkomyślnego traktowania wzroku. Lekarze co prawda zamierzali zdjąć mi tego dnia bandaże, ale mieli je zdjąć w specjalnym, przyćmionym świetle i nie nałożyliby ich na powrót tylko wówczas, gdyby wynik badania moich oczu był pomyślny. A nie wiedziałem, jaki będzie wynik. Mogło się okazać, że uszkodzenie wzroku jest poważne i nieodwracalne. Albo że w ogóle nigdy już nie będę widział. Nic jeszcze na pewno nie wiedziałem...

Zakląłem i znów nacisnąłem guzik dzwonka. Przyniosło mi to pewną ulgę.

Okazało się jednak, że nikt się dzwonkami nie interesuje. Teraz już oprócz niepokoju ogarnęła mnie irytacja. Być od kogoś zależnym to rzecz upokarzająca, ale jest jeszcze gorzej, gdy się nie ma od kogo być zależnym. Moja cierpliwość była na wyczerpaniu. Trzeba wreszcie zrobić z tym wszystkim porządek, powiedziałem sobie.

Jeżeli otworzę drzwi na korytarz i narobię piekielnego hałasu, ktoś powinien nadejść, choćby po to, żeby mi powiedzieć, co o mnie myśli. Odrzuciłem koce i wstałem z łóżka. Nie widziałem nigdy pokoju, w którym leżałem, i mimo że orientowałem się na słuch, gdzie są drzwi, wcale niełatwo było je znaleźć. Natrafiłem po drodze na kilka zagadkowych i najzupełniej zbędnych przeszkód, w końcu jednak dotarłem do celu względnie cało, jeśli nie liczyć poobijanych palców u nogi i niewielkiego siniaka na goleni. Wysunąłem głowę na korytarz.

– Hej! – krzyknąłem. – Proszę mi przynieść śniadanie! Pokój czterdziesty ósmy!

Początkowo nie było żadnej odpowiedzi. Po chwili jednak rozległ się chór wrzaskliwych głosów. Były ich chyba setki, ale nie mogłem zrozumieć ani słowa. Zupełnie jakbym nastawił płytę z wrzaskami tłumu, na dobitkę bardzo wrogo usposobionego. Przez krótką, koszmarną chwilę zastanawiałem się, czy nie przeniesiono mnie, gdy spałem, do zakładu dla obłąkanych, może więc to wcale nie jest szpital Świętego Merryna. Wszystkie te głosy brzmiały wręcz nienormalnie. Szybko zatrzasnąłem drzwi, odcinając się od zgiełku, i po omacku wróciłem do łóżka. Łóżko wydawało mi się jedynym bezpiecznym schronieniem w całym tym niepojętym otoczeniu. Jakby dla spotęgowania wrażenia moje uszy przeszyło coś, co sprawiło, że zamarłem, okrywając się kocem. Z dołu, z ulicy, dobiegł krzyk, niesamowity, mrożący krew w żyłach. Rozległ się trzykrotnie, a kiedy wreszcie ucichł, zdawało się, że wciąż jeszcze wibruje w powietrzu.

Dreszcz mnie przeszedł. Na czole pod bandażami czułem piekące krople potu. Zrozumiałem teraz, że dzieje się coś przerażającego, potwornego. Nie mogłem dłużej znieść odosobnienia i bezradności. Musiałem się dowiedzieć, co to wszystko znaczy. Sięgnąłem do bandaży, wymacałem już agrafki, nagle jednak znieruchomiałem z rękami przy głowie.

Przypuśćmy, że kuracja się nie udała? Przypuśćmy, że po zdjęciu bandaży przekonam się, że wciąż nic nie widzę? To byłoby jeszcze gorsze, tysiąc razy gorsze…

Nie miałem odwagi stwierdzić w samotności, że lekarze nie uratowali mi wzroku. A jeżeli nawet uratowali, czy takie raptowne odsłonięcie nie zaszkodzi oczom?

Opuściłem ręce i położyłem się. Byłem wściekły — na siebie, na szpital - i dałem upust tej wściekłości, klnąc głupio i bezsilnie.

Musiała upłynąć dłuższa chwila, zanim odzyskałem równowagę i znów zacząłem się głowić nad jakimś wytłumaczeniem tej piekielnej sytuacji. Nie znalazłem go. Doszedłem tylko do bezwzględnego przekonania, że wbrew wszelkim przedziwnym oznakom jest środa. Poprzedni dzień bowiem musiał się wszystkim wryć w pamięć, a mogłem przysiąc, że dzieli mnie od niego tylko jedna noc.

Znajdziecie w kronikach i archiwach, że we wtorek, siódmego maja, Ziemia przeszła przez chmurę szczątków komety. Jeśli zechcecie, możecie w to nawet uwierzyć — miliony ludzi w to uwierzyły. Może tak było rzeczywiście. Nie mam na to niezbitych dowodów. Wprawdzie nie widziałem, co zaszło, ale wyrobiłem sobie na ten temat własne zdanie. Wiem tylko, że musiałem spędzić wieczór w łóżku, słuchając relacji naocznych świadków o najbardziej, jak twierdzili, zdumiewającym zjawisku niebieskim odnotowanym w dziejach.

A przecież, zanim się cała ta historia zaczęła, nikt nie słyszał nigdy ani słowa o tej rzekomej komecie ani o jej szczątkach.

Dlaczego, gdy do tego doszło, bez przerwy mówił o tym zjawisku sprawozdawca radiowy, skoro każdy, kto mógł chodzić, kuśtykać czy dać się nieść, był albo pod gołym niebem, albo przy oknie, podziwiając największy w historii świata bezpłatny fajerwerk — tego nie wiem. Tak jednak było, a słuchając tej relacji, zrozumiałem jeszcze dokładniej, co to znaczy być niewidomym. Poczułem wreszcie, że jeśli kuracja okaże się nieskuteczna, raczej ze sobą skończę, niż pozostanę w tym stanie.

W wiadomościach przez cały dzień podawano, że tajemnicze jaskrawozielone błyski widziano poprzedniej nocy na niebie Kalifornii. Tyle jednak rzeczy zdarzało się stale w Kalifornii, że trudno było zbytnio się tym przejmować, ale w kolejnych wiadomościach pojawił się ów motyw szczątków komety, no i już pozostał.

Znad całego Pacyfiku napływały relacje o nocy rozświetlonej zielonymi meteorami. „Niekiedy przelatywały ich takie roje, jakby wirowało całe niebo". I tak też pewnie było, jeśli się dobrze nad wszystkim zastanowić.

Gdy linia terminatora przesuwała się na zachód, widoki wcale nie traciły na wspaniałości. Zielone błyski ukazywały się, nawet nim zapadł mrok. Spiker, mówiąc o meteorach w wiadomościach o osiemnastej, zapewniał słuchaczy, że to fenomenalne widowisko, które każdy powinien zobaczyć. Wspomniał też, że meteory wywołują poważne zakłócenia w odbiorze krótkich fal z dalszych odległości, lecz fale średnie, na których mają być nadawane kolejne relacje, są wolne od zakłóceń, przynajmniej na razie. Spiker mógł sobie oszczędzić tej oracji. Sądząc po tym, jakie podniecenie panowało w szpitalu, nie było najmniejszego prawdopodobieństwa, aby ktokolwiek nie obejrzał niebiańskich fajerwerków. Oprócz mnie.

Jakby za mało było komentarzy radiowych, pielęgniarka, która przyniosła kolację, również uznała za stosowne o wszystkim mi opowiedzieć.

— Na niebie jest mnóstwo spadających gwiazd — mówiła. — Wszystkie jaskrawozielone i w ich świetle ludzkie twarze wyglądają upiornie. Tłumy wyległy na ulicę i patrzą, a chwilami jest widno jak za dnia, tyle że w dziwnym kolorze. Co pewien czas przelatuje wielka gwiazda, taka świecąca, aż oczy bolą. Cudowny widok. Mówią, że nigdy jeszcze nic podobnego nie było. Szkoda, że pan nie może tego zobaczyć!

— Tak — przyznałem dość niechętnie.

— Rozsunęłyśmy zasłony w salach, żeby wszyscy mogli oglądać — mówiła dalej. — Gdyby nie miał pan bandaży na oczach, widziałby pan stąd doskonale.

– Naprawdę? – powiedziałem.

– Ale najlepiej się ogląda pod gołym niebem. Podobno tysiące osób zebrały się w parkach i na błoniach. Na wszystkich płaskich dachach też stoi mnóstwo ludzi i patrzy w górę.

– Jak długo ma to potrwać? – spytałem cierpliwie.

– Nie wiem, ale mówi się, że gwiazdy nie świecą już tak mocno jak przedtem. No, ale gdyby nawet dziś zdjęto panu bandaże, wątpię, czy lekarze pozwoliliby panu patrzeć. Na początku musi pan być bardzo ostrożny, a niektóre błyski są szalenie jaskrawe. One... ojej!

– Dlaczego „ojej"? – zapytałem.

– Teraz przeleciała taka świecąca, aż cały pokój zrobił się zielony. Co za szkoda, że pan jej nie widział.

– Tak, tak – powiedziałem. – A teraz niech siostra zrobi mi tę łaskę i już sobie pójdzie.

Próbowałem słuchać radia, ale wydawało takie same okrzyki podziwu i zachwytu, na dodatek zaś wciąż ględziło wykwintną angielszczyzną o „wspaniałym widoku" i „fenomenalnym zjawisku", aż w końcu miałem wrażenie, że cały świat jest na wielkim balu, na który tylko ja nie dostałem zaproszenia.

Nie mogłem poszukać sobie innej rozrywki, bo szpitalny radiowęzeł nadawał tylko jeden program. Po pewnym czasie zorientowałem się, że widowisko ma się ku końcowi. Spiker ponaglał wszystkich, którzy jeszcze go nie obejrzeli, żeby się pośpieszyli, bo będą żałować do końca życia.

Wszystko jakby się sprzysięgło, aby mnie przekonać, że omija mnie najważniejsza rzecz, dla której właściwie przyszedłem na świat. W końcu miałem tego wszystkiego dość i wyłączyłem radio. Przedtem usłyszałem jeszcze, że zjawiska świetlne tracą szybko na sile i za parę godzin prawdopodobnie wyjdziemy ze strefy odłamków komety.

Nie ulegało dla mnie wątpliwości, że wszystko to zdarzyło się poprzedniego wieczoru – gdyby się zdarzyło dawniej, musiałbym odczuwać znacznie silniejszy głód, niż odczuwałem w tej chwili. No dobrze, więc co to wszystko może znaczyć? Czyżby cały szpital, ba, całe miasto tak się hucznie bawiło do rana, że dotychczas jeszcze nie zdołało oprzytomnieć?

W tym miejscu tok moich myśli przerwały bliskie i dalekie zegary, niezgranym chórem obwieszczając dziewiątą.

Po raz trzeci z całej siły nacisnąłem dzwonek. Gdy leżałem, czekając na rezultat, usłyszałem za drzwiami jakieś szmery. Składały się jakby z pochlipywań, potknięć i szurania, ponad które wybijał się niekiedy jakiś okrzyk z oddali.

Do mojego pokoju wciąż jednak nikt nie przychodził. Zacząłem znów tracić równowagę psychiczną. Ponownie opadły mnie ohydne zmory z lat dziecinnych. Zdawało mi się, że lada chwila otworzą się niewidzialne drzwi i cichaczem wślizną się potwory. Prawdę mówiąc, nie byłem wcale pewien, czy ktoś się już nie zakradł i nie krąży bezszelestnie po pokoju...

Z natury nie mam nadmiernie wybujałej wyobraźni, przysięgam. Powodem mojego stanu były przeklęte bandaże zasłaniające mi oczy i owe okropne, niesamowite głosy, które odpowiedziały mi, kiedy otworzyłem drzwi na korytarz. W każdym razie uległem zmorom, a kiedy się im ulegnie, olbrzymieją z każdą chwilą. Już teraz przerosły stadium, w którym można by je odpędzić pogwizdywaniem lub głośnym śpiewem.

Wreszcie zadałem sobie rozstrzygające pytanie. Co wolę: zdjąć bandaże, narażając się na niebezpieczeństwo utraty wzroku, czy pozostawać w ciemnościach, we władzy coraz bardziej paraliżującego strachu?

Gdyby się to działo dzień lub dwa wcześniej, nie wiem, co bym zrobił – prawdopodobnie w końcu to samo – ale tego dnia mogłem sobie przynajmniej powiedzieć: tam do diabła, jeżeli tylko będę rozsądny, nic strasznego nie może się stać. Ostatecznie bandaże mają być dziś zdjęte. Zaryzykuję.

Jedno muszę zapisać sobie na plus. Nie byłem aż tak opętany lękiem, żeby gwałtownie zerwać bandaże. Miałem dość rozwagi i opanowania, aby wstać z łóżka i spuścić zasłony, nim się zabrałem do odpinania agrafek.

Gdy już zdjąłem opatrunek i przekonałem się, że widzę w półmroku, poczułem ulgę, jakiej nigdy dotąd nie doznałem. Mimo to, upewniwszy się, że pod łóżkiem lub w innych zakamarkach nie ukrywają się złoczyńcy lub potwory, podparłem klamkę drzwi oparciem krzesła. Dopiero wtedy zdołałem wziąć się w ryzy. Nakazałem sobie spędzenie całej godziny na stopniowym przyzwyczajaniu się do pełnego światła dziennego. Pod koniec byłem już pewien, że dzięki szybkiej pierwszej pomocy, a następnie dobremu leczeniu wzrok mam równie dobry jak przedtem. Ale wciąż nikt nie przychodził.

Na dolnej półce stolika przy łóżku znalazłem ciemne okulary, przygotowane na wypadek, gdyby mi były potrzebne. Włożyłem je przezornie, nim podszedłem do okna. Dolna jego część nie otwierała się, miałem więc ograniczone pole widzenia. Zerkając na dół i w bok, dostrzegłem w oddali kilka osób. Szły ulicą dziwnie wolno, jakby bez celu. Najbardziej jednak i od razu uderzyła mnie ostrość, czystość zarysów wszystkiego, na co patrzyłem. Nawet dalekie szczyty domów za przeciwległymi dachami widać było niezwykle wyraźnie. Wtem dostrzegłem, że z żadnego komina, dużego ani małego, nie wydobywa się dym…

Moje ubranie znalazłem porządnie zawieszone w szafie. Kiedy je włożyłem, od razu poczułem się normalniej. W papierośnicy znalazłem jeszcze kilka papierosów. Zapaliłem jednego i bardzo szybko doszedłem do stanu, w którym, mimo że wszystko wciąż było niezaprzeczenie dziwne, nie mogłem już zrozumieć, dlaczego właściwie byłem przedtem tak bliski paniki.

Niełatwo odtworzyć w pamięci nasz pogląd na świat w owych czasach. Musimy teraz być znacznie bardziej samodzielni, bardziej polegać na sobie. Ale wtedy wiele spraw szło ustalonym od wieków trybem, wiele rzeczy było ze sobą ściśle powiązanych. Każdy z nas dzień w dzień pełnił swoje ściśle określone funkcje w ściśle określonym miejscu, bez trudu więc można było wziąć nawyk i zwyczaj za prawo natury i tym większy się odczuwało wstrząs, jeżeli coś ów ustalony tryb nagle zakłóciło.

Gdy się spędziło pół życia w takim, a nie innym układzie społecznym, zmiana koncepcji tego układu nie jest sprawą pięciu minut. Teraz, kiedy spoglądamy wstecz na ówczesne stosunki, ogrom tego, czego nie wiedzieliśmy i nie chcieliśmy wiedzieć o swoim życiu codziennym, nie tylko zdumiewa, lecz wręcz budzi zgrozę. Ja na przykład nie miałem właściwie pojęcia o najprostszych sprawach: o tym, jak i kto dostarcza mi żywność, skąd się bierze świeża woda, jak się tka i szyje noszone przeze mnie ubranie, jak działa kanalizacja – warunek zdrowia mieszkańców miast. Nasze życie zależało od sieci niezliczonych specjalistów, z których każdy mniej lub bardziej kompetentnie wykonywał swoje zadanie i oczekiwał tego samego od innych. Dlatego też było dla mnie czymś nie do uwierzenia, żeby w szpitalu mogła zapanować całkowita dezorganizacja. Byłem pewien, że ktoś gdzieś panuje nad sytuacją, pech tylko chciał, że ten ktoś zapomniał o pokoju numer czterdzieści osiem.

Gdy jednak znów podszedłem do drzwi i wyjrzałem na korytarz, uświadomiłem sobie ponad wszelką wątpliwość, że cokolwiek się stało, dotyczy to nie tylko pojedynczego mieszkańca pokoju numer czterdzieści osiem.

W pobliżu nie było akurat nikogo, z daleka słyszałem tylko przytłumiony gwar, dobiegało mnie też szuranie czyichś kroków, a od czasu do czasu donośniejszy okrzyk odbijający się echem w pustych korytarzach. Nic jednak nie przypominało wrzasków, przed którymi przedtem zatrzasnąłem drzwi. Tym razem nie próbowałem już nikogo przywołać. Wyszedłem cicho z pokoju.

Dlaczego cicho? Sam nie wiem. Coś mnie do tego skłoniło.

W tym pełnym ech budynku trudno było określić, skąd dobiegają dźwięki, ale z jednej strony korytarz kończył się balkonem francuskim – przez zasłonę widać było cień balustrady – poszedłem więc w przeciwnym kierunku. Skręciwszy za róg, opuściłem skrzydło separatek i znalazłem się w szerszym korytarzu.

W pierwszej chwili zdawało mi się, że jest pusty, ale gdy ruszyłem dalej, zauważyłem postać, która wyłoniła się z zaciemnionego kąta. Był to mężczyzna w czarnej marynarce i sztruksowych spodniach, na ramiona miał narzucony biały kitel. Pomyślałem, że to pewnie jeden z lekarzy, zdziwiło mnie tylko, że trzyma się ściany i idzie jakby po omacku.

– Dzień dobry – powiedziałem.

Stanął jak wryty. Twarz, którą do mnie zwrócił, była ziemista i przerażona.

– Kim pan jest? – spytał niepewnie.

– Nazywam się Masen – odparłem. – William Masen. Jestem pacjentem... Pokój czterdzieści osiem. Chciałbym się dowiedzieć, dlaczego...

– Pan widzi? – przerwał mi szybko.

– Widzę doskonale. Nie gorzej niż przedtem – zapewniłem go. – Znakomicie mnie wyleczono. Co prawda nikt nie przyszedł, żeby mi zdjąć bandaże, więc zdjąłem je sam. Chyba nic się złego nie stało? Starałem się...

Przerwał mi znowu:

– Pan będzie łaskaw zaprowadzić mnie do mojego gabinetu. Muszę natychmiast zatelefonować.

Nie od razu zrozumiałem, o co mu chodzi, ale od chwili, kiedy się tego ranka obudziłem, wszystko wprawiało mnie w oszołomienie.

— Gdzie to jest? – spytałem.

— Piąte piętro, zachodnie skrzydło. Na drzwiach jest tabliczka: doktor Soames.

— Dobrze – odparłem nieco zdziwiony. – A gdzie jesteśmy teraz?

Mężczyzna potrząsnął głową, twarz miał ściągniętą i zirytowaną.

— Skąd, u diabła, mam wiedzieć? – rzucił gniewnie. – Pan ma oczy, do jasnej cholery. Niech ich pan użyje. Nie widzi pan, że jestem ślepy?

Nic nie wskazywało na to, że jest ślepy. Oczy miał szeroko otwarte i zdawało się, że patrzy wprost na mnie.

— Proszę chwilę zaczekać – powiedziałem. Rozejrzałem się dokoła. Znalazłem dużą cyfrę „5" wymalowaną na ścianie, na wprost drzwi do windy. Wróciłem i powiedziałem mu.

— Dobrze. Niech mnie pan weźmie pod rękę – nakazał. – Od drzwi windy skręci pan na prawo. Potem pierwszy korytarz na lewo, trzecie drzwi.

Zastosowałem się do wskazówek. Po drodze nie spotkaliśmy nikogo, w pokoju zaprowadziłem go do biurka i podałem mu słuchawkę. Słuchał przez chwilę. Potem zmacał ręką aparat i niecierpliwie zastukał w widełki. Powoli wyraz twarzy mu się zmienił. Bruzdy irytacji i niepokoju wygładziły się. Był teraz po prostu zmęczony, bardzo zmęczony. Położył słuchawkę na biurku. Przez kilka sekund stał w milczeniu, jak gdyby wpatrywał się w przeciwległą ścianę. Potem odwrócił głowę.

— Nic z tego, telefon nie działa. Pan jeszcze tutaj? – dodał.

— Tak – powiedziałem.

Przesunął palcami po kancie biurka.

– W którą stronę jestem zwrócony? Gdzie to przeklęte okno? – spytał z nawrotem gniewu.

– Tuż za panem – odrzekłem.

Odwrócił się i ruszył do okna, wyciągając obie ręce. Obmacał starannie parapet, futryny i cofnął się o krok. Zanim się zorientowałem, co robi, rzucił się z całej siły na okno, przebił szybę i wypadł na zewnątrz...

Nie wyjrzałem za nim. Tak czy owak, było to piąte piętro.

Kiedy wreszcie zdołałem się poruszyć, ciężko opadłem na krzesło. Wyjąłem papierosa z pudełka na biurku i zapaliłem go rozdygotanymi rękami. Siedziałem tak przez kilka minut, czekając, aż się uspokoję i przejdą mi mdłości. Po chwili minęły. Wyszedłem z pokoju i wróciłem na korytarz, na którym spotkałem doktora Soamesa. Kiedy tam dotarłem, wciąż jeszcze kręciło mi się w głowie.

Na odległym końcu szerokiego korytarza były drzwi do sali ogólnej. Szyby miały matowe z wyjątkiem owali przejrzystego szkła na wysokości oczu. Sądziłem, że znajdę tam kogoś, kto ma dyżur i komu będę mógł powiedzieć o doktorze.

Otworzyłem drzwi. Wewnątrz było dość ciemno. Zasłony przypuszczalnie zaciągnięto po wczorajszym wieczornym widowisku i dotychczas ich nie rozsunięto.

– Siostro? – spytałem.

– Nie ma jej – odpowiedział męski głos. – Co więcej, nie przychodzi już od Bóg wie ilu godzin. Może rozsuniesz te sakramenckie zasłony, koleś, i wpuścisz trochę światła. Nie wiem, co się dzisiaj stało z tym zafajdanym szpitalem.

– Dobra – powiedziałem.

Jeżeli nawet w szpitalu zapanował chaos, nie widziałem powodu, aby nieszczęśni chorzy mieli leżeć w ciemnościach.

Rozsunąłem zasłony najbliższego okna, wpuszczając jaskrawe promienie słońca. Była to sala chirurgiczna. Leżało tu ze dwudziestu pacjentów, wszyscy unieruchomieni. Przeważnie złamania nóg i kilka amputacji, na ile zdołałem ocenić.

– No, nie grzeb się, koleś, rozsuń zasłony – odezwał się ten sam głos.

Odwróciłem się i spojrzałem na mówiącego. Był to ciemnowłosy barczysty mężczyzna o ogorzałej cerze. Siedział na łóżku zwrócony twarzą wprost do mnie – i do światła. Zdawało się, że patrzy mi prosto w oczy, podobnie jak jego sąsiad i następny chory…

Przez kilka sekund wpatrywałem się w niego bez słowa. Tyle czasu trwało, nim zrozumiałem.

– Zasłony… chyba się zacięły… – powiedziałem wreszcie. – Poszukam kogoś, żeby się nimi zajął.

Uciekłem z sali.

Znów chwyciły mnie dreszcze. Czułem, że przydałby mi się kieliszek czegoś mocniejszego. Zaczęło mi z wolna coś świtać. Trudno było uwierzyć, że wszyscy mężczyźni z tamtej sali oślepli tak jak ten lekarz, a przecież…

Winda była nieczynna, ruszyłem więc na dół po schodach. Na następnym piętrze zapanowałem nad sobą i zebrałem się na odwagę, żeby zajrzeć do innej sali. Pościel na łóżkach była tu w nieładzie. Sądziłem w pierwszej chwili, że sala jest pusta, okazało się jednak, że nie – niezupełnie. Dwóch mężczyzn w szpitalnej bieliźnie leżało na podłodze. Jeden zalany był krwią z niezagojonej rany, drugi wyglądał tak, jakby chwycił go jakiś gwałtowny atak. Obaj nie żyli. Reszta chorych znikła.

Kiedy wróciłem znów na schody, zdałem sobie sprawę, że większość odgłosów, które przez cały czas słyszałem, dobiega z dołu i że są teraz wyraźniejsze i bliższe. Wahałem się przez chwilę, ale nie było innej rady, jak iść dalej na dół.

Na następnym zakręcie o mało się nie potknąłem o mężczyznę, który leżał w półmroku. U stóp schodów zaś leżał ktoś, kto się o niego potknął – i zginął, rozbijając głowę o kamienne stopnie.

Wreszcie dotarłem do ostatniego zakrętu, skąd mogłem widzieć główny hol. Najwidoczniej wszyscy chorzy, którzy mogli się poruszać, instynktownie skierowali się tutaj z myślą o znalezieniu pomocy lub o wydostaniu się na zewnątrz. Może niektórzy się wydostali. Główne drzwi wejściowe były otwarte na oścież, ale większość chorych nie zdołała do nich trafić. Zwarty tłum mężczyzn i kobiet – prawie wszyscy w szpitalnej bieliźnie – wolno i bezradnie kręcił się w koło. Tych, którzy znajdowali się z brzegu, ten obrotowy ruch przyciskał bezlitośnie do wystających marmurowych ozdób lub przygniatał do ścian. Raz po raz ktoś się potykał. Jeżeli mimo naporu ciał padał, niewielka była szansa, że się jeszcze podniesie.

Wyglądało to... cóż, widzieliście zapewne rysunki Dorégo przedstawiające grzeszników w piekle. Ale Doré nie mógł odtworzyć dźwięków: szlochów, cichych jęków, wybijających się od czasu do czasu okrzyków rozpaczy.

Nie mogłem znieść tego widoku dłużej niż minutę. Uciekłem z powrotem na górę.

Miałem uczucie, że powinienem jakoś tym ludziom pomóc. Może wyprowadzić ich na ulicę i przynajmniej położyć kres temu okropnemu, powolnemu krążeniu w ścisku. Ale jedno spojrzenie wystarczyło, by zrozumieć, że nigdy nie zdołam dostać się do drzwi, żeby ich wyprowadzić. Poza tym, gdyby mi się to nawet udało, gdybym ich wyprowadził – co dalej?

Usiadłem na stopniu i ukryłem twarz w dłoniach, wciąż mając w uszach te potworne dźwięki. Kiedy wreszcie trochę oprzytomniałem, zacząłem szukać i znalazłem inne schody. Były to wąskie schody dla personelu, które zaprowadziły mnie do tylnego wyjścia na podwórze.

Być może niezbyt dobrze opowiadam tę część historii. Cała sprawa była tak niespodziewana i wstrząsająca, że przez pewien czas usilnie starałem się nie pamiętać szczegółów. W tamtej chwili miałem wrażenie, że wszystko to jest okropnym snem, z którego bezskutecznie usiłuję się obudzić. Kiedy wyszedłem na podwórze, wciąż jeszcze niezupełnie wierzyłem w to, co widziałem.

Jednego tylko byłem pewien: czy to rzeczywistość, czy koszmar, potrzeba mi odrobiny alkoholu jak jeszcze nigdy w życiu. W bocznej uliczce za bramą podwórza nie było nikogo, ale prawie naprzeciw znajdował się bar. Pamiętam jego nazwę – „The Alamein Arms". U góry, na kutej żelaznej klamrze, wisiała tablica z podobizną wicehrabiego Montgomery, pod nią zaś były szeroko otwarte drzwi. Ruszyłem prosto ku nim.

Wejście do baru dało mi na chwilę rozkoszne poczucie normalności. Był prozaicznie i znajomo podobny do dziesiątków innych barów.

Ale chociaż w tej części baru nie było nikogo, w przyległym tak zwanym salonie coś się niewątpliwie działo. Usłyszałem stęknięcie. Z głośnym hukiem wyskoczył korek z butelki. Pauza. Potem jakiś głos powiedział:

– Gin, do ciężkiej cholery! Precz z ginem!

Rozległ się ogłuszający brzęk, a potem śmiech kogoś dobrze już wstawionego.

– Lustro! Po diabła komu lustra?

Nowy strzał korka.

– Znów ten przeklęty gin – stwierdził głos, bardzo zawiedziony. – Precz z ginem!

Tym razem butelka uderzyła o coś miękkiego, spadła na podłogę i zatrzymała się. Z bulgotem wypływała z niej zawartość.

– Hej! – zawołałem. – Chciałbym się czegoś napić!

Zapadła cisza.

– Kim pan jest? – po chwili nieufnie zapytał głos.

– Jestem ze szpitala – powiedziałem. – Chcę wypić kielicha.

– Nie pamiętam pańskiego głosu. Pan widzi?

– Tak.

– To na miłość boską, doktorku, przeskocz przez ladę i znajdź mi butelkę whisky.

– W tej sprawie, owszem, mogę być doktorem – oświadczyłem. Wdrapałem się przez ladę i spojrzałem w bok. Stał tam mężczyzna z wielkim brzuchem, czerwoną twarzą i siwiejącymi wąsikami, ubrany tylko w spodnie i koszulę bez kołnierzyka. Był już mocno wstawiony. Najwidoczniej nie mógł się zdecydować, czy otworzyć butelkę, którą trzymał w ręce, czy użyć jej w charakterze broni.

– Jeśli pan nie jest lekarzem, to kim pan jest? – spytał podejrzliwie.

– Byłem pacjentem, ale potrzeba mi kielicha jak najlepszemu lekarzowi – odparłem. – To, co pan trzyma, to znowu gin – dodałem.

– Ach, tak! Pieprzony gin – rzekł i cisnął go precz. Butelka z trzaskiem i brzękiem wyleciała przez szybę.

– Niech mi pan lepiej odda ten korkociąg – powiedziałem. Wziąłem z półki butelkę whisky, otworzyłem ją i podałem mu wraz ze szklaneczką. Dla siebie wziąłem mocny koniak, wypiłem na raz i zaraz nalałem sobie drugi. Po chwili ręce przestały mi tak gwałtownie drżeć.

Spojrzałem na swego towarzysza. Pił whisky prosto z butelki.

– Zaleje się pan – ostrzegłem.

Odjął butelkę od ust i zwrócił ku mnie głowę. Przysiągłbym, że mnie widzi.

— Zaleję się! Do diabła, już jestem zalany — stwierdził z pogardą.

Miał tak absolutną słuszność, że nic już do tego nie dodałem. Rozmyślał chwilę ponuro, po czym oznajmił:

— Muszę się upić. Muszę być dużo bardziej pijany. — Nachylił się do mnie. — Wie pan co? Jestem ślepy. Żeby pan wiedział: ślepy jak kret. Wszyscy są ślepi jak krety. Oprócz pana. Dlaczego pan nie jest ślepy jak kret?

— Nie wiem — odparłem.

— To ta przeklęta kometa, niech ją cholera! Ona wszystkiemu winna. Zielone gwiazdy spadające — a teraz wszyscy są ślepi jak krety. Pan widział zielone spadające gwiazdy?

— Nie — wyznałem.

— Otóż to. Najlepszy dowód. Pan ich nie widział: nie jest pan ślepy. Wszyscy inni widzieli — zatoczył łuk ramieniem — wszyscy są ślepi jak krety. Ścierwo nie kometa, powiadam.

Nalałem sobie trzeci kieliszek koniaku, zastanawiając się, czy on nie ma racji.

— Wszyscy są ślepi? — powtórzyłem.

— Właśnie. Wszyscy. Pewnie wszyscy na świecie. Oprócz pana — dodał jakby po namyśle.

— Skąd pan wie? — spytałem.

— Nic prostszego. Słuchaj pan! — powiedział.

Staliśmy obok siebie, opierając się o szynkwas, i nasłuchiwaliśmy. Nic nie było słychać, nic prócz szelestu gazety, którą wiatr pędził pustą ulicą. W tej okolicy z pewnością nie było tak cicho od tysiąca lat.

— Rozumie pan, co mam na myśli? Jasna sprawa — powiedział mężczyzna.

— Tak — odrzekłem wolno. — Tak… rozumiem, co pan ma na myśli.

Doszedłem do wniosku, że muszę iść dalej. Nie wiedziałem dokąd. Czułem tylko, że muszę dowiedzieć się czegoś więcej o tym, co się dzieje.

– Jest pan właścicielem baru? – zapytałem.

– A jeśli nawet, to co? – odparł znów nieufnie.

– Tylko tyle, że muszę komuś zapłacić za trzy podwójne koniaki.

– Daj pan spokój.

– Ależ niech pan posłucha...

– Daj pan spokój, powiadam. Wie pan dlaczego? Bo po co nieboszczykowi pieniądze? A ja jestem nieboszczyk... tak jakbym już był. Jeszcze tylko parę łyków.

Wyglądał bardzo krzepko na swój wiek i powiedziałem mu to.

– Po co żyć, jak człowiek jest ślepy? – zapytał gniewnie. – Tak powiedziała moja żona. I miała rację, tylko że ona miała więcej odwagi. Kiedy się przekonała, że dzieciaki też są ślepe, co zrobiła? Zabrała je do naszego łóżka i odkręciła gaz. Tak zrobiła. A mnie zabrakło odwagi, żeby przy nich zostać. Moja żona była dzielną kobietą, dzielniejszą ode mnie. Ale ja też się zbiorę na odwagę. Wrócę tam do nich niedługo, gdy już będę dość pijany.

Co tu było mówić? Słowa były bezcelowe, tylko go drażniły. W końcu znalazł po omacku schody i z butelką w ręce poszedł na górę. Nie próbowałem go zatrzymać ani iść za nim, odprowadziłem tylko spojrzeniem. Potem dopiłem koniak i wyszedłem na cichą ulicę.

Nadejście tryfidów

Spisuję tu jedynie osobiste wspomnienia. Dotyczą one wielu rzeczy, które znikły na zawsze, toteż opowiadając o nich, muszę używać słów, jakich niegdyś używaliśmy na ich określenie – nie mam innej rady. Widzę jednak, że po to, aby tło całej historii było zrozumiałe, powinienem wrócić do czasów sprzed dnia, od którego rozpocząłem opowieść.

Kiedy byłem mały, mieszkaliśmy, ojciec, matka i ja, na podmiejskim osiedlu na południe od Londynu. Mieliśmy niewielki dom, na którego utrzymanie ojciec zarabiał, przesiadując sumiennie dzień w dzień przy swoim biurku w Głównym Urzędzie Skarbowym, i ogródek, w którym pracował bodaj jeszcze pilniej przez całe lato. Nie różniliśmy się specjalnie od dziesięciu czy dwunastu milionów innych ludzi, którzy mieszkali podówczas w Londynie i jego najbliższych okolicach.

Ojciec należał do osób, które potrafią w mgnieniu oka dodawać całe kolumny liczb – nawet gdy chodziło o dziwaczne funty, szylingi i pensy będące wtedy walutą obiegową w naszym kraju – żywił więc oczywiście nadzieję, że zostanę w przyszłości księgowym. Dlatego też to, że ja, dodając dwa razy tę samą kolumnę liczb, absolutnie nie potrafiłem otrzymać dwa razy tej samej sumy, stanowiło dla niego wielką zagadkę, a zarazem wielki zawód. Ale nie było na to żadnej rady. Każdy z długiego szeregu nauczycieli, którzy usiłowali mi wytłumaczyć, że rozwiązania zadań matematycznych otrzymuje się drogą rozumowania logicznego, nie zaś dzięki ezoterycznemu natchnieniu, rezygnował w końcu, stwierdzając, że nie mam głowy do rachunków. Ojciec przeglądał moje świadectwa szkolne ze smutkiem, którego celujące stopnie z innych przedmiotów wcale nie usprawiedliwiały. Sądzę, że tok jego myśli biegł następująco: chłopiec nie ma głowy do rachunków = nie będzie się znał na finansach = nie potrafi zarobić na życie.

– Doprawdy nie wiem, co z tobą poczniemy. Co byś ty sam chciał robić? – pytał.

Zanim skończyłem trzynaście czy czternaście lat, kręciłem głową, świadom swej małowartościowości, i przyznawałem się, że nie wiem.

Wówczas ojciec z kolei kręcił głową.

Świat dla ojca dzielił się ostro na urzędników, pracujących umysłowo, i nieurzędników, niepracujących umysłowo, wobec czego zmuszonych do brudnej pracy fizycznej. Jak udało mu się zachować ten pogląd, już wtedy przestarzały co najmniej o setkę lat, nie wiem, zaciążył on jednak na moim dzieciństwie, w związku z czym dość późno się zorientowałem, że brak zdolności matematycznych niekoniecznie skazuje mnie na żywot zamiatacza ulic lub pomywacza. Przez myśl mi nigdy nie przeszło, że kierunek interesujący mnie najbardziej może prowadzić do zdobycia zawodu, ojciec zaś albo nie dostrzegał, albo nie doceniał tego, że wciąż miałem najlepsze stopnie z biologii.

Sprawę rozstrzygnęło dopiero pojawienie się tryfidów. Tryfidom w gruncie rzeczy zawdzięczam bardzo dużo. Dały mi ciekawą pracę i dobre zarobki. Wprawdzie kilka razy nieomal pozbawiły mnie życia, muszę jednak przyznać, że je również ocaliły, bo to właśnie na skutek oparzenia jadem tryfidowym trafiłem do szpitala w krytycznych dniach „deszczu szczątków komety".

Dzisiaj w książkach możemy znaleźć mnóstwo teoretycznych rozważań na temat nagłego pojawienia się tryfidów. W większości są to brednie. Tryfidy z pewnością nie powstały przez samorództwo, jak sądziło wielu naiwnych. Prawie nikt też nie popierał teorii, że stanowiły swego rodzaju dopust boży i były zwiastunami gorszych kar, mających spaść na ludzi, jeżeli świat nie wkroczy na drogę cnoty i nie odżegna się od złego. Nasiona tryfidów nie przyfrunęły też do nas z przestrzeni kosmicznej, aby stać się okazami potwornych form, jakie życie może przybierać w innych, mniej szczęśliwych światach – ja przynajmniej jestem pewien, że tak nie było.

Wiedziałem o tych sprawach więcej niż ogół ludzi, ponieważ praca nad tryfidami była moim zawodem, a zatrudniająca mnie firma brała czynny, choć może niezbyt chwalebny udział w ich rozpowszechnianiu. Mimo wszystko jednak ich pochodzenie nie jest dokładnie znane. Moim skromnym zdaniem były one wynikiem serii pomysłowych krzyżówek biologicznych, po części zapewne przypadkowych. Gdyby wyhodowano je gdzieś w Europie, mielibyśmy bez wątpienia ich dokładny rodowód z pełną dokumentacją. Osoby jednak, które musiały być w tej sprawie najlepiej poinformowane, nie ogłosiły nigdy na ten temat autorytatywnego oświadczenia. Przyczyna tkwiła niewątpliwie w ówczesnej sytuacji politycznej.

Świat, w którym żyliśmy, był rozległy i większość jego obszarów stała dla nas otworem. Oplatała go sieć szos, kolei i szlaków morskich, którymi mogliśmy pokonywać tysiące mil w bezpiecznych i wygodnych warunkach. Jeżeli chcieliśmy podróżować jeszcze szybciej i mogliśmy sobie na to pozwolić, lataliśmy samolotami. W owych czasach nikt nie musiał brać ze sobą broni ani zachowywać jakichkolwiek środków ostrożności. Każdy mógł jechać, dokąd chciał, bez przeszkód – jeżeli nie liczyć stosów formularzy i przepisów. Świat tak obłaskawiony i niegroźny wydaje się dzisiaj utopią. Ale stan ten nie obejmował całej jego powierzchni.

Młodym ludziom, którzy nigdy go nie znali, zapewne trudno go sobie wyobrazić. Mogą sądzić, że był to jakiś złoty wiek – chociaż ci, którzy żyli w tych czasach, nie byli wcale tego zdania. Albo może przypuszczają, że Ziemia uporządkowana i właściwie uprawiana była miejscem nudnym – ale to też nieprawda. Ziemia była ogromnie ciekawa, przynajmniej dla biologa. Co roku przesuwaliśmy coraz dalej na północ granicę hodowli roślin uprawnych. Nowe pola dawały szybko zbiory tam, gdzie od wieków była tundra lub zmarzlina. Co roku też wydzieraliśmy dawnym i nowym pustyniom spore tereny, które obsiewaliśmy trawą lub zbożem. Żywność bowiem stanowiła w owych czasach nasz najbardziej palący problem, a postęp planów regeneracyjnych i przesuwanie się linii upraw na mapach śledzono równie pilnie, jak poprzednie pokolenia śledziły przesuwanie się linii frontów.

Taki przeskok zainteresowania z mieczy na pługi był niewątpliwie pomyślnym objawem społecznym, optymiści jednak niesłusznie twierdzili, że dowodzi on zmian dokonujących się w ludzkiej naturze. Natura ta pozostała taka sama – dziewięćdziesiąt pięć procent ludności Ziemi pragnęło żyć w spokoju, pozostałe zaś pięć procent wciąż obliczało swoje szanse po ewentualnym rozpoczęciu działań wojennych. Pokój trwał głównie dlatego, że niczyje szanse nie były zbyt duże.

Tymczasem, gdy blisko dwadzieścia pięć milionów przybywających rokrocznie istot ludzkich domagało się pożywienia, problem zaopatrzenia w żywność stawał się coraz trudniejszy, a po latach bezskutecznej propagandy dwie następujące po sobie klęski nieurodzaju uświadomiły wreszcie ludziom, jak ten problem jest doniosły.

Czynnikiem, który kazał wojowniczym pięciu procentom zaprzestać na jakiś czas siania niezgody, były satelity. Wytężone badania nad pociskami rakietowymi przyniosły wreszcie rezultaty. Wysłano rakietę, która wyniosła na orbitę okołoziemską satelitę. Z czasem powstały satelity wojskowe. Miały krążyć wokół Ziemi niby miniaturowe księżyce, bezczynne i nieszkodliwe – do czasu, aż naciśnięcie guzika każe im spaść na nią z niszczycielskim skutkiem.

Kiedy pierwsze państwo obwieściło tryumfalnie o umieszczeniu na orbicie uzbrojonego satelity, ludność całego świata przyjęła tę wiadomość z wielkim przerażeniem. Z czasem przerażenie jeszcze wzrosło, inne bowiem państwa, którym – jak podejrzewano – też się to udało, nie podawały na ten temat żadnych komunikatów. Niezbyt miła to świadomość, że się ma nad głową nieznaną liczbę straszliwych pocisków, co krążą tam najspokojniej aż do chwili, gdy ktoś każe im spaść – i nic nie można na to poradzić. Ale życie musi toczyć się dalej, a wszelkie nowości zdumiewająco szybko powszednieją. Ludzie chcąc nie chcąc przyzwyczaili się do tego stanu rzeczy. Co pewien czas wybuchał chór panicznych protestów, gdy rozchodziły się pogłoski, że oprócz satelitów z głowicami atomowymi krążą już inne, zawierające środki wywołujące choroby zbóż i bydła, pył radioaktywny, wirusy i przeróżne zarazki, nie tylko znane, lecz i nowe, specjalnie wyhodowane w laboratoriach. Czy broń tak niepewną i zdradliwą umieszczano również na orbicie, nie wiadomo, z drugiej jednak strony trudno określić granice szaleństwa – zwłaszcza potęgowanego strachem. Niszczycielski środek organiczny, dość nietrwały, aby po kilku dniach stracić szkodliwość (kto zaręczy, że nie udało się takiego wyhodować?), odpowiednio rozsiany mógłby służyć do realizacji celów strategicznych.

Wreszcie Stany Zjednoczone potraktowały protesty dość poważnie, by zapewnić z naciskiem, że nie mają satelitów przeznaczonych do oddziaływania biologicznego bezpośrednio na ludzi. Inne państwa, między nimi kilka pomniejszych, których nikt nie podejrzewał o posiadanie jakichkolwiek satelitów, skwapliwie złożyły podobne oświadczenia. Ale niektóre groźne potęgi militarne nie kwapiły się z takimi deklaracjami. Wobec ich złowieszczego milczenia opinia publiczna zaczęła się domagać wyjaśnień, dlaczego Stany Zjednoczone nie starają się przygotować do nowego sposobu prowadzenia wojny – a w ogóle, co to znaczy „bezpośrednio"? Skutek był taki, że wszystkie zainteresowane strony przestały składać jakiekolwiek oświadczenia w sprawie satelitów, dołożyły natomiast wysiłków, aby skierować uwagę opinii publicznej na nie mniej doniosły, lecz znacznie mniej drażliwy problem braku żywności.

Prawa podaży i popytu winny były umożliwić bardziej przedsiębiorczym grupom finansistów wprowadzenie monopolu na artykuły pierwszej potrzeby, ale w owych czasach świat na ogół żywił wyraźną niechęć do jakichkolwiek postaci monopolu. Jednakże system ściśle ze sobą powiązanych spółek akcyjnych działał bardzo sprawnie, omijając rafy ustaw antykorporacyjnych. Szerokie rzesze nie domyślały się nawet, że ten system musi od czasu do czasu pokonywać jakieś drobne trudności. Nikt na przykład nie miał pojęcia, że istnieje ktoś taki jak Umberto Christoforo Palanguez. Ja sam usłyszałem o nim po latach, już w czasie mojej pracy zawodowej.

Umberto był Latynosem mieszanego pochodzenia i miał

obywatelstwo któregoś z krajów Ameryki Południowej. Po raz pierwszy objawił się jako potencjalny piasek w trybach gładko działającej maszynerii przemysłu olejów jadalnych, kiedy wszedł do biura Arctic and European Fish-Oil Company i zaprezentował butelkę bladoróżowego oleju, którym chciał zainteresować zarząd spółki.

Zarząd nie zdradzał entuzjazmu. Przemysł działał sprawnie, zmiany nie były pożądane. Po namyśle jednak postanowiono oddać do analizy próbkę, którą zostawił Palanguez.

Analiza wykazała, że olej z pewnością nie jest rybny, lecz roślinny, mimo że nie zdołano zidentyfikować jego źródła. Drugą rewelację stanowiło to, że w porównaniu z nim wszystkie oleje rybne wytwarzane przez spółkę sprawiały wrażenie smaru do maszyn. Przerażony zarząd nakazał poddać resztę próbki intensywnym badaniom i postarał się szybko, acz dyskretnie wywiedzieć, czy pan Palanguez zwracał się w tej sprawie do jakichś innych koncernów.

Kiedy Umberto znów się zgłosił, dyrektor naczelny przyjął go z oznakami najwyższego szacunku.

— Przyniósł nam pan znakomity olej, panie Palanguez — rzekł.

Umberto skłonił lśniącą czarną głowę. W pełni zdawał sobie z tego sprawę.

— Nigdy nic podobnego nie widziałem — wyznał dyrektor naczelny.

Umberto ponownie skłonił głowę.

— Doprawdy? – powiedział uprzejmie. Następnie, po chwili namysłu, dodał: — Ale sądzę, że jeszcze señor zobaczy. W wielkich ilościach. — Znów się zastanowił. — Wejdzie przypuszczalnie na rynek za siedem, może za osiem lat. — Uśmiechnął się.

Dyrektor naczelny uznał, że to mało prawdopodobne. Powiedział, przybierając szczerą minę:

– Jest lepszy od naszych olejów rybnych.

– Tak mnie zapewniają eksperci, señor – odparł Umberto.

– Zamierza pan sam rzucić go na rynek?

Umberto znów się uśmiechnął.

– Czy pokazałbym go panu, gdybym miał taki zamiar?

– Moglibyśmy wzbogacić syntetycznie jeden z naszych olejów – zauważył dyrektor, coś sobie kalkulując.

– Owszem, witaminami, ale ich syntetyczna produkcja byłaby kosztowna, nawet gdyby się udała – powiedział grzecznie Umberto. – Poza tym – dodał – jak mi wiadomo, ten olej może konkurować z najlepszymi olejami rybnymi pańskiej spółki.

– Hm – mruknął dyrektor naczelny. – No cóż, mam chyba dla pana pewną propozycję. Możemy przystąpić do rzeczy?

– Są dwa sposoby załatwiania takich niefortunnych spraw – stwierdził Umberto. – Pierwszy polega na niedopuszczeniu do produkcji nowego artykułu, a przynajmniej na odroczeniu jego produkcji do czasu, aż zamortyzują się kapitały ulokowane w obecnym wyposażeniu fabryk.

Dyrektor naczelny skinieniem głowy przyznał mu słuszność. Znał się na tych sprawach.

– Bardzo jednak panu współczuję, bo tym razem tego sposobu nie można wykorzystać.

Dyrektor naczelny miał co do tego pewne wątpliwości. Chciał już rzucić: „Mógłby się pan zdziwić!", ale się wstrzymał i poprzestał na zdawkowym:

– Doprawdy?

– Drugim sposobem – mówił dalej Umberto – jest przystąpienie do produkcji artykułu, zanim nadejdzie krytyczna chwila.

– O? – wtrącił tylko dyrektor naczelny.

– Sądzę... – oświadczył Umberto – sądzę, że mógłbym dostarczyć pańskiej spółce nasion tej rośliny w ciągu, powiedzmy, pół roku. Gdybyście sami założyli plantacje, moglibyście rozpocząć produkcję oleju za pięć lat… no, może za sześć, gdyby zależało wam na pełnej wydajności.

– Czyli w samą porę – rzucił dyrektor naczelny.

Umberto skinął głową.

– Pierwszy sposób byłby prostszy – zauważył dyrektor naczelny.

– Gdyby był możliwy – zgodził się Umberto. – Niestety konkurenci panów nie zechcą przystąpić do pertraktacji. Nie da się ich też zastraszyć.

Stwierdził to z tak bezwzględnym przekonaniem, że dyrektor naczelny przyglądał mu się pilnie przez długą chwilę.

– Rozumiem – powiedział wreszcie. – Ciekaw jestem, czy nie jest pan przypadkiem obywatelem Związku Radzieckiego, panie Palanguez.

– Nie – odrzekł Umberto. – W życiu na ogół mi się szczęściło… Ale mam rozległe powiązania.

W tym miejscu należy wspomnieć o państwie zajmującym jedną szóstą powierzchni globu, którego nie można było odwiedzić tak łatwo jak reszty świata. Zdobycie zezwolenia na wizytę w ZSRR było niezwykle trudne, a ci, którym się to udało, musieli się poruszać po ściśle wyznaczonych trasach. Państwo to z rozmysłem przekształcone zostało w krainę tajemnic. Niewiele z tego, co działo się za niemal patologicznie szczelną kurtyną, docierało do reszty globu, a to, co docierało, budziło podejrzenia. A jednak mimo dziwacznej propagandy, która wypuszczała w świat jedynie błahostki i starannie ukrywała każdy, nawet najmniej znaczący fakt, w wielu dziedzinach niewątpliwie dokonano istotnych odkryć. Na przykład w biologii. Wiadomo było, że ZSRR, który podobnie jak reszta świata miał problemy ze zwiększeniem produkcji żywności, prowadził intensywne badania nad pozyskiwaniem nieużytków – pustyń, stepów i tundry na północy. W czasach, kiedy istniała jeszcze wymiana informacji, Rosjanie donosili o osiągnięciu pewnych sukcesów. Później jednak nastąpiła czystka i – w rezultacie – biologia pod kierunkiem człowieka nazwiskiem Łysenko wkroczyła na inne tory. Ta gałąź nauki również uległa obłędnej epidemii tajności. Drogi jej rozwoju pozostały nieznane; można było się domyślać, że rezultaty eksperymentów okazały się olśniewającym sukcesem, bzdurą albo dziwactwem – albo wszystkim naraz.

– Słoneczniki – powiedział dyrektor naczelny, mówiąc jakby do siebie. – Wiem, że w pewnych krajach pracuje się nad zwiększeniem zawartości oleju w nasionach tej rośliny. Ale to nie jest olej słonecznikowy.

– Nie jest – stwierdził Umberto.

Dyrektor naczelny w zamyśleniu zaczął kreślić na papierze jakieś rysuneczki.

– Nasiona, mówi pan. Chce pan powiedzieć, że to jakiś nowy gatunek? Bo jeżeli chodzi tylko o ulepszoną odmianę ułatwiającą proces produkcyjny…

– O ile mi wiadomo, jest to nowy gatunek, coś zupełnie nowego.

– Ale sam pan tej rośliny nie widział? Więc to może być w końcu jakaś zmodyfikowana odmiana słonecznika?

– Widziałem zdjęcia, señor. Nie powiem, że ta roślina nie ma nic ze słonecznika. Nie powiem, że nie ma nic z rzepy. Ani że nie ma nic z pokrzywy, a nawet ze storczyka. Twierdzę jednak, że gdyby wszystkie te rośliny były jej roślinami rodzicielskimi, żadna nie poznałaby swego dziecka. Wątpię też, czy którakolwiek byłaby nim zachwycona.

– Rozumiem. Jaką sumę pragnąłby pan otrzymać za dostarczenie nasion tej rośliny?

Umberto wymienił sumę, na co dyrektor naczelny od razu zaprzestał kreślenia rysuneczków. Zdjął nawet okulary, żeby lepiej się przyjrzeć rozmówcy. Umberto wcale się nie speszył.

– Proszę zważyć, señor – rzekł, wyliczając punkt po punkcie na palcach – że zadanie jest trudne. Jest też niebezpieczne, bardzo niebezpieczne. Nie jestem tchórzem, ale nie narażam się na niebezpieczeństwo dla rozrywki. Jest też inny człowiek, Rosjanin, którego również będę musiał wykraść i dobrze opłacić. Są inne osoby, którym wcześniej on będzie musiał zapłacić. Muszę też kupić samolot, odrzutowiec, bardzo szybki. Wszystko to bardzo dużo kosztuje. A jak powiadam, rzecz jest niełatwa. Muszą panowie dostać dobre nasiona, a znaczny odsetek nasion tej rośliny jest bezpłodny. Muszę dostarczyć panom nasion skaryfikowanych, zdolnych do kiełkowania. Są bardzo cenne. A w Związku Radzieckim wszystko jest pilnie strzeżoną tajemnicą państwową. Zadanie z pewnością nie będzie łatwe.

– Chętnie uwierzę. Mimo to...

– Czy to tak dużo, señor? Co pan powie za kilka lat, kiedy Sowieci zaleją tym olejem rynki światowe i pańska spółka zbankrutuje?

– Sprawa wymaga zastanowienia, panie Palanguez.

– Ależ oczywiście, señor – zgodził się z uśmiechem Umberto. – Mogę zaczekać... jakiś czas. Ale niestety nie będę mógł obniżyć ceny.

Nie obniżył jej.

Odkrywcy i wynalazcy są plagą przemysłu. Trochę piasku w maszynerii to drobnostka: wymienia się uszkodzone części i produkcja toczy się dalej. Ale pojawienie się nowego procesu produkcyjnego albo nowego surowca, kiedy wszystko jest już zorganizowane i działa bez zakłóceń, to piekielny kłopot. Czasami nawet jest to katastrofa, do której nie wolno dopuścić. Gra idzie o zbyt wysokie stawki. Jeżeli nie można użyć legalnych sposobów, trzeba próbować innych.

Umberto bynajmniej nie przesadził rozmiarów ryzyka. Chodziło nie tylko o to, że konkurencja nowego, taniego oleju doprowadzi do bankructwa Arctic and European Fish-Oil Company i związanych z nim przedsiębiorstw. Sprawa musiała zatoczyć bardzo szerokie kręgi. Mogła nie być śmiertelnym ciosem dla przemysłu wytwarzającego olej z orzeszków ziemnych, z oliwek, dla przemysłu wielorybniczego i przetwórni innych olejów, lecz naraziłaby je na poważny wstrząs. Ponadto odbiłaby się gwałtownie na przemyśle przetwórczym, obejmującym wytwórnie margaryny, mydła i setek innych artykułów, poczynając od kremów kosmetycznych, a kończąc na wszelakiego rodzaju farbach. Słowem, gdy kilka spośród bardziej wpływowych koncernów zrozumiało rozmiary zagrożenia, warunki postawione przez Umberta zaczęły się wydawać całkiem skromne.

Zawarto z nim umowę, próbki bowiem przemawiały kontrahentom do przekonania, jeżeli nawet pozostała część transakcji była mglista.

W końcu zresztą strona zainteresowana zapłaciła znacznie mniej, niż wynikało z umowy, gdy bowiem Umberto wziął zaliczkę i odleciał swoim samolotem w nieznanym kierunku – nigdy więcej go już nie widziano.

Nie znaczy to jednak, że nigdy już o nim nie usłyszano.

Kilka lat później do biura Arctic and European Oils Company (usunięto już wtedy z nazwy spółki wzmiankę o olejach rybnych, zaprzestano bowiem ich produkcji) zgłosił się bliżej nieokreślony osobnik przedstawiający się jako Fiodor. Oświadczył, że jest Rosjaninem i chciałby dostać trochę pieniędzy, jeżeli panowie z zarządu zechcą mu ich użyczyć.

Opowiedział, że był pracownikiem pierwszej stacji doświadczalnej zajmującej się hodowlą tryfidów w rejonie jełowskim na Kamczatce, w ustronnej i bezludnej okolicy, która mu pod żadnym względem nie odpowiadała. Ponieważ bardzo chciał się stamtąd wydostać, uległ namowom kolegi – towarzysza

Nikołaja Aleksandrowicza Bałtinowa – popartym dość pokaźną sumą środków płatniczych.

Zarobienie tej sumy nie nastręczało szczególnych trudności. Fiodor miał po prostu zdjąć z półki pudełko pełnowartościowych, zdolnych do kiełkowania nasion tryfidów i zastąpić je pudełkiem nasion bezwartościowych. Skradzione pudełko powinien był zostawić w określonym miejscu i w określonym czasie. Ryzyko właściwie nie istniało. Zanimby wykryto zamianę, mogły upłynąć lata.

Następne jednak wymaganie było nieco bardziej skomplikowane. Towarzysz Bałtinow powiedział, że Fiodor ma się postarać o właściwe rozmieszczenie świateł na dużym polu o milę czy dwie od plantacji i być tam wyznaczonej nocy. Kiedy usłyszy warkot samolotu przelatującego bezpośrednio nad polem, włączy światła i samolot wyląduje. Wówczas najlepiej będzie, jeśli się Fiodor czym prędzej oddali, zanim zjawi się ktoś, aby zbadać całą sprawę.

Za te usługi otrzyma dodatkowy plik banknotów, ponadto zaś, jeżeli uda mu się opuścić ZSRR, to w centrali Arctic and European Oils będzie na niego czekała następna, większa suma pieniędzy.

Według relacji przybysza operacja przebiegła zgodnie z planem. Fiodor nie czekał, aż samolot wyląduje. Włączył światła i uciekł co sił w nogach.

Samolot był na ziemi krótko, najwyżej dziesięć minut, po czym znów wystartował. Sądząc po wyciu silników odrzutowych, musiał wznosić się niemal pionowo. Parę minut potem, gdy wycie ucichło, Fiodor znów usłyszał dźwięk silników lotniczych. Jakieś inne samoloty najwyraźniej ruszyły w pościg za tamtym. Było ich może dwa, może więcej. Leciały z olbrzymią szybkością, silniki odrzutowe ryczały ogłuszająco…

Nazajutrz okazało się, że towarzysz Bałtinow zniknął. Było mnóstwo przykrości i zamieszania, w końcu jednak uznano, że Bałtinow działał sam, bez niczyjej pomocy. Fiodor wyszedł więc z całego zamieszania obronną ręką.

Czekał przezornie cały rok, zanim odważył się na następne posunięcie. Wszystkie otrzymane pieniądze wydał na pokonywanie różnorakich przeszkód. Żeby zarobić na utrzymanie, podejmował się w drodze rozmaitych prac, trwało więc dość długo, nim dotarł do Anglii. Ale teraz, kiedy już tu jest, czy może dostać trochę pieniędzy?

W tym czasie słyszano już co nieco o stacji doświadczalnej w rejonie jełowskim. Podana przez niego data lądowania samolotu również była prawdopodobna. Spółka wypłaciła mu wobec tego pewną sumę pieniędzy. Dano mu też podobno pracę i kazano trzymać gębę na kłódkę. Było już bowiem wtedy jasne, że chociaż Umberto nie dostarczył osobiście przyrzeczonych nasion, to w każdym razie uratował sytuację, rozsiewając je po całym świecie.

Arctic and European Oils Company na początku nie skojarzyła pojawienia się tryfidów z Umbertem, toteż na zlecenie spółki policje różnych krajów wciąż go poszukiwały. Dopiero gdy jakiś naukowiec przyniósł do spółki próbkę oleju tryfidowego, członkowie zarządu zrozumieli, że jest ona identyczna z próbką Umberta i że Umberto w swoim czasie podjął się dostarczenia właśnie nasion tryfidów.

Co się stało z Umbertem, nie dowiemy się już nigdy. Jeśli chodzi o mnie, przypuszczam, że gdzieś nad Pacyfikiem, wysoko w stratosferze, został wraz z towarzyszem Bałtinowem zaatakowany przez myśliwce, które, jak słyszał Fiodor, ruszyły za nim w pościg. Być może zorientowali się, że są ścigani, dopiero gdy pociski z działek radzieckich myśliwców zaczęły przebijać poszycie ich samolotu.

Sądzę też, że jeden z pocisków rozbił w drzazgi pewien dwunastocalowy sześcian z dykty – pojemnik, w którym zgodnie z twierdzeniem Fiodora spoczywały nasiona.

Być może samolot Umberta wybuchnął w powietrzu, być może po prostu rozpadł się na kawałki. Jakkolwiek było, jestem pewien, że gdy jego szczątki zaczęły spadać do oceanu, pozostawiły za sobą coś, co wyglądało jak biały opar.

Nie był to opar. Był to obłok nasion, tak lekkich, że unosiły się nawet w rozrzedzonym powietrzu. Miliony nieważkich jak pajęczyna nasion gotowych teraz pofrunąć wszędzie, gdzie tylko je wiatr poniesie...

Mogły upłynąć tygodnie, nawet miesiące, zanim w końcu opadły na ziemię, nieraz o tysiące mil od miejsca swego pochodzenia.

Jest to, powtarzam, hipoteza. Ale nie widzę innego sposobu, żeby ta roślina, której istnienie trzymano w tak ścisłej tajemnicy, mogła się nagle znaleźć niemal we wszystkich częściach świata.

Znajomość z tryfidem zawarłem, kiedy jeszcze byłem mały. Tak się złożyło, że w naszym ogrodzie wyrósł jeden z pierwszych w okolicy. Był już dość dobrze rozwinięty, zanim ktokolwiek z nas zwrócił na niego uwagę, zakorzenił się bowiem z innymi samosiejkami za żywopłotem osłaniającym kompostownik. Nikomu tam nie przeszkadzał ani nie robił nic złego. Gdy więc go wreszcie zauważyliśmy, zerkaliśmy nań tylko od czasu do czasu, żeby się przekonać, jak tam rośnie, i nie ruszaliśmy go.

Tryfid wszakże wyróżnia się spośród innych roślin, toteż po pewnym czasie mimo woli zaczęliśmy się nim interesować. Nie jakoś szczególnie, bo w zaniedbanych kątach ogrodu zawsze wysiewają się jakieś nieznane zielska, lecz dostatecznie, aby wspominać w rozmowie, że ten chwast zaczyna wyglądać bardzo osobliwie.

Teraz, kiedy wszyscy aż za dobrze wiedzą, jak wyglądają tryfidy, trudno odtworzyć w pamięci, jakie dziwne, wręcz niesamowite wrażenie sprawiały pierwsze okazy. Ale nikt, o ile mi wiadomo, na ich widok nie odczuwał lęku ani nawet niepokoju. Większość ludzi, jeżeli w ogóle o nich myślała, traktowała je przypuszczalnie tak jak mój ojciec.

Zachowałem w pamięci obraz ojca, gdy z pewnym zdziwieniem oglądał naszego tryfida, mającego wówczas pewnie około roku. Był dokładną repliką dojrzałej rośliny, tyle że nie miała ona wtedy jeszcze nazwy, a poza tym nikt jeszcze dojrzałego tryfida nie widział na oczy. Ojciec nachylił się, wpatrując się pilnie przez okulary w rogowej oprawie, obmacując łodygę rośliny i dmuchając leciutko przez rudawe wąsy, jak to miał w zwyczaju, gdy był zamyślony. Potem obejrzał drzewiasty pień, z którego wyrastała łodyga. Z zaciekawieniem, choć dość pobieżnie, rzucił okiem na trzy niewielkie nagie odrosty u jej nasady. Dotknął krótkich gałązek okrytych skórzastymi zielonymi liśćmi i potarł jeden z nich palcami, jak gdyby mógł się czegoś dowiedzieć ze struktury liścia. Wreszcie zajrzał do szczególnego zwieńczenia łodygi, mającej kształt lejka. Pamiętam, jak pierwszy raz podniósł mnie, żebym zajrzał do stożkowatego kielicha i zobaczył ukrytą w nim, mocno skręconą spiralę. Przypominała młody, ciasno zwinięty pęd paproci i wyłaniała się na dwa cale z lepkiej masy na dnie kielicha. Nie dotknąłem tej masy, ale uznałem, że musi być lepka, bo poruszały się w niej muchy i inne drobne owady, na próżno usiłując się wydostać.

Ojciec potem kilka razy mówił, że to bardzo dziwny chwast i trzeba by się w końcu dowiedzieć, do jakiego należy gatunku. Wątpię jednak, czy coś w tej sprawie zrobił, zresztą wówczas i tak niewiele jeszcze mógłby się dowiedzieć.

Tryfid miał wtedy ponad cztery stopy wysokości. Sporo ich zapewne rosło cichutko w okolicy, nie zwracając na siebie niczyjej uwagi – tak przynajmniej wyglądało, bo jeśli nawet biolodzy lub botanicy interesowali się nieznaną rośliną, nic się na ten temat nie przedostawało do wiadomości publicznej. Toteż chwast w naszym ogrodzie rósł sobie w spokoju, podobnie jak tysiące innych w zaniedbanych, nieuprawianych zakątkach na całym świecie.

Dopiero jakiś czas później pierwszy tryfid wyciągnął z ziemi korzenie – i zaczął chodzić.

Ta niewiarygodna cecha tryfidów bez wątpienia musiała być znana i trzymana w tajemnicy tam, gdzie je wyhodowano, lecz poza owym ośrodkiem, na ile zdołałem ustalić, zdarzyło się to po raz pierwszy w Indochinach, ludzie zatem nie zwrócili na to zdarzenie specjalnej uwagi. Indochiny należały do obszarów, z których częstokroć nadchodziły tego rodzaju ciekawe i mało prawdopodobne bajeczki zamieszczane przez redaktorów w sezonie ogórkowym, żeby ożywić łamy pism tchnieniem „tajemniczego Dalekiego Wschodu". W każdym razie okaz indochiński nie pozostał długo unikatem. W ciągu paru tygodni doniesienia o chodzących roślinach zaczęły napływać z Sumatry, Borneo, Konga, Kolumbii, Brazylii i większych krajów strefy podzwrotnikowej.

Tym razem prasa poświęciła im więcej miejsca. Ale wiadomości z którejś tam ręki podawane były tonem ostrożnym, a zarazem żartobliwym, jakiego dla asekuracji zwykle używa prasa, pisząc o wężach morskich, telepatii, fenomenach natury i innych niewytłumaczonych zjawiskach, nikomu więc z nas przez myśl nie przeszło, że owe dojrzałe rośliny mają coś wspólnego ze spokojnym, grzecznym chwastem przy naszym kompostowniku. Dopiero kiedy ukazały się zdjęcia, zorientowaliśmy się, że poza wielkością są z nim identyczne.

Kronika filmowa szybko odfajkowała sprawę. Być może reporterzy zdobyli jakieś ciekawe ujęcia, skoro już zadali sobie trud udania się samolotem do krajów podzwrotnikowych, niestety jednak montażyści wyznawali teorię, że poza meczem bokserskim każdy temat trwający ponad kilka sekund musi widzów śmiertelnie znudzić. Po raz pierwszy więc ujrzałem wydarzenie, które miało wywrzeć tak wielki wpływ na moją przyszłość, podobnie jak na przyszłość tylu innych ludzi, w króciutkiej sekwencji wciśniętej między konkurs tańca hula-hula w Honolulu a uroczyste wodowanie okrętu wojennego z udziałem żony prezydenta Stanów Zjednoczonych. (Nie popełniam tu anachronizmu. Okręty wojenne wciąż budowano – admirałowie też musieli z czegoś żyć). Pozwolono mi zobaczyć kilka tryfidów chwiejących się na ekranie przy akompaniamencie komentarza dostosowanego rzekomo do poziomu umysłowego szerokiej publiczności:

– A teraz zechcą państwo spojrzeć, co nasz operator filmowy znalazł w Ekwadorze. Jarzyny na urlopie! Coś podobnego mogli państwo dotychczas zobaczyć tylko po wielkiej wódce, ale w słonecznym Ekwadorze ludzie widują to stale – i nie mają potem kaca! Olbrzymie rośliny w marszu! Proszę państwa, mam pomysł! Może udałoby się wytresować nasze ziemniaki, żeby same wchodziły do garnka? Co na to kochane gospodynie?

Patrzyłem na to krótkie ujęcie jak zaczarowany. Miałem przed sobą naszą tajemniczą roślinę z kompostownika, tyle że wysokości przeszło siedmiu stóp. Nie ulegało wątpliwości, że roślina „chodziła".

Pień, który zobaczyłem teraz po raz pierwszy, okrywały niby sierść gęste, włoskowate korzonki. Byłby niemal kulisty, gdyby nie trzy zwężające się odrosty w dolnej jego części. Wspierając się na nich, roślina unosiła się ponad stopę nad ziemią.

„Chodząc", poruszała się podobnie do człowieka o kulach. Dwie tępe „nogi" wysuwały się naprzód, potem cała roślina również przychylała się do przodu, gdy tylna „noga" przysuwała się do przednich, następnie dwie przednie znów wysuwały się naprzód. Przy każdym „kroku" długa łodyga kołysała się gwałtownie. Patrząc na to, doznawało się uczucia zbliżonego do choroby morskiej. Sposób poruszania się był wysilony, niezdarny i grożący połamaniem łodygi. Jednak mimo tych niezachęcających pozorów posuwały się naprzód w tempie przeciętnego chodu ludzkiego.

To było mniej więcej wszystko, co zdążyłem zobaczyć, nim zaczęło się wodowanie krążownika. Nie było to dużo, wystarczyło jednak, aby obudzić we mnie, małym chłopcu, ciekawość badacza. Jeżeli bowiem tamte olbrzymy w Ekwadorze mogły robić takie sztuczki, czemu by nie miał ich robić nasz chwast? Był wprawdzie znacznie mniejszy, ale wyglądał przecież tak samo...

Na nieszczęście nowo odkryta „krocząca" roślina miała pewną właściwość, której autorzy kroniki albo nie znali, albo z sobie tylko wiadomych względów woleli nie ujawniać. Nie było też żadnego ostrzeżenia. Siedziałem w kucki, starając się usuwać ziemię tak, żeby nie uszkodzić rośliny, gdy nagłe poczułem straszliwe uderzenie i straciłem przytomność...

Ocknąłem się w łóżku i ujrzałem matkę, ojca i lekarza, którzy wpatrywali się we mnie z niepokojem. Głowa mi pękała, całe ciało bolało, a jak odkryłem później, połowę twarzy zdobiła ciemnoczerwona nabrzmiała pręga. Zadawane mi wielokrotnie pytanie, jak to się stało, że straciłem przytomność w ogrodzie, pozostało bez odpowiedzi. Nie miałem pojęcia, co mnie uderzyło. Dopiero po pewnym czasie dowiedziałem się, że byłem chyba pierwszym człowiekiem w Anglii, którego oparzył tryfid i który wyszedł z tego obronną ręką. Tryfid oczywiście był jeszcze niedojrzały. Zanim jednak całkiem wróciłem do zdrowia, ojciec ustalił, co mnie musiało spotkać, gdy więc znów wyszedłem do ogrodu, tryfida już nie było. Ojciec srogo się na nim zemścił, szczątki zaś spalił w ognisku.

Z chwilą gdy chodzące rośliny stały się niezaprzeczalnym faktem, prasa zaniechała ostrożności i szeroko się o nich rozpisywała. Należało więc znaleźć dla nich nazwę. Poniektórzy botanicy sięgnęli z rozkoszą do kuchennej łaciny i greki, aby zgodnie ze swym zwyczajem produkować różne warianty słów „ambulans" i „pseudopodia", ale gazetom i publiczności chodziło o nazwę do powszechnego użytku, łatwą do wymówienia i niezajmującą zbyt wiele miejsca w nagłówkach. Gdyby przejrzeli państwo pisma z tamtego okresu, znaleźlibyście w nich wzmianki o trichotach, tribolcach, trigenatach, trigonach, trilogach, tridentatach, trinitach, tripedach, triketach, tripodach, trippetach, ponadto zaś szereg innych zagadkowych nazw niezaczynających się nawet od sylaby „tri", mimo że wszystkie podkreślały naczelną cechę roślin: ów ruchliwy, trójzębny korzeń.

W miejscach publicznych i prywatnych, w domach i barach toczyły się zacięte dyskusje półnaukowe i quasi-etymologiczne między zwolennikami tego lub owego terminu, aż w końcu jedna nazwa zaczęła się wysuwać na czoło wyścigu filologicznego. W pierwotnej swej postaci nie była zbyt wygodna, ale w trakcie używania pierwsze „i" zmieniało się w „y", znikło też jedno „f". Wpadająca w ucho nazwa, wymyślona gdzieś w redakcji jako dogodne określenie dziwoląga botanicznego – która z czasem jednak miała się kojarzyć z bólem, strachem i udręką – TRYFID...

Pierwsza fala powszechnego zainteresowania wkrótce opadła. Tryfidy bez wątpienia sprawiają dość niesamowite wrażenie, ale koniec końców tylko dlatego, że są nowością. Ludzie przed laty mieli taki sam stosunek do nowo odkrytych zwierząt: kangurów, wielkich jaszczurek, czarnych łabędzi. A jak się dobrze zastanowić, czy tryfidy są dużo dziwniejsze od raka, strusia, kijanki i setek innych stworzeń? Nietoperz jest ssakiem, który nauczył się latać, no a tu mamy roślinę, która nauczyła się chodzić. I co z tego?

Roślina jednak miała pewne właściwości, które trudno było zlekceważyć. O jej pochodzeniu, jak już wspominałem, nic nie było wiadomo. Nawet ci, którzy słyszeli o Palanguezie, jeszcze z nim jej nie kojarzyli. Jej nagłe pojawienie się i, co więcej, szeroki zasięg występowania budziły zdumienie i skłaniały ogół do najróżniejszych przypuszczeń. Roślina wprawdzie dojrzewała prędzej w strefie podzwrotnikowej, ale wiadomości o coraz to nowych okazach w różnych stadiach rozwoju napływały prawie ze wszystkich okolic, wyjąwszy koła podbiegunowe i obszary pustynne.

Ze zdziwieniem też i z pewnym niesmakiem ludzie dowiedzieli się, że roślina jest owadożerna i że muchy oraz inne owady, które wpadają do kielicha, zostają przetrawione przez zawartą w nim lepką substancję. My, mieszkańcy stref umiarkowanych, wiedzieliśmy oczywiście o istnieniu roślin owadożernych, nie zwykliśmy jednak spotykać ich poza specjalnymi cieplarniami i skłonni byliśmy je uważać za coś z lekka nieprzyzwoitego, a w każdym razie nienaturalnego. Ale prawdziwym przerażeniem napełniło wszystkich odkrycie, że wić zwinięta w spiralę na czubku łodygi tryfida może w mgnieniu oka wyskoczyć jak sprężyna, zamieniając się w groźny cienki bicz długości dziesięciu stóp, zdolny do wydzielenia dostatecznej ilości piekącej trucizny, aby zabić człowieka, jeśli smagnie go po nieosłoniętej skórze.

Gdy rozeszła się wieść o tym niebezpieczeństwie, nastąpiło wszędzie gorączkowe rąbanie i niszczenie tryfidów, aż wreszcie komuś przyszło na myśl, że wystarczy przecież usunąć trujący górny pęd, aby je zupełnie unieszkodliwić. Zaprzestano więc histerycznej masakry roślin, ale ich liczba znacznie zmalała. Nieco później weszło w modę trzymanie w ogrodzie dwóch lub trzech „oswojonych" tryfidów. Stwierdzono, że trująca wić odrasta w ciągu dwóch lat, zatem doroczne przycinanie gwarantowało ich nieszkodliwość, dzieci zaś miały dzięki nim znakomitą rozrywkę.

W strefie umiarkowanej, gdzie człowiek zdołał poskromić niemal wszystkie formy życia z wyjątkiem siebie, status tryfidów został więc wyraźnie określony. Ale w tropikach, zwłaszcza na terenach gęsto zalesionych, tryfidy wkrótce stały się istną plagą.

Podróżnemu trudno było dostrzec tryfida ukrytego wśród zwykłych krzewów i zarośli, a gdy tylko znalazł się w jego zasięgu, padał cios trującego bicza. Nawet stali mieszkańcy takich okolic częstokroć nie potrafili dostrzec tryfida zaczajonego przy ścieżce w dżungli. Tryfidy były wręcz niesamowicie wyczulone na jakikolwiek, nawet najlżejszy ruch w pobliżu i niełatwo je było zaskoczyć.

Walka z nimi stała się na tych obszarach poważnym problemem. Najpopularniejszą metodą było odstrzeliwanie górnej części łodygi wraz z wicią. Krajowcy natomiast zaczęli używać długich lekkich kijów z zakrzywionym nożem na końcu. Broń ta była skuteczna, jeżeli mogli zaatakować pierwsi, lecz najzupełniej bezwartościowa, jeśli tryfidowi udało się pochylić i powiększyć zasięg bicza o cztery do pięciu stóp. Wkrótce jednak te swoiste lance krajowców ustąpiły miejsca pneumatycznym strzelbom różnych typów. Pociskami do nich były zazwyczaj wirujące dyski, krzyże lub małe bumerangi z cienkiej stali. Ich zasięg skuteczny z reguły nie przekraczał dwunastu jardów, choć pociski miały dość energii, by przeciąć łodygę tryfida nawet z dwudziestu pięciu. Wynalazek przypadł do gustu zarówno władzom – które żywiły jednomyślną niechęć do niekontrolowanego posiadania broni palnej przez szerokie rzesze ludności – jak i użytkownikom, gdyż stalowe pociski grubości żyletki były tańsze i lżejsze od kul, a przy tym świetnie się też nadawały do cichych napadów rabunkowych.

Ośrodki naukowe gruntownie badały naturę, zwyczaje i budowę tryfidów. Poważni eksperymentatorzy usiłowali ustalić, jak długo tryfid może chodzić i jak daleko zajść; czy ma jakąś określoną przednią część, czy też może równie niezdarnie chodzić w dowolnym kierunku; ile czasu musi spędzać z korzeniami w ziemi; jak reaguje na obecność w glebie różnych składników chemicznych – oraz znaleźć odpowiedź na mnóstwo innych pytań, zarówno istotnych, jak i zbędnych.

Największy okaz znaleziony w strefie podzwrotnikowej miał blisko dziesięć stóp. W Europie nie spotkano żadnego, który mierzyłby osiem stóp, przeciętna zaś wysokość rośliny wynosiła około siedmiu. Tryfidy, jak się okazało, przystosowywały się z łatwością prawie do każdego klimatu i prawie każdej gleby. Nie miały, jak stwierdzono, naturalnych wrogów – prócz człowieka.

Istniały wszakże inne wyraźne cechy charakterystyczne, których badacze zrazu nie dostrzegli. Sporo wody upłynęło, zanim ktoś wreszcie zwrócił uwagę na niewiarygodną celność, z jaką tryfidy operują parzącymi wićmi, oraz na to, że niezmiennie mierzą w głowę. Nikt też z początku nie zauważył, że mają zwyczaj tkwić w pobliżu powalonych ofiar. Powód tego stał się jasny, dopiero gdy stwierdzono, że żywią się nie tylko owadami. Parząca wić nie miała dość siły, żeby rozszarpać świeżą, jędrną tkankę, ale mogła bez większego trudu odrywać strzępki od ciała w stanie rozkładu i podawać je do kielicha na szczycie łodygi.

Nie zainteresowano się również trzema niewielkimi bezlistnymi odrostkami u nasady łodygi, mającymi kształt pałeczek. Postawiono hipotezę, że mogą one mieć coś wspólnego z układem rozrodczym – będącym czymś w rodzaju botanicznego lamusa, do którego pakuje się wszelkie narządy o niepewnym przeznaczeniu, aby je z czasem dokładniej zbadać i określić. W konsekwencji przypuszczano, że gdy te nieruchome zazwyczaj pałeczki zaczynają nagle uderzać o twardą łodygę, wybijając szybki werbel, jest to jakaś osobliwa forma nawoływań godowych.

Niemiłe wyróżnienie, jakim było to, że padłem ofiarą jadu tryfidowego na samym początku ery tryfidów, przyczyniło się zapewne do rozbudzenia we mnie zainteresowania tymi dziwnymi roślinami, odtąd bowiem czułem się z nimi jakoś związany. Spędzałem – czy też „marnowałem", jeśli patrzeć na to oczami mojego ojca – moc czasu, obserwując je jak urzeczony.

Trudno mieć za złe ojcu, że uważał obserwowanie tryfidów za zajęcie próżniacze, jak się jednak później okazało, spędziłem ten czas z większym pożytkiem, niżby się można było spodziewać, bo gdy akurat kończyłem szkołę, Arctic and European Fish-Oil Company dokonała gruntownej reorganizacji, gubiąc w owym procesie słowo „rybnych". Szeroki ogół dowiedział się, że spółka ta i podobne spółki w innych krajach zamierzają rozpocząć hodowlę tryfidów na wielką skalę, aby otrzymywać z nich cenne oleje i soki, a także produkować niezmiernie pożywne wytłoczyny na paszę dla bydła. Słowem, tryfidy z dnia na dzień znalazły się w kręgu wielkich interesów.

Rozstrzygnąłem wtedy od razu sprawę swojej przyszłości. Zgłosiłem się do Arctic and European Oils i dzięki swym kwalifikacjom dostałem pracę w dziale produkcyjnym. Dezaprobatę mojego ojca złagodziła nieco wysokość honorarium, jak na mój wiek wcale pokaźnego. Ale kiedy mówiłem z entuzjazmem o przyszłości, ojciec dmuchał z powątpiewaniem w rudawe wąsy. Miał zaufanie tylko do pracy uświęconej długą tradycją, pozwolił mi jednak pójść w obranym kierunku.

— Ostatecznie, jeżeli się przekonasz, że ta sprawa nie ma przyszłości, będziesz jeszcze dość młody, aby znaleźć sobie pewniejsze, solidne zajęcie — powiedział, ustąpiwszy w końcu.

Jak się okazało, taka potrzeba nie zaszła. Zanim oboje rodzice pięć lat później zginęli w katastrofie samolotowej, zdążyli jeszcze zobaczyć, jak nowe spółki wyparły z rynku inne konkurencyjne oleje, wszystko też wskazywało na to, że my, młodzi, pracujący w nowych przedsiębiorstwach od samego początku, mamy zabezpieczony byt na całe życie.

Jednym z takich pierwszych pracowników był mój przyjaciel Walter Lucknor.

Kierownictwo firmy zrazu nie było pewne, czy ma przyjąć Waltera. Miał mizerne pojęcie o rolnictwie, jeszcze mniejsze o księgowości, brakowało mu kwalifikacji do pracy laboratoryjnej. Z drugiej jednak strony znał się doskonale na tryfidach — miał w tym kierunku wrodzony talent.

Co się stało z Walterem kilka lat później, w owym fatalnym maju, nie wiem, choć oczywiście się domyślam. Wielka szkoda, że nie ocalał. Byłby potem wręcz nieoceniony. Wątpię, czy ktokolwiek naprawdę rozumie tryfidy i czy je kiedykolwiek zrozumie, Walter jednak bliższy był tego niż ktokolwiek ze znanych mi ludzi. Może powinienem raczej powiedzieć, że jeśli chodzi o tryfidy, miał niezwykłą intuicję.

Mniej więcej dwa lata po rozpoczęciu przez nas pracy zadziwił mnie po raz pierwszy.

Słońce miało się ku zachodowi. Skończyliśmy robotę i spoglądaliśmy z zadowoleniem na trzy nowe pola prawie dojrzałych tryfidów. W owym czasie nie trzymaliśmy ich w zagrodach, jak się to robiło potem. Sadziliśmy je na polach równymi rzędami — w każdym razie stalowe paliki, do których każdy z nich był przykuty, tworzyły równe rzędy, chociaż same rośliny nie stosowały się do tego wojskowego szyku. Liczyliśmy, że za jakiś miesiąc będzie można przystąpić do pobierania z nich soku. Wieczór był spokojny, ciszę niekiedy tylko przerywało grzechotanie tryfidów bębniących pałeczkami o twardą łodygę. Walter obserwował je z głową przechyloną nieco na bok. W pewnej chwili wyjął fajkę z ust.

– Rozmowne są dzisiaj – rzucił.

Uznałem to za przenośnię, jak zresztą uznałby każdy na moim miejscu.

– Może dlatego, że taka ładna pogoda – odparłem. – Chyba więcej terkoczą, kiedy jest sucho, takie mam wrażenie.

Walter zerknął na mnie spod oka i uśmiechnął się.

– A ty więcej mówisz, kiedy jest sucho?

– Dlaczego bym miał?... – zacząłem, ale zaraz urwałem. – Nie chcesz chyba powiedzieć, że według ciebie one się porozumiewają? – spytałem, widząc wyraz jego twarzy.

– A czemu by nie?

– Ależ to absurd. Mówiące rośliny!

– Dużo większy absurd niż chodzące rośliny? – spytał.

Popatrzyłem na tryfidy, po czym przeniosłem spojrzenie na Waltera.

– Nigdy nie myślałem... – zacząłem z powątpiewaniem.

– Więc spróbuj o tym pomyśleć i obserwuj je. Jestem ciekaw twoich wniosków – rzekł.

Rzecz dziwna, ale przez cały czas, odkąd miałem do czynienia z tryfidami, taka możliwość nigdy nie przyszła mi do głowy. Zasugerowałem się zapewne hipotezą nawoływania godowego. Gdy jednak Walter podsunął mi tę nową myśl, od razu przemówiła mi do przekonania. Nie mogłem się już wyzbyć poczucia, że tryfidy rzeczywiście porozumiewają się swoim zagadkowym werblem.

Sądziłem przedtem, że obserwuję tryfidy bardzo uważnie, ale kiedy Walter zaczynał o nich mówić, miałem wrażenie, że nic w ogóle nie udało mi się dostrzec. Jeżeli był w odpowiednim humorze, potrafił rozprawiać o nich godzinami, snując teorie czasem wręcz fantastyczne, czasem jednak zupełnie wiarygodne.

Ludzie przestali już w tym czasie uważać tryfidy za dziwolągi. Bawiły ich niezdarne ruchy, poza tym jednak rośliny te były niezbyt interesujące. Natomiast Arctic and European Oils Company uważała, że są warte najwyższego zainteresowania. Z jej punktu widzenia stanowiły one dar boży dla wszystkich, a przede wszystkim dla samej spółki. Walter nie podzielał żadnej z tych opinii. Słuchając go, sam niekiedy nabierałem obaw.

Walter był już zupełnie pewien, że tryfidy „mówią".

– A to oznacza – twierdził – że muszą być na swój sposób rozumne. Siedliskiem rozumu nie może być mózg, bo sekcje nie wykazują nic, co przypominałoby mózg. Nie dowodzi to jednak, że nie mają czegoś, co pełni funkcję mózgu. Bo z pewnością obdarzone są swego rodzaju inteligencją. Zauważyłeś, że atakując, celują zawsze w nieosłonięte miejsca? Najczęściej w głowę, ale czasem w ręce lub ramiona? I jeszcze jedno: jeżeli przejrzysz statystykę wypadków, zwróć uwagę, jak wielki odsetek ofiar trafiony został w oczy i oślepiony. Fakt przedziwny i bardzo znamienny.

– Dlaczego? – spytałem.

– Bo to znaczy, że tryfidy wiedzą, jak najpewniej obezwładnić człowieka. Innymi słowy, wiedzą, co robią. Spójrz na sprawę z innej strony. Przypuśćmy, że tryfidy obdarzone są inteligencją, wówczas my mamy nad nimi jedną jedyną przewagę: wzrok. My widzimy, a one nie. Jeżeli pozbawić nas wzroku, to przewaga znika. Gorzej nawet – wtedy one zyskują nad nami przewagę, bo są przystosowane do życia bez wzroku, a my nie.

– Ale gdyby nawet tak było, przecież nie mogą wykonywać żadnej pracy. Nie potrafią utrzymać żadnego przedmiotu ani narzędzia. Ta ich wić ma bardzo niewielką siłę fizyczną – zaoponowałem.

– Zgoda, ale na co się zda umiejętność używania narzędzi, jeżeli nie widzimy i nie wiemy, jak ich użyć? Zresztą, w przeciwieństwie do nas, im ta zdolność do korzystania z narzędzi nie jest potrzebna. Mogą otrzymywać pożywienie wprost z gleby albo żywić się owadami i kawałkami surowego mięsa. Niepotrzebny im cały skomplikowany proces hodowli zwierząt, uprawy roślin, dystrybucji żywności, a do tego zwykle jeszcze gotowania. Słowem, gdybyśmy mieli rozstrzygnąć hipotetyczny spór, kto w tych warunkach ma większe szanse przeżycia, tryfid czy ślepy człowiek, wiem, na kogo bym postawił.

– Zakładasz istnienie równorzędnej inteligencji.

– Nic podobnego. Takie założenie jest zbędne. Może to być po prostu inteligencja innego typu, ponieważ tryfidy mają nieporównanie skromniejsze potrzeby. Zważ, jak złożonych procesów potrzebujemy, żeby otrzymać z tryfida ekstrakt nadający się do spożycia. A teraz odwróć sytuację. Co musi zrobić tryfid? Oparzyć nas jadem, poczekać kilka dni, a potem zacząć nas spożywać. Prosty, naturalny bieg rzeczy.

Rozprawiał tak godzinami, aż słuchając go, traciłem poczucie miary i zaczynałem widzieć w tryfidach potencjalnych rywali. Walter nawet nie udawał, że myśli inaczej. Przyznał mi się, że zamierzał, gdy tylko zbierze dość materiałów, napisać na ten temat książkę.

– Zamierzałeś? – powtórzyłem. – A co ci stanęło na przeszkodzie?

– To wszystko. – Ruchem ręki ogarnął fermę. – W grę wchodzą teraz wielkie inwestycje. Siewca niepokoju z pewnością dobrze by na tym nie wyszedł. Zresztą tryfidy są przecież dobrze strzeżone, jest to więc w ogóle kwestia ściśle teoretyczna, której chyba nie warto poruszać.

– Z tobą nigdy właściwie nie wiem, co mam myśleć – powiedziałem. – Nigdy nie jestem pewien, kiedy mówisz poważnie, a kiedy pozwalasz hulać wyobraźni. Czy naprawdę sądzisz, że tryfidy są niebezpieczne?

Pykał przez chwilę fajkę, zanim odpowiedział.

– Masz rację – przyznał – bo... no, bo ja wcale jeszcze nie mam pewności. Ale jednego jestem pewien: że tryfidy mogą się stać niebezpieczne. Odpowiedziałbym ci znacznie bardziej zdecydowanie, gdybym zdołał dociec, co znaczy to ich terkotanie. Jakoś mi się ono nie podoba. Siedzę tu sobie, wszyscy zwracają na nie akurat tyle uwagi, co na zagon dziwnych kalafiorów, a one tymczasem wciąż coś tam do siebie nawzajem terkoczą. Dlaczego? O czym terkoczą? Tego bym się chciał dowiedzieć.

Walter przypuszczalnie nie zwierzał się nikomu innemu ze swoich teorii, toteż trzymałem je w tajemnicy, po części dlatego, że nie znałem nikogo, kto nie potraktowałby ich jeszcze bardziej sceptycznie niż ja, a po części dlatego, że nam obu nie wyszłoby to na dobre, gdyby w firmie zaczęto nas uważać za wariatów.

Przeszło rok pracowaliśmy razem. Ale zakładaliśmy nowe szkółki i musiałem się zapoznać z metodami hodowli za granicą, dużo więc podróżowałem. Walter natomiast przestał pracować na plantacjach i przeszedł do działu naukowo-badawczego. Odpowiadało mu to, mógł bowiem prowadzić badania zarówno na zlecenie spółki, jak i dla siebie. Wpadałem tam od czasu do czasu, żeby się z nim zobaczyć. Stale robił z tryfidami eksperymenty, wciąż jednak nie dawały one spodziewanych rezultatów. Dowiódł tylko, przynajmniej na własny użytek, że tryfidy obdarzone są dość wysoką inteligencją – i nawet ja musiałem przyznać, że wyniki jego badań wskazują, że to coś więcej niż instynkt. Wciąż był przekonany, że bębnienie pałeczkami służy porozumiewaniu się. Do wiadomości publicznej podał tylko, że pałeczki odgrywają w życiu tryfida ważną rolę i że pozbawiona ich roślina stopniowo zamiera. Ustalił też, że zaledwie pięć procent nasion tryfidów jest zdolnych do kiełkowania.

– Można się z tego tylko cieszyć – stwierdził. – Gdyby wszystkie nasiona kiełkowały, na naszej planecie wkrótce nie byłoby miejsca dla nikogo prócz tryfidów, i to w pozycji stojącej.

Z tym również się zgodziłem. Wysiew nasion tryfidów był bardzo osobliwy. Ciemnozielona torebka nasienna, umieszczona tuż pod kielichem, zaczynała lśnić i nabrzmiewać przybierając rozmiary dużego jabłka. Kiedy pękała, huk słychać było z dwudziestu jardów. Białe nasiona wylatywały w powietrze niczym para i dawały się nieść najlżejszemu podmuchowi wiatru. Gdy w końcu sierpnia patrzyło się z góry na pole tryfidów, można było pomyśleć, że odbywa się tam jakieś chaotyczne bombardowanie.

Do odkryć Waltera należało również stwierdzenie, że jakość ekstraktów podnosi się, jeżeli roślinom pozostawić trujące wici. W rezultacie zaprzestano ich obcinania, toteż pracując wśród roślin, musieliśmy nosić maski i ubrania ochronne.

Gdy doszło do wypadku, po którym znalazłem się w szpitalu, byłem właśnie z Walterem. Oglądaliśmy kilka okazów zdradzających niezwykłe odchylenia od normy. Obaj byliśmy w maskach opatrzonych żelazną siatką. Nie widziałem dokładnie, co się stało. Wiem tylko, że kiedy się nachyliłem, jakaś wić śmignęła gwałtownie, celując mi w twarz, i chlasnęła o siatkę maski. W dziewięćdziesięciu wypadkach na sto nie miałoby to najmniejszego znaczenia: po to właśnie nosiliśmy maski. Ale tym razem uderzenie było tak silne, że miniaturowe torebki z trucizną pękły i kilka kropel dostało mi się do oczu.

Walter w ciągu kilku sekund wciągnął mnie do laboratorium i zaaplikował antidotum. Tylko dzięki jego przytomności umysłu i szybkiemu działaniu lekarze zdołali uratować mi wzrok.

Mimo to jednak musiałem spędzić ponad tydzień w łóżku, i to w ciemnościach.

Leżąc w szpitalu, postanowiłem, że jeśli odzyskam wzrok, poproszę o przeniesienie do innego działu. A jeżeli się to nie uda, w ogóle porzucę tę pracę.

Po pierwszym wypadku w ogrodzie nabrałem znacznej odporności na jad tryfidowy. Mogłem znosić i znosiłem bez większej szkody dawki trucizny, które pozbawiłyby życia każdego nowicjusza. Ale wciąż mi teraz brzmiało w uszach stare przysłowie o dzbanie, co póty wodę nosi, póki się ucho nie urwie. Ostatecznie ostrzeżenie podziałało.

Pamiętam, że prawie cały czas spędzony w przymusowych ciemnościach zastanawiałem się, o jaką pracę będę się starał, jeśli nie dostanę przeniesienia.

Zważywszy na to, co czekało nas wszystkich w najbliższej przyszłości, trudno chyba było o bardziej jałowe rozważania.

Oślepione miasto

Wyszedłem z baru, nie zamykając za sobą drzwi, i skierowałem się na róg głównej ulicy. Tam przystanąłem.

Na lewo, za długim ciągiem podmiejskich ulic, rozpościerały się otwarte przestrzenie pól uprawnych; na prawo – West End, a dalej City. Koniak przywrócił mi siły, a zarazem przytępił moją wrażliwość. Ogarnęła mnie apatia, nie widziałem przed sobą celu. Nie miałem żadnego planu działania, a w obliczu oszałamiającej katastrofy, która, jak wreszcie zacząłem rozumieć, nie była czymś lokalnym, lecz zakrojonym na olbrzymią skalę, wciąż jeszcze nie potrafiłem logicznie myśleć. Co zresztą można było w tej sytuacji planować? Zagubiony, zdezorientowany, zgnębiony, czułem się obco, jakbym przestał być sobą.

Z żadnej strony nie dobiegały najlżejsze odgłosy ruchu. Jedyną oznaką życia było kilka osób sunących tu i ówdzie po omacku wzdłuż wystaw sklepowych.

Był piękny dzień wiosenny. Słońce świeciło na ciemnobłękitnym niebie usianym strzępami wełniastych obłoków. Tylko na północy widniała plama czarnego dymu wznoszącego się skądś spoza domów.

Przez parę minut stałem niezdecydowany. Potem ruszyłem na wschód, do centrum Londynu…

Do dziś nie potrafię powiedzieć, dlaczego tak postąpiłem. Może instynktownie szukałem znajomych miejsc albo miałem podświadome uczucie, że jeśli istnieje gdzieś władza, to właśnie tam powinna się znajdować.

Po koniaku jeszcze mocniej zaczął mi doskwierać głód, ale z problemem pożywienia nie poradziłem sobie tak łatwo, jak można by się było spodziewać. A przecież dookoła było mnóstwo niestrzeżonych sklepów z żywnością na wystawach, ja zaś byłem głodny i miałem czym za tę żywność zapłacić albo, gdybym nie chciał zapłacić, wystarczyłoby wybić szybę i wziąć cokolwiek bym sobie życzył.

Ale niełatwo było się na to zdobyć. Po blisko trzydziestu latach przeżytych w poszanowaniu prawa nie mogłem sobie tak od razu powiedzieć, że wszystko zasadniczo i radykalnie się zmieniło. Przy tym zdawało mi się, że jeśli będę postępował tak jak zawsze, otoczenie również może jeszcze w jakiś niepojęty sposób wrócić do normy. Był to niewątpliwy absurd, lecz nie mogłem się wyzbyć przeświadczenia, że z chwilą, gdy roztrzaskam którąś z wielkich szyb sklepowych, zerwę na zawsze z dawnym ładem: stanę się rabusiem, złodziejem, hieną cmentarną żerującą na trupie ustroju, który mnie wykarmił. Cóż za niemądra drażliwość w świecie porażonym katastrofą! Mimo to dotychczas z przyjemnością wspominam, że łuska cywilizacji nie spadła ze mnie w mgnieniu oka i że przynajmniej przez jakiś czas – choć mijałem wciąż wystawy z żywnością, na której widok ślinka nabiegała do ust – moje przestarzałe już zasady nie pozwalały mi na zaspokojenie głodu.

Problem rozwiązany został w sposób solistyczny, kiedy uszedłem około mili. Jakaś taksówka najwidoczniej wjechała na chodnik, przebiła szybę delikatesów i utkwiła maską w stosie towarów. Wydawało mi się, że to już jest co innego, niż dokonać włamania na własną rękę. Przecisnąłem się obok taksówki i zebrałem dość żywności na solidny posiłek. Ale nawet wtedy jeszcze dawne zasady nie przestały działać: sumiennie zostawiłem na ladzie odpowiednią sumę za wszystko, co wziąłem.

Po drugiej stronie ulicy był ogród, ongiś cmentarz nieistniejącego już kościoła. Stare nagrobki powyjmowano i ustawiono pod otaczającym teren murem, oczyszczoną przestrzeń obsiano trawą i poprzecinano żwirowanymi ścieżkami. Świeża zieleń drzew zapraszała gościnnie, usiadłem więc na jednej z ławek, żeby zjeść śniadanie.

Ogród był ustronny i zaciszny. Nikogo poza mną w nim nie było, niekiedy tylko jakaś postać, szurając nogami, przesuwała się za prętami bramy wejściowej. Rzuciłem okruchy kilku wróblom, pierwszym ptakom, jakie tego dnia widziałem. Ich rezolutna obojętność na powszechną klęskę sprawiła, że poczułem się trochę lepiej.

Po jedzeniu zapaliłem papierosa. Gdy tak siedziałem, paląc i zastanawiając się, dokąd teraz pójść i co robić, ciszę przerwały dźwięki fortepianu dolatujące z wielkiej kamienicy, której okna wychodziły na ogród. Dziewczęcy głos zaczął śpiewać balladę Byrona:

Już nie będzie się łaziło
W ten mrok nocny, co nas krył,
Choćby serce jeszcze biło,
Choćby księżyc znów się skrzył.

Miecz odrzuca zdartą pochew,
Duch odmawia piersiom snu,
Miłość niech odpocznie trochę,
Serce musi nabrać tchu.

Więc choć noc kochania uczy
I zbyt wcześnie wraca brzask
– Nie będziemy już się włóczyć
W księżycowy blask.*

Słuchałem, wpatrując się w deseń utworzony przez młode liście i gałązki na tle pogodnego nieba. Pieśń dobiegła końca. Fortepian ucichł. Potem rozległo się łkanie. Nie było w nim nic gwałtownego, było ciche, bezradne, rozpaczliwe. Kto płakał – ta, co śpiewała, czy inna dziewczyna, żegnająca łzami resztkę nadziei – nie wiem. Ale dłużej tego słuchać nie mogłem. Wyszedłem cicho na ulicę, którą w pierwszej chwili widziałem jak przez mgłę.

Nawet przy Hyde Park Corner, kiedy tam dotarłem, było prawie pusto. Kilka opuszczonych samochodów i ciężarówek stało na jezdniach. Tylko niewielu kierowców straciło zapewne panowanie nad kierownicą w czasie jazdy. Jeden autobus przejechał przez ścieżkę i zatrzymał się w Green Parku; koń, który poniósł, leżał z przyczepionym wciąż jeszcze dyszlem pod pomnikiem artylerzystów, o który roztrzaskał łeb. W polu widzenia poruszało się tylko kilkunastu mężczyzn i kilka kobiet. Rękami i stopami wymacywali ostrożnie drogę tam, gdzie były ogrodzenia, tam zaś, gdzie ich nie było, posuwali się naprzód szurającym krokiem, wyciągając przed siebie ramiona. Nadspodziewanie też zobaczyłem parę kotów, najwidoczniej z nieuszkodzonym

---

* G. Byron, *Nie będziemy już się włóczyć*, przeł. Juliusz Żuławski.

wzrokiem; traktowały całą sytuację z właściwym kotom niezmąconym spokojem. Ale w panującej wokół niesamowitej ciszy na próżno szukały zdobyczy: wróbli było niewiele, a gołębie znikły zupełnie.

Wciąż pociągany jak magnesem ku dawnemu centrum życia, poszedłem w kierunku Piccadilly. Znalazłem się już u jej wylotu, gdy wtem usłyszałem nowy, ostry dźwięk: zbliżające się ku mnie regularne postukiwanie. Odwróciłem się w stronę Park Lane i odkryłem źródło dźwięków. Jakiś mężczyzna, porządniej ubrany niż inni, których spotykałem tego ranka, szedł ku mnie szybko, uderzając białą laską o mury mijanych domów. Na odgłos moich kroków przystanął, pilnie nasłuchując.

– W porządku – powiedziałem. – Może pan iść dalej.

Na jego widok doznałem ulgi. Był, że tak powiem, normalnie niewidomy. Jego czarne okulary były znacznie mniej niepokojące niż patrzące na pozór, lecz ślepe oczy innych ludzi.

– W takim razie proszę stać spokojnie – powiedział. – Potrąciło mnie już dzisiaj nie wiadomo ilu durni. Co się stało, u diabła? Dlaczego jest tak cicho? Wiem, że nie jest noc, bo czuję promienie słońca. Co to się dzieje?

Opowiedziałem mu wszystko, co sam wiedziałem. Kiedy skończyłem, nie odzywał się przez całą minutę, po czym roześmiał się krótko, z goryczą.

– Jedno tylko mogę powiedzieć – rzekł. – Im samym będzie teraz potrzebna cała ta ich cholerna opieka.

Mówiąc to, wyprostował się i podniósł wyzywająco głowę.

– Dziękuję panu. Życzę szczęścia – rzucił na pożegnanie i pomaszerował na zachód z miną człowieka niezależnego.

Energiczne postukiwanie białej laski zamarło stopniowo w oddali, gdy ruszyłem dalej ulicą Piccadilly.

Było tu więcej ludzi, szedłem więc jezdnią wśród porzuconych samochodów. Mniej tu zawadzałem idącym po omacku pod murami domów, ilekroć bowiem słyszeli kroki, przystawali, obawiając się zderzenia. Do zderzeń takich dochodziło raz po raz na całej ulicy, ale tylko jedno wydało mi się znamienne. Dwie osoby posuwały się z przeciwnych stron wzdłuż szyby wystawowej, aż wreszcie wpadły na siebie gwałtownie. Jedną był młody mężczyzna w dobrze skrojonym ubraniu, który miał jednak krawat dobrany bez wątpienia tylko na dotyk, drugą – kobieta niosąca małe dziecko. Dziecko pisnęło coś cichutko. Młody człowiek chciał już wyminąć kobietę, gdy naraz stanął jak wryty.

– Chwileczkę – powiedział. – Pani dziecko widzi?

– Tak – odparła kobieta. – Ale ja nie widzę.

Młody człowiek obrócił się. Przyłożył palec wskazujący do szyby wystawowej.

– Spójrz, synku, co tam jest? – spytał.

– Tylko nie synku – zaprotestowało dziecko.

– No, Mary, powiedz panu – zachęciła matka.

– Ładne panie – odpowiedziała dziewczynka.

Mężczyzna wziął kobietę za ramię i przesunął się z nią do następnej wystawy.

– A co jest tutaj? – zapytał.

– Jabłka i różne rzeczy – poinformowała go dziewczynka.

– Świetnie! – stwierdził młody mężczyzna.

Ściągnął but i obcasem uderzył mocno w szybę. Był niedoświadczony: pierwsze uderzenie nie poskutkowało, dopiero drugie osiągnęło cel. Głośny trzask odbił się echem na ulicy. Mężczyzna włożył but, ostrożnie wyciągnął ramię i zaczął macać po witrynie. Znalazł dwie pomarańcze. Jedną dał kobiecie, drugą dziecku. Pomacał znów, znalazł pomarańczę dla siebie i zaczął ją obierać. Kobieta obracała swoją w palcach.

– Ale… – zaczęła.

— O co chodzi? Nie lubi pani pomarańczy? — zapytał.

— Przecież tak nie można — powiedziała kobieta. — Nie powinniśmy ich brać. Nie w ten sposób.

— A jak pani chce zdobyć pożywienie? — zapytał.

— Myślę, że... no, sama nie wiem — wyznała niepewnie.

— Proszę bardzo, to jest właśnie odpowiedź. Teraz niech pani zje pomarańczę i pójdziemy poszukać czegoś konkretniejszego.

Kobieta wciąż trzymała pomarańczę w ręce, głowę miała pochyloną, jakby patrzyła na owoc.

— Wszystko jedno, tak chyba nie można — powiedziała znowu, ale ze znacznie mniejszym przekonaniem..

Po chwili postawiła dziecko na ziemi i zaczęła obierać pomarańczę...

Piccadilly Circus był najludniejszym miejscem, jakie tego dnia widziałem. W porównaniu z pozostałymi wydawało się zatłoczone, chociaż mogło tu być najwyżej sto osób. Większość miała na sobie dziwaczne, źle dobrane stroje i snuła się gorączkowo i półprzytomnie wokół placu. Niekiedy potknięcie lub zderzenie powodowało wybuch przekleństw i bezsilnej wściekłości, tym bardzie przerażającej, że była wynikiem dziecinnego lęku. Ale poza jednym wyjątkiem nie słyszało się rozmów ani hałasu. Zdawało się, że ślepota kazała ludziom zamknąć się w sobie.

Ów wyjątek zajął stanowisko na jednej z wysepek pośrodku jezdni. Był to wysoki, chudy, starszy mężczyzna z gęstą, kudłatą, siwą czupryną, który wygłaszał płomienne kazanie o pokucie, o Sądzie Ostatecznym i strasznych karach czekających grzeszników. Nikt nie zwracał na niego uwagi: dla większości dzień Sądu Ostatecznego już nadszedł.

Naraz z oddali dobiegły dźwięki, które kazały wszystkim nastawić uszu. Zbliżający się chór śpiewał:

A kiedy umrę,
To mnie nie chować,
Lecz w alkoholu
Zakonserwować.

Niezgrabny, fałszywy śpiew rozlegał się przykrym echem na pustych ulicach. Wszystkie głowy na placu zwracały się raz w lewo, raz w prawo, usiłując dociec, skąd dobiega piosenka. Prorok wiecznego potępienia podniósł głos, żeby przekrzyczeć konkurencję. Piosenka rozbrzmiewała coraz bliżej.

Po flaszce whisky
W głowach i u stóp –
I niepotrzebny
Żaden mi grób.

Pieśni towarzyszyło szuranie niezbyt rytmicznych kroków. Z miejsca, gdzie stałem, widać było, jak wychodzą gęsiego z bocznej ulicy na Shaftesbury Avenue i skręcają w stronę Piccadilly Circus. Drugi z kolei mężczyzna trzymał ręce na ramionach przywódcy, trzeci na ramionach drugiego i tak dalej. Razem było ich chyba dwudziestu pięciu czy nawet trzydziestu. Gdy odśpiewali pierwszą piosenkę, ktoś zaintonował „Piwo, piwo, napoju wspaniały!", zaczął jednak tak wysoko, że śpiew zaraz się urwał.

Posuwali się wytrwale naprzód, aż doszli do środka placu. Tu przywódca wydał komendę. Głos miał donośny, bez wątpienia zaprawiony do musztry.

– Kom-pa-niaaa… STÓJ!

Wszyscy inni na placu zamarli w bezruchu, zwróceni do niego twarzami, usiłując odgadnąć, co się dzieje. Przywódca znów zabrał głos, naśladując sposób mówienia zawodowego przewodnika wycieczek:

– Proszę panów, oto jesteśmy na miejscu. Piccadilly Circus. Pieprzony pępek świata. Sam środek kuli ziemskiej. Tutaj dla jaśnie panów było zawsze wino, kobiety i śpiew.

Nie był bynajmniej ślepy. Gdy mówił, toczył wokoło spojrzeniem, oceniając sytuację. Miał nieuszkodzony wzrok, zapewne przez przypadek podobny do mojego, ale był bardzo pijany, równie jak stojący za nim mężczyźni.

– A teraz my sobie użyjemy – dodał. – Następny postój: słynny Café Royal. Na koszt firmy!

– Dobra, a jak tam z kobietami? – odezwał się głos i wszyscy wybuchnęli śmiechem.

– Ach, kobiety. Tego ci potrzeba? – powiedział przywódca.

Postąpił naprzód i chwycił za ramię jakąś dziewczynę. Kiedy ją ciągnął do mężczyzny, który się odezwał, zaczęła krzyczeć, lecz wcale się tym nie przejął.

– Masz, koleś. Żebyś nie mówił, że o ciebie nie dbam. Laska na medal, jeżeli ci to robi jakąś różnicę.

– Hej, a ja?! – zawołał następny mężczyzna.

– Ty, kochany? Zaraz się rozejrzymy. Lubisz blondynki czy brunetki?

W świetle późniejszych wydarzeń zachowałem się przypuszczalnie jak idiota. Głowę miałem wciąż nabitą regułami i konwenansami, które straciły wszelkie zastosowanie. Nie przeszło mi przez myśl, że jeżeli ktoś ma się uratować, to dziewczyna przygarnięta przez tę bandę ma znacznie większe szanse niż ta sama dziewczyna pozostawiona samopas. Ale wtrąciłem się, płonąc szlachetnym oburzeniem i szczeniacką rycerskością. Przywódca zauważył mnie, dopiero gdy już byłem całkiem blisko i podniosłem rękę, żeby zadać mu cios w szczękę. Niestety, był ode mnie szybszy…

Kiedy odzyskałem przytomność, okazało się, że leżę na środku jezdni. Odgłosy szurającego marszu bandy cichły w oddali, a prorok dnia gniewu, odzyskawszy dar mowy, wysyłał za pijakami pociski słowne naładowane potępieniem, ogniem piekielnym i najwymyślniejszymi torturami.

Teraz, gdy wbito mi odrobinę rozumu do głowy, byłem nawet zadowolony, że sprawa nie zakończyła się dla mnie gorzej. Przy odwrotnym wyniku walki stałbym się na pewno odpowiedzialny za mężczyzn, których tamten prowadził. Koniec końców, cokolwiek by się myślało o jego metodach, użyczał wzroku swoim podkomendnym i dbał o ich wyżywienie oraz trunki. Kobiety też przyłączą się do nich, i to dobrowolnie, skoro tylko poczują prawdziwy głód. Zresztą, rozglądając się obecnie dokoła, nabrałem wątpliwości, czy któraś ze znajdujących się na ulicy kobiet stawiałaby poważniejszy opór. Słowem, wyglądało na to, że szczęśliwie uniknąłem awansu na herszta bandy.

Pamiętając, że celem bandy był hotel Café Royal, postanowiłem się pokrzepić i odzyskać jasność myśli w Regent Palace. Jak się okazało, sporo innych osób wpadło na ten pomysł przede mną, ale było tam jeszcze bardzo dużo butelek, których nie znalazły.

Właśnie chyba w Regent Palace, siedząc wygodnie przy butelce koniaku i paląc papierosa, zacząłem sam się przed sobą przyznawać, że wszystko, co tego dnia widziałem, jest rzeczywistością – autentyczną i rozstrzygającą. Już nigdy nie będzie powrotu. Nastąpił koniec wszystkiego, co znałem.

Może potrzeba mi było owego ciosu w szczękę, żebym to dobrze zrozumiał. Stanąłem wobec faktu, że moja egzystencja nie ma już steru ani kotwicy. Mój tryb życia, moje plany, ambicje, wszystkie moje nadzieje rozwiały się nagle wraz z warunkami, które je kształtowały. Przypuszczam, że gdybym miał jakichś krewnych lub ukochane osoby do opłakiwania, poczułbym się w tej chwili opuszczony, samotny i byłbym bliski samobójstwa. Jak się jednak okazało, niekiedy dokuczliwa pustka mojej egzystencji stała się teraz dla mnie błogosławieństwem. Moi rodzice nie żyli, jedyna próba ożenku zakończyła się przed kilku laty niepowodzeniem, nie miałem nikogo na utrzymaniu. I rzecz ciekawa, uświadomiłem sobie, że czuję coś wręcz przeciwnego, niż powinienem odczuwać – ulgę...

Przyczyną był nie tylko koniak, bo uczucie wyzwolenia nie mijało. Może spowodowało je to, że zetknąłem się z czymś zupełnie nowym i nieznanym. Wszystkie zadawnione problemy, zarówno osobiste, jak i ogólne, zostały unicestwione jednym potężnym cięciem. Bóg jeden wie, jakie powstaną nowe – zanosiło się na to, że będzie ich co niemiara – ale będą. Stałem się naraz panem siebie, nie byłem już śrubką w wielkim mechanizmie. Wypadnie mi najprawdopodobniej żyć w świecie pełnym okropności i niebezpieczeństw, ale będę sobie z nimi radził według własnego uznania, nie zaś popychany tam i sam przez siły i sprawy, których nigdy nie rozumiałem i które nie budziły we mnie entuzjazmu.

Nie, to na pewno nie był tylko koniak, bo nawet teraz, po tylu latach, coś jeszcze z tego odczuwam – choć może koniak w tamtej chwili trochę za bardzo wszystko uprościł.

Pozostawało też drobne pytanie, co robić dalej, jak i gdzie rozpocząć to nowe życie. Na razie jednak nie przejmowałem się tym zbytnio. Dopiłem szklaneczkę do dna i wyszedłem z hotelu, żeby zobaczyć, co ten dziwny świat ma do zaoferowania.

Pierwsze cienie

Nie chcąc się narazić na spotkanie z bandą od Café Royal, poszedłem boczną ulicą do Soho z zamiarem późniejszego powrotu na Regent Street.

Zapewne głód wypędzał coraz więcej ludzi z domów, bo odkąd opuściłem szpital, nie widziałem tylu osób naraz, co w dzielnicy, do której teraz wszedłem. Ludzie zderzali się ustawicznie na chodnikach wąskich uliczek, a w posuwaniu się naprzód przeszkadzały im też zwarte grupy przy często już teraz stłuczonych oknach wystawowych. Nikt spośród tłoczących się tam nie był pewien, przed jakim sklepem stoi. Ci, którzy stali na przedzie, usiłowali po omacku znaleźć jakiś obiekt, który dałoby się rozpoznać; inni, bardziej przedsiębiorczy, narażając się na rozprucie brzucha o groźnie sterczące odłamki szkła, wdrapywali się do środka.

Zastanawiałem się, czy nie powinienem pokazywać tym ludziom, gdzie mogą znaleźć żywność. Ale wciąż byłem w rozterce. Gdybym ich zaprowadził do nierozbitego jeszcze sklepu spożywczego, zebrałby się natychmiast tłum, który nie tylko ogołociłby sklep w ciągu pięciu minut, ale i zmiażdżyłby przy tym i stratował znaczną liczbę słabszych spośród siebie. Wkrótce zresztą żywności zabraknie, a co wtedy począć z tysiącami domagających się pożywienia? Można by zebrać niewielką grupkę i utrzymywać ją przy życiu przez nieokreślony, choć z pewnością krótki czas – ale kogo przygarnąć, a kogo pominąć? Z którejkolwiek strony patrzyłem na sprawę, nie mogłem dostrzec właściwej drogi.

Wokół działy się rzeczy ponure: wszelka rycerskość znikła bez śladu, każdy myślał już tylko o sobie. Człowiek, który się zderzył z innym człowiekiem i poczuł, że tamten niesie paczkę, wyrywał ją i uciekał w nadziei, że zawiera ona coś do jedzenia, gdy tymczasem ograbiony chwytał rękami powietrze albo wymachiwał pięściami na prawo i lewo. Raz musiałem szybko uskoczyć na bok, gdyż byłby mnie zbił z nóg starszy mężczyzna, który wybiegł na jezdnię, w ogóle nie myśląc o ewentualnych przeszkodach. Miał ogromnie przebiegłą minę i chciwie przyciskał do piersi dwie puszki czerwonej farby. Na rogu drogę zatarasowała mi gromada ludzi nieomal płaczących z rozpaczy nad oszołomionym dzieckiem, które widziało, ale było po prostu za małe, żeby zrozumieć, czego od niego chcą.

Czułem się coraz bardziej nieswojo. Z właściwym człowiekowi cywilizowanemu odruchem nakazującym nieść pomoc tym ludziom walczył instynkt, który kazał mi trzymać się od nich z daleka. Wszyscy oni szybko tracili zwykłe hamulce. Nękało mnie ponadto irracjonalne poczucie winy: ja widziałem, oni byli ślepi. Miałem dziwne wrażenie, że ukrywam się przed nimi, nawet gdy wśród nich przebywam. Wkrótce jednak przekonałem się, jak słuszny był to instynkt.

Przy Golden Square miałem skręcić w lewo i ruszyć z powrotem na Regent Street, gdzie łatwiej byłoby mi iść po szerszej jezdni. Już doszedłem do rogu, gdy wtem zatrzymał mnie nagły, przeraźliwy krzyk. Wszyscy inni również się zatrzymali. Na całej ulicy ludzie zastygli w bezruchu, kręcąc tylko głowami to w tę, to w tamtą stronę, wylęknieni, starając się domyślić, co się dzieje. Nagły przestrach, potęgując i tak już nieznośne napięcie nerwowe, sprawił, że kilka kobiet zaczęło płakać. Nerwy mężczyzn również były w nie najlepszym stanie, ale objawiło się to raczej w dosadnych przekleństwach. Krzyk bowiem brzmiał złowieszczo, groźnie, a czegoś takiego podświadomie się spodziewali. Czekali teraz, aż rozlegnie się znowu.

Krzyk się rozległ. Rozpaczliwy, zakończony chrapliwym jękiem, ale już nie tak przerażający, gdyż wszyscy byli przygotowani. Tym razem zorientowałem się, skąd dobiega. W kilku susach znalazłem się przy wejściu do bocznego pasażu. W tej samej chwili krzyk rozbrzmiał znowu.

O kilka kroków od wejścia kuliła się na ziemi dziewczyna, a barczysty mężczyzna okładał ją cienkim miedzianym prętem. Suknię na plecach miała rozdartą, na obnażonym ciele widać było czerwone pręgi. Gdy podszedłem bliżej, zrozumiałem, czemu nie ucieka: związane za plecami ręce przytwierdzone były sznurem do przegubu lewej ręki mężczyzny.

Dobiegłem tam w chwili, gdy mężczyzna zamierzył się do następnego uderzenia. Bez trudu wyrwałem mu pręt i rąbnąłem go nim po ramieniu. Natychmiast spróbował kopnąć mnie ciężkim buciorem, ale zrobiłem szybki unik, jego zaś pole działania ograniczał sznur na przegubie ręki. Znów kopnął z całych sił powietrze, gdy ja tymczasem szukałem w kieszeni noża. Nie mogąc mnie trafić, odwrócił się do dziewczyny i żeby nie była stratna, kopnął ją zamiast mnie. Potem zaklął i pociągnął za sznur, chcąc poderwać ją na nogi. Otwartą dłonią uderzyłem go w bok głowy, z taką tylko siłą, żeby go powstrzymać i żeby mu w tej głowie trochę zaszumiało. Nie mogłem się jakoś zdobyć na znokautowanie ślepca, nawet takiego brutala. Zanim odzyskał równowagę, nachyliłem się szybko i przeciąłem łączący tych dwoje sznur. Lekkie pchnięcie w pierś wystarczyło, aby mężczyzna się zatoczył i zrobił pół obrotu, kompletnie tracąc orientację. Uwolnioną lewą ręką wykonał piękny lewy sierpowy. Cios chybił mnie, ale trafił w mur. Potem już mężczyzna zapomniał o wszystkim prócz bólu rozbitej ręki. Pomogłem dziewczynie wstać, rozwiązałem jej ręce i poprowadziłem ją ku wyjściu, gdy tamten wciąż ciskał za nami przekleństwa.

Gdy wyszliśmy na ulicę, dziewczyna trochę oprzytomniała. Zwróciła do mnie ubrudzoną, zalaną łzami twarz.

— Ależ pan widzi! — powiedziała z niedowierzaniem.

— Oczywiście — odparłem.

— Dzięki Bogu! Dzięki Bogu! Myślałam już, że tylko ja jedna… — Urwała i znów wybuchnęła płaczem.

Rozejrzałem się. Nieopodal był bar. Grał tam gramofon, słychać było brzęk tłuczonych szklanek, zabawa szła na całego. Jednak kilka jardów dalej był mniejszy bar, dotychczas zamknięty i pusty. Mocnym pchnięciem ramienia wyważyłem drzwi. Na pół wniosłem dziewczynę do środka i posadziłem ją na krześle. Potem rozczłonkowałem inne krzesło i dwie jego nogi przesunąłem przez uchwyty wahadłowych drzwi, żeby się zabezpieczyć przed niepożądanymi wizytami. Dopiero wtedy zająłem się szukaniem środków wzmacniających.

Pośpiechu nie było. Dziewczyna, pochlipując, wolno pociągała trunek. Dałem jej czas na odzyskanie równowagi, obracałem w palcach nóżkę swego kieliszka i słuchałem, jak gramofon w sąsiednim barze powtarza w kółko popularną, choć dość smętną piosenkę:

Moja miłość zamknięta w lodówce,
Moje serce zamarzło na kość.

Nie powróci już moja dziewczyna,
Poszła sobie, a z nią jakiś gość.
Że nie kocha mnie, wiem już na pewno,

Nucę tylko piosenkę tę rzewną –
No bo czyż to się godzi
Tak zostać na lodzie
Z mą miłością zamkniętą w lodówce,
Z moim sercem zamarzniętym na kość...

Siedząc tak, od czasu do czasu zerkałem na dziewczynę. Jej suknia, a raczej resztki sukni i inne szczegóły stroju były w najlepszym gatunku. Mówiła również jak osoba z towarzystwa. Była blondynką, wydawało się prawdopodobne, że pod smugami i plamami brudu jest zupełnie ładna. Była o jakieś trzy-cztery cale niższa ode mnie, smukła, lecz nie chuda. Sprawiała wrażenie osoby dość silnej, choć siły tej dotychczas nie używała zapewne do pracy fizycznej, jeśli nie liczyć uderzania piłek tenisowych, tańca lub ściągania cugli dosiadanego konia. Miała gładkie, kształtne ręce, a długość tych paznokci, które nie były jeszcze połamane, wskazywała na cele raczej dekoracyjne niż praktyczne.

Trunek stopniowo robił swoje. Pod koniec pierwszego kieliszka oprzytomniała dostatecznie, żeby odezwał się w niej życiowy nawyk:

– Boże, muszę okropnie wyglądać – powiedziała.

Nikt prócz mnie nie mógł tego stwierdzić, ale pominąłem sprawę milczeniem.

Wstała i podeszła do lustra.

– No tak, oczywiście – stwierdziła sama. – Gdzie tu...?

– Może pani spróbuje tam - poradziłem.

Upłynęło ze dwadzieścia minut, nim wróciła. Zważywszy

mocno ograniczone możliwości, spisała się bardzo dobrze: morale zostało w znacznej mierze przywrócone. Wyglądała teraz raczej tak, jak reżyser filmowy wyobraża sobie bohaterkę poturbowaną przez brutala, niż jak autentyczna ofiara.

– Papierosa? – zaproponowałem, podsuwając jej następny wzmacniający kieliszek.

Proces powrotu do równowagi był na najlepszej drodze, zaczęliśmy więc rozmawiać. Żeby dać jej trochę czasu, opowiedziałem najpierw swoją historię. Potem ona rzekła:

– Strasznie mi wstyd. Wcale taka nie jestem… to znaczy taka, jaką mnie pan zobaczył. W gruncie rzeczy jestem całkiem zaradna i opanowana, chociaż panu trudno chyba w to uwierzyć. Ale jakoś tego wszystkiego było dla mnie za wiele. To, co się zdarzyło, jest wystarczająco potworne, ale straszliwa perspektywa stała się nagle nie do zniesienia i wpadłam w panikę. Zdawało mi się, że jestem chyba na świecie jedyną osobą, która widzi. Zgłupiałam z przerażenia. Załamałam się i zaczęłam ryczeć jak cnotliwa panna z wiktoriańskiego melodramatu. Nigdy, nigdy bym nie przypuszczała, że mogę być do tego zdolna.

– Niech się pani nie przejmuje – powiedziałem. – Wkrótce pewnie zaczniemy się dowiadywać o sobie wielu niespodziewanych rzeczy.

– Muszę się przejmować. Skoro mogłam się od razu tak rozkleić… – Nie dokończyła zdania.

– Sam dziś rano w szpitalu byłem bliski paniki – powiedziałem. – Jesteśmy ludźmi, a nie maszynami matematycznymi.

Nazywała się Josella Playton. Imię i nazwisko były dziwnie znajome, ale nie mogłem sobie przypomnieć, skąd je znam. Mieszkała przy Dene Road w dzielnicy St John's Wood. Adres zgadzał się z moimi przypuszczeniami. Przypomniałem sobie Dene Road. Duże, wygodne domy w ogrodach, przeważnie brzydkie, ale bardzo drogie. Od powszechnej klęski uratował ją przypadek nie mniej szczęśliwy od mojego – może nawet bardziej szczęśliwy: w poniedziałek wieczorem była na przyjęciu, a popijawa musiała być zakrojona na wielką skalę.

– Myślę, że ktoś, kto lubi takie kawały, dosypał czegoś do koktajli – powiedziała. – Nigdy jeszcze nie czułam się tak okropnie jak pod koniec imprezy, a piłam doprawdy niedużo.

Wtorek utkwił jej w pamięci jako dzień udręki i rekordowego kaca. Około czwartej po południu miała wszystkiego dość. Nacisnęła dzwonek i oświadczyła pokojówce, że bez względu na komety, trzęsienia ziemi czy nawet Sąd Ostateczny nikomu nie wolno jej niepokoić. Po tym ultimatum zażyła sporą dawkę środka nasennego, który na pusty żołądek podziałał jak najsilniejszy narkotyk.

Od tej chwili nie wiedziała o bożym świecie aż do dzisiejszego ranka, kiedy ojciec, potykając się, wszedł do jej pokoju.

– Josello – powtarzał, budząc ją – na miłość boską, sprowadź doktora Mayle'a. Powiedz mu, że oślepłem. Nie widzę nawet światła.

Zobaczyła ze zdumieniem, że jest już prawie dziewiąta. Wstała i ubrała się szybko. Służba nie odpowiadała na dzwonki. Poszła obudzić domowników i ku swemu przerażeniu przekonała się, że oni wszyscy również oślepli.

Telefon nie działał, nie pozostało jej więc nic innego, jak wyprowadzić samochód i pojechać po doktora. Wyludnione ulice i brak ruchu kołowego wydawały się jej dziwne, ale ujechała prawie milę, nim zrozumiała, co musiało się stać. W panice omal nie zawróciła, ale uświadomiła sobie, że tego jej nie wolno. Była przecież szansa, że doktora, tak jak ją, ominęła ta choroba czy cokolwiek to było. Wiedziona rozpaczliwą, choć coraz słabszą nadzieją, pojechała więc dalej.

W połowie Regent Street silnik zaczął przerywać i prychać, aż w końcu się zatrzymał. Wyjeżdżając w pośpiechu, nie spojrzała na wskaźnik paliwa: jak się okazało, wyczerpała nawet rezerwę.

Przez chwilę siedziała zdjęta lękiem. Wszystkie twarze w pobliżu zwrócone były teraz ku niej, ale zorientowała się już do tego czasu, że nikt z tych ludzi, których widzi, nie może jej pomóc. Wysiadła z samochodu w nadziei, że znajdzie w pobliżu jakiś warsztat samochodowy, a jeśli nie, gotowa była pójść dalej pieszo. Kiedy zatrzasnęła drzwiczki, ktoś zawołał:

– Hej! Chwileczkę, kolego!

Odwróciła się i ujrzała mężczyznę sunącego do niej po omacku.

– O co chodzi? – spytała.

Mężczyzna wyglądał niezbyt zachęcająco. Kiedy usłyszał jej głos, od razu zmienił ton.

– Zabłądziłem. Nie wiem, gdzie jestem – poskarżył się.

– Na Regent Street. Kino w New Gallery jest tuż za panem – poinformowała go i chciała już odejść.

– Może panienka będzie łaskawa mi pokazać, gdzie jest krawężnik, dobrze? – poprosił.

Zawahała się przez sekundę, a on tymczasem był już przy niej. Wyciągnął rękę, dotknął jej rękawa, po czym skoczył naprzód i boleśnie ścisnął jej ramiona.

– A więc ty widzisz, tak?! – zawołał. – Dlaczego, u diabła, widzisz, kiedy ja i wszyscy inni jesteśmy ślepi?!

Nim się zorientowała, co się dzieje, obrócił ją, podciął jej nogi, a gdy upadła, wparł jej kolano w plecy. Potem wielką łapą chwycił obie jej dłonie w przegubach i związał je kawałkiem sznurka wyjętym z kieszeni. Zakończywszy tę operację, wyprostował się i podniósł ją na nogi.

– Dobra – powiedział. – Odtąd będziesz patrzyła za mnie.

Jestem głodny. Zaprowadź mnie gdzieś, gdzie znajdę coś dobrego do żarcia. Ruszaj się.

Josella szarpnęła się w bok.

– Nigdzie nie pójdę. Proszę natychmiast rozwiązać mi ręce. Ja...

Uciął te protesty mocnym uderzeniem w twarz.

– Dość tego, moja mała. Ruszaj się, powiadam. Żarcie, słyszysz?

– Powiedziałam, że nie pójdę.

– Pójdziesz, mała – zapewnił ją.

I poszła.

Cały czas wypatrywała okazji do ucieczki. Ale mężczyzna był na to przygotowany. Raz omal jej się udało, on jednak miał zbyt szybki refleks. Kiedy się wyrwała, momentalnie podstawił jej nogę i zanim wstała, już ją trzymał. Potem znalazł mocny sznur i przywiązał ją sobie do przegubu.

Zaprowadziła go najpierw do jakiejś knajpki i znalazła lodówkę. Chłodzenie przestało już działać, ale była pełna świeżej żywności. Następnie wstąpili do baru, gdzie on zażądał irlandzkiej whisky. Dostrzegła ją na półce, wysoko, poza jego zasięgiem.

– Jeżeli mi pan rozwiąże ręce... – zaproponowała.

– Aha, żebyś mnie rąbnęła butelką w łeb? Nie jestem dzieckiem, moja mała. Nic z tego, napiję się szkockiej. Która to?

Mówiła mu, co zawierają różne butelki, gdy po kolei dotykał ich ręką.

– Musiałam być chyba półprzytomna – wyjaśniła mi. – Teraz widzę, że mogłam go z pięć razy wyprowadzić w pole. Gdyby pan nie nadszedł, w końcu bym go pewno zabiła. Ale człowiek nie może tak od razu się zmienić i stać się brutalny. Przynajmniej ja nie potrafię. Z początku miałam zamęt w głowie, wciąż mi się zdawało, że takie rzeczy nie mogą się dziać w dzisiejszych czasach i że zaraz pojawi się ktoś, kto zaprowadzi porządek.

Kiedy już mieli wyjść z baru, wybuchła awantura. Grupa mężczyzn i kobiet odkryła, że drzwi są otwarte, i weszła do lokalu. Trzymający ją na uwięzi mężczyzna nierozważnie kazał jej powiedzieć przybyszom, co zawiera butelka, którą znaleźli. Na to wszyscy umilkli i zwrócili ku niej niewidzące oczy. Naradzili się szeptem, po czym dwóch mężczyzn ostrożnie wystąpiło naprzód. Twarze mieli zacięte. Josella szarpnęła za sznur.

– Uwaga! – krzyknęła.

Jej towarzysz bez chwili wahania zrobił wymach nogą w ciężkim bucie. Kopniak był celny. Jeden z mężczyzn zgiął się wpół, wyjąc z bólu. Drugi skoczył do przodu, ale Josella usunęła się szybko na bok i tamten z trzaskiem wyrżnął o ladę.

– Zostawcie ją, do cholery! – ryknął ten, co trzymał ją na uwięzi. – Jest moja, niech was diabli! Ja ją znalazłem! – Z gniewnym grymasem obrócił głowę w jedną i drugą stronę.

Tamci jednak nie zamierzali tak łatwo się poddać. Nawet gdyby widzieli groźną minę jej towarzysza, z pewnością by ich to nie powstrzymało. Josella zaczęła sobie uświadamiać, że dar wzroku, choćby per procura, jest teraz skarbem większym od wszelkich bogactw i nikt bez zaciętej walki nie zrezygnuje z szansy jego zdobycia. Napastnicy z wolna zacieśniali koło, wyciągając ku nim ręce. Stopą zahaczyła nogę krzesła i przewróciła je, tarasując im drogę.

– Uciekajmy! – krzyknęła, ciągnąc w tył towarzysza.

Dwaj mężczyźni potknęli się o przewrócone krzesło, jedna z kobiet upadła na nich. Zapanowało ogólne zamieszanie. Josella, prowadząc trzymającego ją na uwięzi mężczyznę, przemknęła między napastnikami i wybiegła na ulicę.

Nie bardzo wiedziała, dlaczego to zrobiła. Może perspektywa znalezienia się w niewoli tamtych ludzi wydawała się jej jeszcze gorsza od obecnej sytuacji. Mężczyzna zresztą wcale jej nie podziękował. Kazał tylko, żeby znalazła inny bar, w którym nie będzie nikogo.

– Myślę – powiedziała, zastanawiając się – że chociaż pozory przemawiały przeciwko niemu, w gruncie rzeczy wcale nie był złym człowiekiem. Był po prostu przerażony. W głębi duszy był znacznie bardziej przerażony ode mnie. Dał mi jeść i pić. Zaczął mnie bić tylko dlatego, że był pijany, a ja nie chciałam z nim pójść do jego domu. Nie wiem, co by się stało, gdyby pan nie nadbiegł. – Urwała, a potem dodała: – Ale bardzo mi wstyd. To dowodzi, jak szybko może się załamać nowoczesna kobieta. Wrzaski, płacze, histeria… Ohyda!

Wyglądała teraz i czuła się wyraźnie lepiej, chociaż sięgając po kieliszek, skrzywiła się jakby z bólu.

– A ja myślę – odezwałem się – że od wyjścia ze szpitala zachowywałem się właściwie jak idiota… i miałem dużo szczęścia. Tylko szczęśliwym trafem nie wpadłem w taką samą kabałę jak pani.

– Kto posiadł wielki skarb, żyje w ciągłym zagrożeniu – odparła refleksyjnie.

– Odtąd będę o tym stale pamiętał.

– Ja mam to już wyryte w pamięci na zawsze.

Siedzieliśmy przez chwilę, słuchając hałasów dobiegających z sąsiedniego baru.

– Co teraz zrobimy? – spytałem wreszcie.

– Muszę wracać do domu. Ojciec na mnie czeka. Doktora z pewnością nie ma co już szukać, nawet jeśli ominęło go to nieszczęście.

Chciała coś jeszcze dodać, ale umilkła.

– Pozwoli pani, że ja też z panią pójdę? – spytałem. – Tacy ludzie jak my nie powinni teraz chodzić w pojedynkę.

Spojrzała na mnie z wdzięcznością.

— Jak to dobrze. Miałam już pana o to prosić, ale pomyślałam, że jest może ktoś, kogo chciałby pan poszukać.

— Nie mam nikogo — odparłem. — Przynajmniej w Londynie.

— Cieszę się. Nie boję się wprawdzie, że znów mnie ktoś złapie... będę teraz bardzo ostrożna. Ale szczerze mówiąc, boję się samotności. Wydaje mi się od razu, że jestem... odcięta od świata, wyobcowana.

Ja też zacząłem widzieć wszystko w nowym świetle. Poczucie wyzwolenia przytępiła teraz świadomość okropnych przeżyć, jakie nas zapewne czekają. W pierwszej chwili musiało się oczywiście odczuwać pewną wyższość nad innymi, a tym samym pewność siebie. Nasze szanse utrzymania się przy życiu były milion razy większe od szans innych ludzi. Oni musieli snuć się, błądzić po omacku i zgadywać, my mogliśmy po prostu wszędzie wejść i wziąć, co nam potrzeba. Ale oprócz tego będzie przecież mnóstwo innych spraw...

— Ciekaw jestem, ilu nas się uratowało i wciąż widzi — powiedziałem. — Spotkałem jeszcze jednego mężczyznę, małą dziewczynkę i niemowlę; pani nie natknęła się na nikogo. Przekonamy się zapewne, że wzrok jest wielką rzadkością. Niektórzy widocznie już zrozumieli, że mają szansę przeżyć, tylko jeśli schwytają kogoś, kto widzi. Kiedy wszyscy to zrozumieją, nasze perspektywy będą dość żałosne.

Przyszłość rysowała mi się w tej chwili jako alternatywa między samotniczą egzystencją w wiecznym strachu przed niewolą a utworzeniem grupy, która by nas broniła przed innymi grupami. Słowem, każdemu z nas przypadnie w udziale rola przywódcy, a zarazem jeńca. Natychmiast też przed oczami stanął mi odrażający obraz krwawych walk między poszczególnymi bandami prowadzonych o zawładnięcie nami. Przygnębiony rozważałem wszystkie te warianty, gdy Josella przywołała mnie do rzeczywistości, wstając z fotela.

— Muszę iść — powiedziała. — Biedny ojciec. Jest już po czwartej.

Kiedy znów się znaleźliśmy na Regent Street, zaświtała mi nagle pewna myśl.

— Chodźmy — odezwałem się. — Tu gdzieś powinien być sklep...

Sklep był zupełnie cały. Zaopatrzyliśmy się w dwa imponujące noże wraz z pochwami i pasami.

— Czuję się jak pirat — powiedziała Josella, zapinając pas.

— Lepiej być piratem niż jego branką — odparłem.

Kilka jardów dalej stała na jezdni wielka lśniąca limuzyna. Wyglądała na samochód, którego silnik powinien najwyżej szemrać, gdy jednak nacisnąłem starter, rozbrzmiał donośniej niż normalny łoskot ruchliwej ulicy. Pojechaliśmy na północ, zygzakami omijając porzucone samochody i błąkających się ludzi, którzy na dźwięk zbliżającego się pojazdu zamierali pośrodku jezdni. Przez całą drogę wszystkie twarze zwracały się ku nam pełne nadziei i przybierały wyraz przygnębienia, gdy jechaliśmy dalej. Jeden z domów przy naszej trasie buchał płomieniami, a chmury dymu wskazywały miejsce innego pożaru gdzieś przy Oxford Street. Na Oxford Circus było bardziej ludno, ale udało nam się przejechać bez przeszkód, po czym minęliśmy BBC i skręciwszy na północ, znaleźliśmy się na ulicy biegnącej przez Regent's Park.

Ulżyło nam, gdy wydostaliśmy się na otwartą przestrzeń, gdzie nie było błądzących po omacku nieszczęśliwych ludzi. Na rozległych trawnikach dostrzegliśmy tylko dwie lub trzy niewielkie grupki tryfidów kuśtykających na południe. Udało im się jakoś wyrwać z ziemi pale, do których były przykute, i ciągnęły je teraz za sobą na łańcuchach. Przypomniałem sobie, że w wydzielonym miejscu obok ogrodu zoologicznego były nieprzycięte okazy, niektóre na uwięzi, większość jednak otoczona tylko podwójnym ogrodzeniem z drutu kolczastego, i zastanawiałem się, jak wydostały się na wolność. Josella też zauważyła tryfidy.

– Im cała ta katastrofa nie zrobi wielkiej różnicy – powiedziała.

Dalej nie natrafiliśmy już na żadne przeszkody. Po kilku minutach zatrzymałem samochód przed domem wskazanym przez Josellę. Wysiedliśmy i jednym pchnięciem otworzyłem bramę. Krótki podjazd otaczał półkolem dużą kępę krzewów zasłaniających od ulicy prawie cały fronton domu. Gdy poszliśmy nim w stronę domu, Josella wydała okrzyk i pobiegła naprzód. Na żwirze leżał jakiś człowiek. Głowę miał zwróconą w bok i widać było pół twarzy. Od razu dostrzegłem czerwoną pręgę na policzku.

– Stój! – krzyknąłem do Joselli.

W moim głosie zabrzmiał taki przestrach, że Josella stanęła jak wryta.

Dostrzegłem teraz tryfida. Czaił się wśród krzewów nieopodal leżącej postaci.

– Wróć! Szybko! – nakazałem.

Zawahała się, wciąż wpatrzona w leżącego mężczyznę.

– Ale ja muszę... – zaczęła, odwracając się do mnie. Nagle urwała. Rozszerzyły się jej oczy i krzyknęła głośno.

Obróciłem się raptownie i o jard za sobą ujrzałem tryfida.

Odruchowo zasłoniłem oczy rękami. Usłyszałem świst uderzającej mnie wici, ale nie straciłem przytomności ani nawet nie poczułem piekącego bólu. W takich chwilach mózg pracuje błyskawicznie, jednak to raczej instynkt niż rozum kazał mi skoczyć do tryfida, nim zdążył powtórnie mnie smagnąć. Zderzyłem się z nim i obaliłem go na ziemię, lecz już gdy padałem, wczepiłem się rękami w górną część jego łodygi, usiłując wyrwać kielich z trującą wicią. Łodygi tryfidów nie dają się złamać, ale można je rozszarpać. Zanim się podniosłem, rozszarpałem łodygę bardzo dokładnie.

Josella stała w tym samym miejscu, niezdolna się poruszyć.

– Chodź tu – powiedziałem. – W krzakach za tobą jest drugi.

Obejrzała się lękliwie przez ramię i podeszła do mnie.

– Ależ on cię uderzył! – zawołała z niedowierzaniem. – Dlaczego nic ci...?

– Sam nie wiem – odparłem. – Powinien był mnie oparzyć.

Spojrzałem na powalonego tryfida. Wtem przypomniałem sobie noże, w które się zaopatrzyliśmy, obawiając się zgoła innych wrogów, i użyłem swego, aby obciąć wić u nasady. Przyjrzałem się jej uważnie.

– Sprawa wyjaśniona – powiedziałem, wskazując torebki z jadem. – Patrz, są zupełnie puste. Gdyby były pełne albo choćby częściowo pełne... – Obróciłem kciuk ku ziemi.

Zawdzięczałem ocalenie prawie pustym torebkom jadowym i swej odporności na tryfidową toksynę. Mimo to na rękach pozostał bladoróżowy ślad, a kark swędział mnie piekielnie. Pocierałem go, wciąż się wpatrując w uciętą wić.

– Dziwne... – mruknąłem raczej do siebie niż do Joselli, ona jednak usłyszała.

– Co jest dziwne?

– Nigdy jeszcze nie widziałem wici z tak opróżnionymi torebkami jadowymi. Ten tryfid musiał się dzisiaj bardzo napracować.

Ale Josella już mnie chyba nie słuchała. Jej uwagę znów przykuł mężczyzna leżący na podjeździe, a potem przeniosła spojrzenie na stojącego obok tryfida.

– Jak go stąd zabrać? – spytała.

– Nie możemy do niego podejść... dopóki się nie rozprawimy z tryfidem – powiedziałem. – Poza tym... obawiam się, że już mu w niczym nie można pomóc.

– Chcesz powiedzieć, że nie żyje?

Skinąłem głową.

– Tak. Co do tego nie ma wątpliwości. Widziałem ludzi porażonych jadem tryfidowym. Kto to jest?

– Stary Pearson. Nasz ogrodnik i szofer ojca. Taki kochany człowiek... znam go od dziecka.

– Okropnie mi przykro... – zacząłem, żałując, że nie przychodzi mi na myśl nic bardziej stosownego, gdy Josella przerwała mi nagle:

– Spójrz! Och, spójrz tam! – Wskazała ścieżkę prowadzącą za dom. Zza rogu wystawała noga w czarnej pończosze i damskim pantoflu.

Ostrożnie podeszliśmy do miejsca, skąd lepiej było widać. Dziewczyna w czarnej sukni leżała na pół na ścieżce, na pół na klombie. Jej ładną, świeżą twarz przecinała jaskrawa czerwona linia. Josella głośno wciągnęła powietrze. Łzy napłynęły jej do oczu.

– To Annie! Biedna mała Annie – wyjąkała.

Usiłowałem ją choć trochę pocieszyć:

– Oboje zapewne nic nie poczuli. Kiedy jad jest dość mocny, zabija w ułamku sekundy.

Nie wypatrzyliśmy już więcej żadnego ukrytego tryfida. Być może ten sam zaatakował oboje zabitych. Przekroczyliśmy ścieżkę i otworzyliśmy boczne drzwi. Weszliśmy do środka. Josella zaczęła wołać domowników. Nie było odpowiedzi. Zawołała znowu. Nasłuchiwaliśmy, ale dom spowijała głucha cisza. Josella spojrzała na mnie. Żadne z nas się nie odezwało. Poprowadziła mnie cicho korytarzem do obitych tkaniną drzwi.

Gdy je otworzyła, rozległ się świst i coś klapnęło o framugę tuż nad jej głową. Pośpiesznie zatrzasnęła drzwi i odwróciła się do mnie.

– Jeden jest w holu – powiedziała. Mówiła szeptem, przerażona, jakby się bała, że tryfid podsłuchuje.

Wróciliśmy korytarzem i znów wyszliśmy do ogrodu. Idąc po trawie, żeby nie było słychać kroków, okrążyliśmy dom i zatrzymaliśmy się w miejscu, skąd można było zajrzeć do salonu. Oszklone drzwi na taras były otwarte, szyba jednego skrzydła stłuczona. Na stopniach i na dywanie widniał ślad utworzony z okrągłych plam błota. Na jego końcu, pośrodku pokoju, stał tryfid. Kołyszący się lekko czubek jego łodygi niemal dotykał sufitu. Tuż przy jego wilgotnym włochatym pniu leżały zwłoki mężczyzny w jedwabnym szlafroku. Chwyciłem Josellę za ramiona. Bałem się, że tam pobiegnie.

– To... twój ojciec? – spytałem, chociaż byłem pewien, że to on.

– Tak – wyszeptała i zakryła twarz. Drżała na całym ciele.

Stałem bez ruchu, nie odrywając spojrzenia od tryfida na wypadek, gdyby ruszył w naszą stronę. Przeszło mi przez myśl, że Joselli przydałaby się chustka do nosa, podałem więc jej swoją. Poza tym nic tu nie można było poradzić. Josella po chwili trochę się opanowała. Myśląc o ludziach, których widzieliśmy tego dnia, powiedziałem:

– Wiesz, wolałbym chyba, żeby mnie spotkał taki koniec niż to, co tamtych...

– Tak – szepnęła po chwili. Spojrzała na niebo. Jaśniało pogodnym, niezgłębionym błękitem, kilka obłoków płynęło po nim jak białe pióra. – Tak – powtórzyła z większym już przekonaniem. – Biedny tatko. Nie zniósłby ślepoty. Za bardzo to wszystko kochał. – Zerknęła znów do pokoju. – Co teraz zrobimy? Nie mogę go zostawić...

Nagle w niestłuczonej szybie dostrzegłem odbicie jakiegoś ruchu. Obejrzałem się szybko: z krzaków wyszedł tryfid i ruszył przez trawnik prosto na nas. Słyszałem szelest skórzastych liści poruszanych przez wahadłowo kołyszącą się łodygę.

Nie było chwili do stracenia. Nie miałem pojęcia, ile ich tu może jeszcze być wokół domu. Chwyciłem Josellę za ramię i pociągnąłem ją z powrotem drogą, którą przyszliśmy. Gdy znaleźliśmy się już bezpieczni w samochodzie, zalała się łzami.

Wiedziałem, że będzie jej lżej, gdy się wypłacze. Zapaliłem papierosa i zacząłem się zastanawiać, co dalej. Josella oczywiście nie zostawi ojca tam, gdzie go znaleźliśmy. Będzie chciała pochować go jak należy, a wszystko wskazuje na to, że sami będziemy musieli wykopać grób i zająć się wszystkim, co jest związane z pogrzebem. Przedtem jednak koniecznie musimy zdobyć środki do rozprawienia się z tryfidami, które już tam są, i z tymi, które mogą się jeszcze pojawić. Słowem, byłem skłonny zrezygnować z całego przedsięwzięcia, ale nie o mojego ojca przecież chodziło…

Im dłużej zastanawiałem się nad tym nowym aspektem sytuacji, tym mniej mi się on podobał. Nie miałem pojęcia, ile tryfidów może być w Londynie. W każdym parku było ich przynajmniej kilkanaście. Zazwyczaj trzymano kilka unieszkodliwionych, którym pozwalano wędrować po parku, gdzie chciały, ale częstokroć były też inne, z nieprzyciętymi wićmi, przykute łańcuchami do pali albo otoczone drutem kolczastym. Przypomniałem sobie tryfidy widziane przez nas w Regent's Park. Dobrze byłoby wiedzieć, ile ich zwykle trzymano na uwięzi w ogrodzie zoologicznym i ile stamtąd uciekło. W prywatnych ogrodach też w sumie jest ich sporo; należałoby się spodziewać, że wszystkie mają przycięte wici, ale kto wie, jak daleko może sięgać ludzka głupota i niedbalstwo. Prócz tego wokół Londynu jest kilkanaście szkółek, a trochę dalej stacje doświadczalne…

Gdy tak rozmyślałem, poczułem, że coś mi chodzi po głowie, jakieś skojarzenie, którego nie mogę sprecyzować. Wytężyłem pamięć i naraz wspomnienie wypłynęło na powierzchnię. Omalże usłyszałem głos Waltera:

– Mówię ci, tryfid ma bez porównania większe szanse przeżycia niż człowiek ślepy...

Walter mówił oczywiście o człowieku oślepionym przez tryfida. Mimo to drgnąłem. Więcej – ciarki mnie przeszły.

Postarałem się przypomnieć sobie wszystko dokładnie. Były to wprawdzie tylko rozważania natury ogólnej, ale w tej chwili wydały mi się wręcz prorocze.

– Jeśli stracimy wzrok – powiedział wtedy Walter – nasza wyższość nad tryfidami zniknie.

Zbieg okoliczności jest zjawiskiem bardzo częstym, ale rzadko zwracamy na niego uwagę...

Chrzęst żwiru przywołał mnie do rzeczywistości. Ku bramie, kołysząc się, kuśtykał podjazdem tryfid. Czym prędzej zamknąłem okno.

– Jedźmy! Jedźmy! – zawołała histerycznie Josella.

– W samochodzie jesteśmy bezpieczni – uspokoiłem ją. – Chcę zobaczyć, co on zrobi.

Uświadomiłem sobie, że jeden z moich problemów został rozwiązany. Od dawna przyzwyczajony do tryfidów, zapomniałem, jak reaguje większość ludzi na widok tryfida z nieprzyciętą wicią. Zrozumiałem nagle, że nie będzie już mowy o powrocie do tego domu. Josella miała do uzbrojonych tryfidów ten sam stosunek co większość ludzi: czym prędzej uciekać i trzymać się od nich jak najdalej.

Tryfid zatrzymał się przy bramie. Można byłoby przysiąc, że nasłuchuje. Siedzieliśmy cicho, Josella wpatrywała się w niego ze zgrozą. Spodziewałem się, że uderzy wicią o samochód, ale nie zrobił tego. Przypuszczalnie zmyliły go nasze głosy, stłumione przez karoserię samochodu, i uznał, że znajdujemy się poza jego zasięgiem.

Nagie pałeczki zagrały krótki werbel, uderzając o łodygę. Tryfid zakołysał się, skręcił niezdarnie w prawo i zniknął w następnej bramie.

Josella odetchnęła z ulgą.

– Jedźmy już, zanim wróci – powiedziała błagalnie.

Włączyłem silnik, zakręciłem i ruszyliśmy znów w stronę Londynu.

Światło wśród nocy

Josella stopniowo odzyskała równowagę. Z wyraźnym zamiarem oderwania myśli od tego, co pozostawiliśmy za sobą, spytała:

– Dokąd teraz jedziemy?

– Do Clerkenwell – odparłem. – Potem trzeba będzie zdobyć dla ciebie jakieś ubranie. Po ubranie, jeżeli zechcesz, wpadniemy na Bond Street, ale najpierw jedziemy do Clerkenwell.

– Ale dlaczego do Clerkenwell?... Boże wielki! – krzyknęła nagle.

Nie zdziwiłem się, że krzyknęła. Skręciliśmy właśnie za róg i ujrzeliśmy, że jakieś pięćdziesiąt jardów przed nami pędzi w naszą stronę tłum ludzi. Biegli, potykając się i wyciągając przed siebie ramiona. Słychać było płacz, jęki i przeraźliwe krzyki. W chwili, gdy ich zobaczyliśmy, jedna z kobiet na przedzie potknęła się i upadła. Inni zwalili się na nią i znikła pod stosem wierzgających, wijących się ciał. Za tłumem dostrzegliśmy przyczynę popłochu: trzy łodygi o ciemnych liściach kołyszące się nad głowami ludzi. Natychmiast dodałem gazu i skręciłem w boczną drogę.

Josella zwróciła ku mnie zmartwiałą twarz.

– Wi... widziałeś, co to było? One ich pędziły...

– Tak – powiedziałem. – Dlatego właśnie jedziemy do Clerkenwell. Tam jest zakład, w którym robią najlepszą na świecie broń i maski przeciw tryfidom.

Zrobiliśmy objazd i wróciliśmy na właściwą trasę, okazało się jednak, że przejechać nie będzie tak łatwo, jak się spodziewałem. W pobliżu dworca King's Cross na ulicach było znacznie więcej ludzi. Mimo że ustawicznie naciskałem klakson, posuwaliśmy się z coraz większym trudem, a przed samym dworcem utknęliśmy. Dlaczego akurat tutaj zebrały się takie tłumy, nie wiem. Zeszli się tu chyba wszyscy okoliczni mieszkańcy. O przedostaniu się przez ciżbę nie mogło być mowy, a jedno spojrzenie w tył przekonało mnie, że odwrót jest równie beznadziejny. Ci, których mijaliśmy, zwarli już za nami szeregi.

– Wysiadaj, prędko! – powiedziałem. – Myślę, że chcą nas schwytać.

– Ależ... – zaczęła Josella.

– Prędzej! – uciąłem.

Dałem ostatni sygnał klaksonem i nie wyłączając silnika, wysunąłem się za Josellą. Czas był już najwyższy. Jeden z mężczyzn namacał klamkę tylnych drzwi. Otworzył je i szperał rękami po siedzeniu. O mało nie przewróciliśmy się pod naciskiem ludzi przepychających się do samochodu. Rozległ się gniewny wrzask, kiedy ktoś otworzył przednie drzwi i przekonał się, że tam też siedzenia są puste. My tymczasem uniknęliśmy niebezpieczeństwa, wmieszawszy się w tłum. Ktoś uczepił się tego, który otworzył tylne drzwi, sądząc, że to on wysiadł z samochodu. Powstało zamieszanie. Mocno chwyciłem Josellę za rękę i zaczęliśmy się powoli wydostawać ze ścisku, starając się nie zwracać na siebie uwagi.

Znalazłszy się poza obrębem tłumu, szliśmy przez jakiś czas, rozglądając się za odpowiednim samochodem. Wkrótce go znaleźliśmy: kombi, dla planu, który zaczął mi się kształtować w głowie, bardziej użyteczny od zwykłego wozu.

Zakład w Clerkenwell już od kilku stuleci produkował znakomite narzędzia precyzyjne. Mała fabryka, z którą niekiedy miałem do czynienia w sprawach zawodowych, przystosowała swoje stare umiejętności do nowych potrzeb. Znalazłem ją od razu, włamanie do niej również nie nastręczało większych problemów. Odjeżdżaliśmy stamtąd z miłym poczuciem, że nie jesteśmy już bezbronni, załadowaliśmy bowiem do naszego wozu kilkanaście doskonałych strzelb pneumatycznych na tryfidy, kilka tysięcy stalowych pocisków w kształcie małych bumerangów i kilka hełmów osłoniętych z przodu mocną drucianą siatką.

– Teraz po ubranie? – spytała Josella, kiedy ruszyliśmy.

– Opracowałem prowizoryczny plan – powiedziałem – przy czym dopuszczalne są uwagi krytyczne i poprawki. Najpierw proponuję znaleźć jakieś *pied-à-terre*, w którym moglibyśmy odpocząć i omówić sytuację.

– Byle nie nowy bar – zaproponowała. – Na dziś mam dosyć barów.

– Ja też – wyznałem – choć moi przyjaciele by w to nie uwierzyli, biorąc pod uwagę wszystkie te darmowe trunki. Nie, miałem na myśli jakieś puste mieszkanie. Chyba nie będzie trudno takie znaleźć. Odpoczęlibyśmy tam trochę i opracowali z grubsza plan kampanii. Moglibyśmy tam również nocować, ale jeżeli uważasz, że konwenanse wciąż jeszcze mają przewagę nad szczególnymi okolicznościami, to cóż… może uda nam się znaleźć dwa mieszkania.

– Będę chyba spokojniejsza, wiedząc, że ktoś jest w pobliżu.

– Doskonale – stwierdziłem. – W takim razie operacją numer dwa będzie zaopatrzenie się w ubrania damskie i męskie. W tym celu może pójdziemy każde oddzielnie, starając się tylko nie zapomnieć adresu wybranego mieszkania.

– Dobrze... – powiedziała niepewnie.

– Wszystko będzie w porządku – uspokoiłem ją. – Pamiętaj tylko, że masz się do nikogo nie odzywać, a nikt się nie domyśli, że widzisz. Dziś rano byłaś zupełnie nieprzygotowana i tylko dlatego wpadłaś w tarapaty. „W krainie ślepców jednooki jest królem".

– Tak... To powiedział Wells, co?... Ale w jego opowiadaniu okazało się, że to nieprawda.

– Cała rzecz w tym, co się rozumie przez słowo „kraina", w oryginale *patria* – odparłem. – *Caecorum in patria luscus rex imperat omnis*... Pierwszy powiedział to pewien Rzymianin imieniem Fulloniusz, o którym chyba nic więcej nie wiadomo. Ale teraz nie ma już zorganizowanej patrii, nie ma państwa – jest tylko chaos. Wells wyobrażał sobie lud, który się przystosował do ślepoty. Wątpię, czy tutaj do tego dojdzie... nie widzę na to sposobu.

– Jak myślisz, co właściwie będzie?

– Mogę się tylko domyślać, tak jak i ty. Ale wkrótce i tak się dowiemy. Lepiej wróćmy do spraw doraźnych. Na czym stanęliśmy?

– Na wyborze ubrań.

– Prawda. Otóż trzeba się po prostu wśliznąć do sklepu, wziąć kilka drobiazgów i wymknąć się z powrotem. W centrum Londynu nie spotkasz tryfidów, przynajmniej na razie.

– Tak lekko to mówisz: wśliznąć się i wziąć.

– Nie jest mi zbyt lekko na sercu – przyznałem się. – Ale

nie jestem pewien, czy to wielka cnota, chyba raczej przyzwyczajenie. A uparte przymykanie oczu na fakty dokonane nie przywróci dawnego stanu rzeczy i nic nam nie pomoże. Nie powinniśmy się uważać za złodziei, lecz za… no, powiedzmy, za mimowolnych spadkobierców ogólnego dorobku.

– Tak. Chyba nimi jesteśmy – zgodziła się, choć bez wielkiego przekonania.

Milczała chwilę. Potem wróciła do poprzedniego wątku:

– A po ubraniach?

– Operacją numer trzy – oświadczyłem – musi być stanowczo kolacja.

Z mieszkaniem, jak się spodziewałem, nie było wielkich trudności. Zostawiliśmy zamknięty na klucz samochód pośrodku jezdni przed eleganckim blokiem mieszkalnym i wdrapaliśmy się na trzecie piętro. Dlaczego wybraliśmy akurat trzecie, nie potrafię powiedzieć, poza tym, że wydało się nam bardziej oddalone od ludzi. Z wyborem mieszkania poszło gładko. Pukaliśmy albo dzwoniliśmy i jeżeli ktoś się odezwał, szliśmy dalej. Za czwartym razem trafiliśmy na drzwi, zza których nie padła odpowiedź. Jedno mocne pchnięcie ramieniem, a zamek ustąpił i znaleźliśmy się wewnątrz.

Nie należałem do ludzi przyzwyczajonych do mieszkania w lokalu, którego miesięczny czynsz wynosił na oko dwa tysiące funtów szterlingów, stwierdziłem jednak, że taki lokal stanowczo ma swoje zalety. Wnętrze urządzali, jak się domyślam, wykwintni młodzi ludzie, mający ów rzadki, a tak wysoko opłacany dar kojarzenia dobrego smaku z ultranowoczesnością. Motorem ich działania była z pewnością gruntowna znajomość fluktuacji mody. Tu i ówdzie dostrzegało się niechybne *derniers cris*, część ich – gdyby świat potoczył się dalej spodziewanym torem – bez wątpienia zrobiłaby wkrótce furorę, inne, powiedziałbym, należały do pomysłów zupełnie poronionych. Całość w swym lekceważeniu ludzkich słabostek sprawiała wrażenie nieskazitelnej wystawy: jakaś książka przesunięta o kilka cali w bok albo z niewłaściwym kolorem obwoluty zniweczyłaby starannie obmyśloną harmonię zarysów i barw, podobnie jak zniweczyłby ją ktoś lekkomyślny, siadając na zbytkownym fotelu czy kanapie w stroju niepasującym do obicia. Zwróciłem się do Joselli, która patrzyła na to wszystko szeroko otwartymi oczami.

– No co, nada się to skromne lokum czy idziemy dalej? – spytałem.

– Cóż, nie należy za dużo wymagać – odparła równie żartobliwie, po czym tonąc stopami w jasnokremowym dywanie, ruszyliśmy na inspekcję dalszych pokoi.

Gdybym nawet łamał sobie nad tym głowę, nie wpadłbym chyba na lepszy sposób oderwania jej myśli od wydarzeń dnia. Nasz obchód odbywał się wśród ustawicznych okrzyków podziwu, zazdrości, pogardy, zachwytu, a nawet, muszę wyznać, złośliwości. Josella zatrzymała się na progu pokoju wypełnionego najbardziej agresywnymi przejawami bezgranicznej kobiecej próżności.

– Tu będę spała – rzekła.

– Wielki Boże! – jęknąłem. – Cóż, każdy ma swój gust.

– Nie bądź wstrętny. Pewnie nigdy już nie będę miała okazji zanurzyć się w dekadencji. A poza tym nie wiesz, że każda dziewczyna ma w sobie coś z najgłupszej gwiazdy filmowej? Więc niech ta cząstka mojego ja użyje sobie po raz ostatni.

– Bardzo proszę – powiedziałem. – Ale mam nadzieję, że znajdzie się tu jakiś spokojniejszy kąt. Niech Bóg broni, żebym miał spać w łóżku, nad którym w suficie jest lustro.

– Nad wanną też jest lustro – oświadczyła Josella, zaglądając do przyległego pomieszczenia.

— Nie wiem, czy byłby to zenit czy nadir dekadencji — zauważyłem. — Ale i tak z niego nie skorzystam. Nie ma gorącej wody.

— Ojej, zupełnie zapomniałam. Jaka szkoda! — zawołała tonem zawodu.

Dokończyliśmy inspekcji, stwierdzając, że reszta mieszkania nie jest już tak ekstrawagancka. Następnie Josella udała się na poszukiwanie odpowiedniego ubrania. Ja natomiast zbadałem zasoby i możliwości lokalu, po czym wyruszyłem na zaplanowaną wyprawę.

Wychodząc z mieszkania, usłyszałem, że nieco dalej otworzyły się inne drzwi. Zatrzymałem się i stanąłem bez ruchu. Na korytarz wyszedł młody mężczyzna, prowadząc za rękę młodziutką jasnowłosą kobietę. Przekroczywszy próg, puścił jej dłoń.

— Zaczekaj chwilę, kochanie — powiedział.

Zrobił kilka kroków po tłumiącym dźwięki dywanie. Jego wyciągnięte ręce znalazły okno na końcu korytarza. Palce namacały klamkę, przekręciły ją i cicho otworzyły okno. Dostrzegłem poręcz drabiny przeciwpożarowej.

— Co robisz, Jimmy? — spytała ona.

— Upewniam się tylko — odpowiedział, wracając do niej szybko, i znów poszukał jej ręki. — Chodźmy, kochanie.

Cofnęła się.

— Jimmy... ja nie chcę stąd wychodzić. We własnym domu przynajmniej wiemy, gdzie jesteśmy. Co będziemy jedli? Jak będziemy żyli?

— W domu, kochanie, nie będziemy w ogóle nic jedli, nie będziemy więc długo żyli. Chodź ze mną, najdroższa. Nie bój się.

— Ale ja się boję, Jimmy... boję się.

Przywarła do niego, a on otoczył ją ramieniem.

— Wszystko będzie dobrze, kochanie. Chodźmy.

— Ależ, Jimmy, to nie w tę stronę...

– Pomyliło ci się, złotko. Idziemy jak trzeba.

– Jimmy... ja się tak boję... Wróćmy.

– Za późno, kochanie.

Przy oknie się zatrzymał. Jedną ręką bardzo dokładnie zbadał, gdzie jest. Potem objął ją i przycisnął do siebie.

– To zbyt cudowne, żeby miało trwać – powiedział cicho. – Kocham cię, moja jedyna. Tak bardzo, bardzo cię kocham.

Podała mu usta do pocałunku.

Uniósł ją w górę, odwrócił się i wraz z nią wyskoczył przez okno...

– Musisz się uodpornić – mówiłem sobie. – Musisz. Albo pancerz, albo wieczne opilstwo, innego wyboru nie ma. Takie rzeczy na pewno zdarzają się ciągle i wszędzie naokoło. I nadal będą się zdarzały. Nic na to nie poradzisz. Przypuśćmy, że dałbyś im żywność i jeszcze przez kilka dni utrzymał ich przy życiu... Co potem? Musisz nauczyć się to znosić, musisz się z tym pogodzić. Nie pozostaje nic innego prócz picia na umór. Jeśli mimo wszystko nie będziesz walczył o własne życie, na świecie w końcu nie zostanie nikt... Przeżyć może tylko ten, kto stanie się dość twardy, żeby wszystko to znieść...

Zgromadzenie wszystkiego, co mi było potrzebne, zabrało więcej czasu, niż przewidywałem. Zanim wróciłem, upłynęło około dwóch godzin. Otwierając drzwi, upuściłem parę rzeczy. Na ten dźwięk z ekstrawaganckiej sypialni dobiegł nieco zaniepokojony głos Joselli.

– To tylko ja – uspokoiłem ją, idąc z rzeczami korytarzem. Rzuciłem je wszystkie w kuchni i wróciłem po te, które upuściłem. Zatrzymałem się przed jej drzwiami.

– Nie możesz teraz wejść – ostrzegła.

– Nie miałem zamiaru – odparłem. – Chcę się tylko dowiedzieć, czy umiesz gotować.

– Owszem, jajka na miękko – odpowiedział jej stłumiony głos.

– Tego się obawiałem. Mnóstwa rzeczy będziemy się musieli nauczyć – stwierdziłem z żalem.

Wróciłem do kuchni. Ustawiłem przyniesiony prymus na bezużytecznej kuchni elektrycznej i zabrałem się do roboty.

Rozłożyłem nakrycia na stoliku w salonie; efekt wydał mi się wcale niezły. Dopełniłem go kilkoma świecami, które osadziłem w lichtarzach. Joselli wciąż nie było widać, chociaż już dość dawno słyszałem plusk bieżącej wody. Zawołałem ją.

– Już idę – odpowiedziała.

Podszedłem do okna i wyjrzałem na zewnątrz. Z całą świadomością zacząłem się ze wszystkim żegnać. Słońce zbliżało się już ku zachodowi. Wieże, iglice i frontony domów odbijały bielą i różowością od przyćmionego nieba. Tu i ówdzie wybuchły nowe pożary. Dym wznosił się wielkimi słupami, spod których przebijały niekiedy płomienie. Bardzo możliwe, mówiłem sobie, że po jutrzejszym dniu nie zobaczę już nigdy tych tak dobrze znanych budowli. Może przyjdzie czas, kiedy można będzie wrócić – ale nie do tego miasta. Pożary, wiatry i deszcze zrobią swoje – Londyn będzie umarły i opuszczony. Ale teraz, z daleka, mógł jeszcze udawać miasto żyjące.

Ojciec opowiadał mi niegdyś, że przed wybuchem wojny z Hitlerem chodził po Londynie, oglądając wszystko uważniej niż kiedykolwiek przedtem, widząc piękno budynków, których nigdy dotychczas nie dostrzegał, i żegnając się z nimi. Miałem teraz podobne uczucie. Ale stałem w obliczu czegoś gorszego. Tamtą wojnę przeżyło znacznie więcej ludzi, niż się ktokolwiek mógł spodziewać; tego wroga jednak nikt nie zdoła pokonać.

Tym razem budowli nie czeka bezsensowne, wściekłe burzenie i palenie, czeka je po prostu długi, powolny, nieuchronny proces niszczenia i rozpadania się w gruzy.

Gdy tak stałem, moje serce wciąż jeszcze nie chciało uwierzyć w to, co mówiła głowa. Wciąż jeszcze miałem uczucie, że to wszystko jest zbyt niepojęte, zbyt przeciwne naturze, aby mogło się stać naprawdę. A przecież wiedziałem, że coś takiego zdarza się nie po raz pierwszy. Trupy innych wielkich miast leżą pogrzebane w piaskach pustyni albo porośnięte azjatycką dżunglą. Niektóre padły już tak dawno, że nikt nie pamięta ich nazw. Ale tym, którzy w nich mieszkali, ich upadek wydawał się z pewnością równie nieprawdopodobny i niemożliwy jak mnie zagłada wielkiej nowoczesnej metropolii...

Jednym z najbardziej uporczywych i pocieszających złudzeń rodzaju ludzkiego, myślałem, jest chyba wiara, że „tutaj nie może się to zdarzyć", że naszego własnego drobnego odcinka czasu i skrawka miejsca nie zetrze żaden kataklizm. A teraz tu właśnie dzieje się rzecz straszliwa. Jeśli nie zdarzy się cud, patrzę na początek końca Londynu, inni zaś, podobni do mnie ludzie patrzą na początek końca Nowego Jorku, Paryża, San Francisco, Buenos Aires, Bombaju i wszystkich innych miast, które ma spotkać los tamtych, pochłoniętych przez dżunglę.

Patrzyłem wciąż przez okno, gdy usłyszałem za sobą szmer. Odwróciłem się – do pokoju weszła Josella. Miała na sobie elegancką długą suknię z bladoniebieskiej żorżety, na to zaś włożyła żakiecik z białego futra. Na skromnym łańcuszku jarzył się wisiorek z kilku białoniebieskich brylantów, a kamienie lśniące w klipsach były mniejsze, lecz równie czystej wody. Jej włosy i twarz wyglądały tak, jakby przed chwilą wyszła z salonu kosmetycznego. Przeszła przez pokój, migocząc srebrnymi pantofelkami, można też było dostrzec pończochy, cienkie jak pajęczyna. Wpatrywałem się w nią bez słowa i po chwili uśmiech znikł z jej ust.

– Nie podoba ci się? – spytała, dziecinnie zawiedziona.

– Cudownie… jesteś piękna – powiedziałem. – Ja… po prostu nie spodziewałem się takiego zjawiska…

Potrzeba jednak było czegoś więcej. Wiedziałem, że to pokaz, który niewiele albo i nic nie ma ze mną wspólnego. Dodałem:

– Żegnasz się?…

Oczy jej przybrały od razu inny wyraz.

– Więc rozumiesz. Miałam nadzieję, że mnie zrozumiesz.

– Myślę, że tak. Cieszę się, że to zrobiłaś. Będę miał piękne wspomnienie. – Wyciągnąłem do niej rękę i podprowadziłem ją do okna. – Ja też się żegnałem… z tym wszystkim.

Co się działo w myślach Joselli, gdy tak staliśmy obok siebie, pozostanie jej tajemnicą. Ja niczym w kalejdoskopie widziałem obrazy z życia, które dobiegło teraz kresu – a może było to, jakbym przeglądał wielki album fotografii, zadając wciąż to samo pytanie: „Czy pamiętasz?".

Patrzyliśmy długo, pogrążeni każde w swoich rozmyślaniach. Josella westchnęła. Spojrzała na swoją suknię, dotknęła cienkiego jedwabiu.

– To niemądre? Rzym się pali? – powiedziała ze smutnym uśmieszkiem.

– Nie, to miłe – odrzekłem. – Dziękuję ci. Wspaniały gest – i przypomnienie, że mimo wszystkich wad na świecie było przecież wiele piękna. Nie mogłabyś ładniej postąpić… ani wyglądać.

Jej uśmiech stał się pogodniejszy.

– Dziękuję, Bill. – Umilkła, lecz po chwili dodała: – Czy już ci dziękowałam? Zdaje się, że nie. Gdybyś mnie nie uratował i potem mi nie pomógł…

– Gdyby nie ty – odparłem – leżałbym pewnie teraz zalany w jakimś barze i ronił pijackie łzy. Mam ci nie mniej do zawdzięczenia. Nie jest to czas, kiedy człowiek powinien być sam. – I żeby zmienić nastrój, dodałem: – A skoro już mowa o piciu, jest tu doskonałe amontillado i różne inne nie gorsze trunki. Bardzo dobrze trafiliśmy z tym mieszkaniem.

Nalałem sherry i unieśliśmy kieliszki.

– Zdrowia, siły... i szczęścia – powiedziałem.

Skinęła głową. Wypiliśmy.

– A co będzie – zapytała Josella, gdy napoczęliśmy, sądząc po smaku, drogi pasztet – jeśli właściciel tego wszystkiego nagle wróci?

– Wytłumaczymy się, a on będzie szczęśliwy, że ma tu kogoś, kto mu może powiedzieć, co jest w której butelce. Ale mało prawdopodobne, żeby wrócił.

– Tak – zgodziła się po namyśle. – Tak, niestety to mało prawdopodobne. Ciekawa jestem... – Rozejrzała się po pokoju. – Próbowałeś włączyć radio?

– Telewizor też przecież tu jest – przypomniałem. – Ale wszystko na nic. Nie ma prądu.

– Naturalnie. Zapomniałam. Przez dłuższy czas będziemy pewnie zapominali o takich rzeczach.

– Kiedy byłem w mieście, próbowałem coś złapać na odbiorniku bateryjnym. Wszystkie pasma milczą jak grób.

– To znaczy, że tak jest wszędzie?

– Niestety. Coś tam popiskiwało w paśmie czterdziestu dwóch metrów. Poza tym nic. Ciekaw jestem, kim jest ten biedak i skąd nadaje.

– Bill, przyszłość będzie dość ponura, prawda?

– Będzie... Nie, nie pozwolę zepsuć sobie humoru przy kolacji – oświadczyłem stanowczo. – Najpierw przyjemność, potem praca, a przyszłość będzie niewątpliwie ciężką pracą. Pomówmy o czymś ciekawszym, jak na przykład ile miałaś romansów i dlaczego ktoś już dawno się z tobą nie ożenił...

a może się ożenił? Widzisz, jak mało o tobie wiem. Poproszę o życiorys.

– Cóż – powiedziała – urodziłam się jakieś trzy mile stąd. Moja matka była wtedy bardzo z tego powodu zła.

Uniosłem brwi.

– No wiesz, matka chciała, żebym miała obywatelstwo amerykańskie. Ale kiedy przyjechał samochód, żeby ją zawieźć na lotnisko, było już za późno. Mama była ogromnie impulsywna... myślę, że co nieco z tego po niej odziedziczyłam.

Opowiadała dalej. Jej lata dziecięce nie odznaczały się niczym szczególnym, ale sądzę, że bawiło ją mówienie o nich, mogła bowiem na chwilę zapomnieć, gdzie się znajdujemy. Mnie znów przyjemnie było słuchać jej trajkotania o dobrze znanych i miłych rzeczach, które znikły już na zawsze ze świata. Lekkim tonem zreferowała swoje dzieciństwo, lata szkolne i „debiut towarzyski" – o ile ten termin jeszcze coś oznaczał.

– Kiedy miałam dziewiętnaście lat, o mało nie wyszłam za mąż – wyznała – i bardzo się cieszę, że tego nie zrobiłam. Ale wtedy byłam zupełnie innego zdania. Pokłóciłam się okropnie z ojcem, który sprzeciwiał się małżeństwu, bo od razu się zorientował, że Lionel to łowcowałkoń i...

– Co takiego? – przerwałem.

– Łowcowałkoń. Skrzyżowanie łowcy posagów z wałkoniem, taki naciągacz salonowy. Zerwałam więc z rodziną i przeniosłam się do znajomej dziewczyny, która miała własne mieszkanie. A rodzice przestali mi wypłacać pensję miesięczną, co było oczywiście bardzo niemądre, bo mogło mieć skutek odwrotny do zamierzonego. Tak się jednak złożyło, że nie zeszłam na złą drogę, bo wszystkie znane mi dziewczyny, które w ten sposób sobie radziły, miały, moim zdaniem, okropnie ciężkie życie. Wątpliwa przyjemność, ciągle trzeba znosić jakieś sceny zazdrości, a do tego nieźle się nagłowić, żeby wszystko zorganizować i zaplanować. Nie uwierzyłbyś, ile dziewczyna musi się nakombinować, żeby utrzymać w odwodzie jednego czy dwóch zapasowych amantów, a może nawet trzech... – Josella zamyśliła się.

– Mniejsza o to – wtrąciłem. – Mam ogólny obraz sytuacji. Po prostu nie chciałaś nikogo trzymać w odwodzie.

– Masz intuicję. Mimo wszystko nie mogłam siedzieć na karku dziewczynie, która miała mieszkanie. Musiałam zdobyć trochę pieniędzy, zabrałam się więc do pisania.

Sądziłem, że się przesłyszałem.

– Zostałaś maszynistką? – spytałem.

– Napisałam książkę. – Josella spojrzała na mnie i uśmiechnęła się. – Muszę wyglądać na kompletną idiotkę, bo wszyscy tak właśnie na mnie patrzyli, kiedy mówiłam, że piszę książkę. Książka oczywiście nie była zbyt dobra, to znaczy nie dałoby się jej porównać z powieściami Aldousa albo Charlesa, czy innych pisarzy w tym rodzaju, ale spełniła swoje zadanie.

Powstrzymałem się od pytania, o którego z licznych Charlesów chodzi, spytałem tylko:

– Chcesz powiedzieć, że ją wydano?

– Ależ naturalnie. I przyniosła mi naprawdę kupę pieniędzy. Za same prawa do ekranizacji...

– Co to była za książka? – spytałem zaciekawiony.

– Miała tytuł *Seks jest moją przygodą*.

Przez chwilę wpatrywałem się w nią tępo, a potem uderzyłem się w czoło.

– Josella Playton, oczywiście. Nie pamiętałem, z czym mi się to nazwisko kojarzy. Ty to napisałaś? – dodałem z niedowierzaniem.

Nie mogłem pojąć, jakim cudem nie przypomniałem sobie tego wcześniej. Jej zdjęcia były we wszystkich pismach – niezbyt dobre, jak stwierdziłem teraz, mając przed sobą oryginał – książka zaś była we wszystkich księgarniach. Dwie wielkie wypożyczalnie umieściły ją na indeksie, pewnie już z powodu samego tytułu. Od tej chwili miała zapewnione powodzenie i nakłady wzrosły do setek tysięcy.

Josella parsknęła śmiechem. Ucieszyło mnie to.

– Mój Boże – powiedziała. – Masz taką samą minę jak w swoim czasie wszyscy moi krewni.

– Nie dziwię się im – stwierdziłem.

– Czytałeś ją? – spytała.

Potrząsnąłem przecząco głową. Josella westchnęła.

– Ludzie są dziwni. Znasz tylko tytuł, wiesz jedynie, że książka narobiła hałasu, a się gorszysz. W gruncie rzeczy to całkiem nieszkodliwa książczyna. Dziecinna przemądrzałość i naiwny romantyzm, przyprawione tu i ówdzie pensjonarską grandilokwencją. Ale tytuł wymyśliłam dobry.

– Zależy, co się uważa za dobre – powiedziałem. – Na dobitkę podpisywałaś książkę własnym nazwiskiem.

– Tak, to był błąd – przyznała. – Wydawcy mnie namówili. Twierdzili, że tak będzie dużo lepiej, bo łatwiej o reklamę. Ze swego punktu widzenia mieli słuszność. Przez jakiś czas byłam wcale znaną osobą. W duchu konałam ze śmiechu, kiedy widziałam, że ludzie przyglądają mi się pilnie w restauracjach, i tak dalej. Ogromnie im było trudno skojarzyć to, co widzieli, z tym, co myśleli. Mnóstwo ludzi, których nie lubiłam, zaczęło regularnie nas odwiedzać, więc żeby się ich pozbyć – i ponieważ dowiodłam, że powrót do domu nie jest dla mnie koniecznością – wróciłam do domu. Ale książka dużo rzeczy mi popsuła. Większość ludzi zbyt dosłownie rozumiała tytuł. Od tego czasu wciąż musiałam przybierać postawę obronną wobec tych, których nie lubiłam, a ci, których miałam ochotę polubić, albo się mnie bali, albo byli mną zgorszeni. Najbardziej mnie złości to, że książka nie była wcale niemoralna, była głupio epatująca i rozsądni ludzie powinni się byli na tym poznać.

Urwała i zamyśliła się. Przyszło mi do głowy, że ludzie rozsądni doszli pewnie do wniosku, iż autorka powieści *Seks jest moją przygodą* również musi być głupia i stara się wszystkich epatować, ale zachowałem tę uwagę dla siebie. Wszyscy za młodu popełniamy głupstwa, o których wspominamy później z zażenowaniem, ale ludziom trudno jakoś uznać za młodzieńcze głupstwa coś, co stało się sukcesem finansowym.

– Wszystko się przez to pogmatwało – wyznała ze smutkiem. – Pisałam właśnie nową książkę, żeby to wszystko jakoś naprawić. Ale jestem zadowolona, że już jej nie skończę. Była pełna goryczy.

– Pod równie groźnym tytułem? – zapytałem.

Potrząsnęła głową.

– Miała się nazywać *Tu opuszczona*.

– Hm... no tak, ten tytuł nie jest już taki frapujący jak poprzedni. To cytat?

– Tak, z Congreve'a: „Tu opuszczona dziewica spoczywa; dość ma miłości".

– Aa... cóż... – bąknąłem i poważnie się nad całą sprawą zamyśliłem.

– A teraz – powiedziałem – chyba czas, żebyśmy opracowali plan działania. Mogę zacząć od kilku uwag natury ogólnej?

Leżeliśmy rozparci w dwóch niewiarygodnie wygodnych fotelach. Na niskim stoliku między nami stała maszynka z kawą i dwa kieliszki. Joselli był mały, z cointreau. Pękaty balon z kałużą bezcennego koniaku na dnie był mój. Josella wypuściła smugę dymu i pociągnęła łyczek likieru. Rozkoszując się jego aromatem, powiedziała:

– Ciekawa jestem, czy jeszcze kiedyś skosztujemy świeżych pomarańczy. No dobra, mów.

– Otóż musimy spojrzeć w oczy faktom. Powinniśmy wyjechać z Londynu jak najprędzej. Jeżeli nie jutro, to najdalej pojutrze. Na razie jest jeszcze woda w zbiornikach. Wkrótce jej zabraknie. Całe miasto zacznie cuchnąć jak kanał ściekowy. Już teraz na ulicach leżą trupy, a z każdym dniem będzie ich coraz więcej.

Zauważyłem, że zadrżała. Mówiąc o sytuacji ogólnej, zapomniałem na chwilę, jakie skojarzenia musiały w niej obudzić moje ostatnie słowa. Mówiłem spiesznie dalej:

– Może to oznaczać tyfus, cholerę, Bóg wie co jeszcze. Musimy koniecznie wyjechać, nim coś takiego wybuchnie.

Skinęła głową na znak zgody.

– Następne pytanie: dokąd pojedziemy? Masz jakieś pomysły? – zapytałem.

– No, ogólnie rzecz biorąc, w jakieś ustronie. Musi tam być woda, której będziemy mogli być pewni, może studnia. I najlepiej byłoby, jak sądzę, gdzieś wysoko, gdzie będzie czysty, rześki wiatr.

– Tak – przyznałem – o wietrze nie pomyślałem, ale masz rację. Wzgórze ze studnią… Niełatwo od ręki takie znaleźć. – Zastanawiałem się chwilę. – Na jeziora? Nie, za daleko. Może do Walii? Albo do Exmoor lub Dartmoor? Albo do Kornwalii? Mielibyśmy tam przeważnie południowo-wschodni wiatr wprost z Atlantyku, niczym nieskażony. Ale tam też jest daleko. Będziemy uzależnieni od miast, kiedy znów będzie można do nich bez obawy wjechać.

– A może by tak Sussex Downs? – zaproponowała Josella. – Znam na północnym zboczu śliczny stary dom, dawną farmę, z oknami wychodzącymi na Pulborough. Nie stoi na szczycie wzgórza, ale dość wysoko na zboczu. Jest tam studnia z pompą i mam wrażenie, że mają też własny prąd. Wszystko przebudowane i zmodernizowane.

– Bardzo nęcąca propozycja. Ale chyba trochę za blisko gęsto zaludnionych terenów. Nie sądzisz, że powinniśmy pojechać gdzieś dalej?

– Czy ja wiem? Jak długo to potrwa, zanim będzie można znów jeździć do miast?

– Nie wiem dokładnie. Według moich przypuszczeń około roku. Chyba to dość długi okres, żeby gwarantował bezpieczeństwo.

– Rozumiem. Ale jeżeli za daleko odjedziemy, niełatwo będzie potem uzupełniać zapasy.

– Słusznie – przyznałem.

Zostawiliśmy na razie sprawę punktu docelowego naszej podróży i zabraliśmy się do opracowywania szczegółów przeprowadzki. Postanowiliśmy, że rano przede wszystkim zdobędziemy dużą ciężarówkę i załadujemy ją zgodnie z ułożoną wspólnie listą najpotrzebniejszych rzeczy. Jeżeli uporamy się ze zdobyciem zapasów, wyruszymy następnego dnia wieczorem, jeżeli nie (lista bowiem wciąż rosła, czyniąc tę drugą ewentualność bardziej prawdopodobną), zaryzykujemy spędzenie jeszcze jednej nocy w Londynie i wyjedziemy kolejnego dnia.

Dochodziła już północ, kiedy skończyliśmy dopisywać różne mniej potrzebne rzeczy do listy przedmiotów koniecznych. Rezultat przypominał katalog firmy wysyłkowej. Ale jeżeli nawet układanie listy sprawiło tylko tyle, że zajęliśmy czymś myśli, wysiłek nie poszedł na marne.

Josella ziewnęła i wstała.

– Senna jestem – powiedziała. – A na szalonym łożu czeka jedwabna pościel.

Zdawało się, że przefrunęła przez gruby dywan. Z ręką na klamce zatrzymała się i przejrzała z uwagą w dużym lustrze.

– Niektóre rzeczy były przyjemne – powiedziała i ręką przesłała pocałunek swemu odbiciu.

– Dobranoc, próżne, urocze widziadło – powiedziałem.

Odwróciła się z lekkim uśmiechem, a potem rozwiała się w drzwiach jak mgiełka.

Nalałem sobie ostatnią kroplę wspaniałego koniaku, ogrzałem go w dłoniach i piłem wolno.

– Nigdy, nigdy już czegoś takiego nie zobaczysz – mówiłem sobie. – *Sic transit...*

Strach mnie zdjął, że się zupełnie rozkleję, udałem się więc do swego znacznie skromniejszego łóżka.

Wyciągnięty wygodnie balansowałem już na skraju snu, gdy rozległo się pukanie do drzwi.

– Bill – usłyszałem głos Joselli. – Chodź prędko! Jest światło!

– Co za światło? – spytałem, gramoląc się z łóżka.

– Na zewnątrz. Chodź i zobacz.

Stała na korytarzu owinięta jakimś negliżem, który mógł należeć tylko do właścicielki zdumiewającej sypialni.

– Wielki Boże! – rzuciłem zaskoczony.

– Nie wygłupiaj się – ofuknęła mnie z irytacją. – Chodź i spójrz na światło.

Niewątpliwie było widać światło. Patrząc z jej okna na północny wschód, ujrzałem jasny promień jakby reflektora zwrócony niezmiennie w górę.

– To musi oznaczać, że tam jest ktoś, kto widzi – powiedziała.

– Z pewnością.

Usiłowałem zlokalizować źródło światła, ale w otaczających je ciemnościach było to bardzo trudne. Niezbyt daleko od nas – tego byłem pewien – i jakby nad domami, co oznaczało zapewne, że znajduje się na wysokim budynku. Zawahałem się.

– Zostawmy to lepiej do jutra – powiedziałem.

Myśl o błądzeniu po nieoświetlonych ulicach była niezbyt pociągająca. Przy tym możliwe było – mało prawdopodobne, ale możliwe – że jest to pułapka. Człowiek nawet niewidomy, ale zręczny i doprowadzony do ostateczności mógł przecież zmontować taką konstrukcję po omacku.

Znalazłem pilnik do paznokci i przykucnąłem z oczami na poziomie parapetu. Ostrzem pilnika wyryłem starannie linię w farbie pokrywającej parapet, dokładnie oznaczając kierunek, skąd padało światło. Potem wróciłem do swego pokoju.

Położyłem się, ale przez godzinę albo i więcej nie mogłem zasnąć. Nocny mrok potęgował ciszę, a przerywające ją dźwięki targały nerwy. Z ulicy od czasu do czasu dobiegały głosy pełne irytacji, załamujące się histerycznie. Raz rozległ się wrzask mrożący krew w żyłach – brzmiało to, jak gdyby ktoś nie posiadał się z radości, że wreszcie traci rozum. Gdzieś nieopodal szlochała kobieta, bez końca, bez nadziei. Dwakroć usłyszałem krótkie szczeknięcie pojedynczych strzałów z rewolweru lub pistoletu... Byłem wdzięczny losowi, który zesłał mi do towarzystwa Josellę.

Nic gorszego od całkowitej samotności nie mogłem sobie w tej chwili wyobrazić. Sam jeden byłbym niczym. Towarzystwo innej osoby dawało mi poczucie celowości działań, a istnienie celu umożliwiało poskromienie strachów.

Starałem się odciąć od dźwięków, przypominając sobie wszystko, co mam do zrobienia jutro, pojutrze i w następnych dniach; zastanawiając się nad tym, co może oznaczać ten słup światła reflektora i jaki może wywrzeć wpływ na nasze plany. Ale kobiece łkanie w pobliżu wciąż trwało, przywodząc mi na myśl potworne sceny, które widziałem dzisiaj i które z pewnością będę musiał oglądać jutro...

Stuknęły otwierane drzwi. Zerwałem się przerażony. Weszła

Josella z zapaloną świecą w ręce. Źrenice miała rozszerzone, oczy pociemniałe, twarz zalaną łzami.

– Nie mogę spać – powiedziała. – Boję się... okropnie się boję... Słyszysz ich... wszystkich tych nieszczęśliwych ludzi? Nie mogę tego znieść...

Przyszła do mnie jak dziecko, szukając pocieszenia. Nie jestem pewien, czy potrzeba jej było pociechy bardziej niż mnie.

Zasnęła wcześniej ode mnie, z głową na moim ramieniu.

Mnie wspomnienia przeżytego dnia wciąż nie dawały spokoju. Ale człowiek w końcu przecież zasypia. Tuż przedtem, nim zmorzył mnie sen, rozbrzmiał mi jeszcze w uszach głos dziewczyny, która śpiewała balladę Byrona:

Już nie będzie się łaziło...

Spotkanie

Kiedy się obudziłem, usłyszałem, że Josella krząta się już w kuchni. Mój zegarek wskazywał siódmą rano. Zanim się ogoliłem i umyłem w nieprzyjemnie zimnej wodzie, a potem ubrałem, po mieszkaniu rozszedł się aromat kawy i grzanek. Josella trzymała patelnię nad prymusem. Była spokojna i opanowana, aż trudno to było skojarzyć z przerażeniem, jakie ją opadło ubiegłej nocy. Zachowywała się też bardzo rzeczowo.

– Mleko z puszki, niestety – powiedziała. – Lodówka nie działa. Ale poza tym wszystko w porządku.

Przez chwilę nie mogłem uwierzyć, że ta praktycznie ubrana osoba jest owym salonowym widziadłem z poprzedniego wieczoru. Josella włożyła dziś granatowy kostium sportowy, białe skarpetki zrolowała na cholewkach mocnych butów. Przy ciemnym skórzanym pasie nosiła zgrabny nóż myśliwski w miejsce pośledniejszej broni, którą dla niej znalazłem. Nie mam pojęcia, w jakim stroju spodziewałem się ją ujrzeć ani czy w ogóle się nad tym zastanawiałem, wiem jednak, że zaniemówiłem z wrażenia i podziwu nie tylko dla trafności i praktyczności jej wyboru.

– I co o tym myślisz? – spytała. – Jestem ubrana jak trzeba?

– Idealnie – zapewniłem ją. Spojrzałem po sobie. – Szkoda, że nie byłem równie przezorny. Ten produkt wykwintnego krawiectwa męskiego nie jest najlepszym strojem roboczym.

– To prawda – przyznała szczerze, rzucając spojrzenie na moje pogniecione ubranie. – To światło w nocy – ciągnęła – pochodziło z wieży uniwersytetu, jestem tego prawie pewna. W tym kierunku nie ma innego budynku, który by się czymś wyróżniał. Odległość też wydaje się odpowiednia.

Poszedłem do jej pokoju i obejrzałem linię, którą w nocy wydrapałem na parapecie. Zgodnie ze słowami Joselli wskazywała wprost na wieżę. Zauważyłem też coś jeszcze. Na maszcie wieży powiewały dwie flagi. Jedna mogła być pozostawiona w górze przypadkiem, ale dwie musiały stanowić rozmyślny sygnał – dzienny ekwiwalent nocnego światła. Postanowiliśmy przy śniadaniu, że na razie odłożymy planowane zajęcia i przede wszystkim pojedziemy sprawdzić, co się dzieje w okolicy wieży.

Pół godziny później wyszliśmy z mieszkania. Jak się spodziewałem, nasze kombi, pozostawione na środku jezdni, uszło dzięki temu uwagi szabrowników i było nienaruszone. Bez zwłoki wrzuciliśmy zdobyte przez Josellę walizy do samochodu między broń do walki z tryfidami i ruszyliśmy w drogę.

Na ulicach mało było ludzi. Wczoraj pewnie wywnioskowali ze spadku temperatury, że zapadła noc, i na razie nie wyłonili się jeszcze ze swych kryjówek. Ci, których widzieliśmy, nie trzymali się już murów, jak poprzedniego dnia, lecz raczej szli skrajem jezdni. Większość miała laski albo kawałki drzewa, którymi opukiwała krawężniki, ułatwiając sobie tym posuwanie się naprzód. Krawężniki były lepsze od ścian domów z ich otworami wejściowymi i wypukłościami, pukanie zaś zmniejszało częstotliwość zderzeń.

Jechaliśmy więc bez większych przeszkód i po pewnym czasie skręciliśmy w Store Street, na której końcu ujrzeliśmy wieżę uniwersytetu.

— Uważaj — ostrzegła mnie Josella, gdy wjechaliśmy w pustą ulicę. — Mam wrażenie, że tam przy bramie coś się dzieje.

Miała rację. Gdy podjechaliśmy bliżej, zobaczyliśmy przed uniwersytetem spory tłum. Poprzedni dzień wpoił nam niechęć do tłumów. Skręciłem szybko w Gower Street, przejechałem około pięćdziesięciu jardów i zahamowałem.

— Jak myślisz, co to wszystko znaczy? — odezwałem się. — Badamy sprawę czy zabieramy się stąd czym prędzej?

— Powinniśmy chyba zbadać — bez namysłu odparła Josella.

— Dobra. Jestem tego samego zdania.

— Pamiętam tę dzielnicę — powiedziała Josella. — Za tymi domami jest ogród. Jeżeli się tam dostaniemy, będziemy mogli zobaczyć, co się dzieje, do niczego się nie mieszając.

Wysiedliśmy z samochodu i zaczęliśmy kolejno obchodzić wejścia do suteren. W trzeciej były otwarte drzwi. Korytarz biegnący przez cały dom zaprowadził nas do ogrodu. Ogród był wspólny dla kilkunastu domów i osobliwie rozplanowany. Przeważająca jego część znajdowała się, jak to zwykle w Londynie, na poziomie suteren, a tym samym poniżej poziomu otaczających ulic, dalsza jednak, najbliższa gmachu uniwersytetu, wznosiła się dość stromo, tworząc coś na kształt tarasu oddzielonego od szosy wysoką bramą i niewysokim murem. Zza tego muru dobiegał cichy szmer. Przeszliśmy przez trawnik, wspięliśmy się po żwirowanej ścieżce i znaleźliśmy miejsce za kępą krzewów, skąd można było wszystko widzieć.

Tłum na ulicy przed bramą uniwersytetu musiał liczyć dobrych kilkaset osób, mężczyzn i kobiet. Był znacznie większy, niż można by wnosić z dobiegających nas szmerów, po raz pierwszy też uświadomiłem sobie, o ile cichszy i mniej ruchliwy jest tłum ślepców od takiego samego tłumu ludzi obdarzonych wzrokiem. To rzecz zrozumiała, niewidomi bowiem, żeby wiedzieć, co się wokół dzieje, muszą polegać prawie wyłącznie na słuchu, spokojniejsze zachowanie jest więc z korzyścią dla wszystkich, mnie jednak aż do tej chwili nie przyszło to do głowy.

Coś jednak działo się tuż przed frontowym wejściem. Udało nam się znaleźć nieco wyższy pagórek, skąd nad głowami tłumu widać było bramę. Jakiś mężczyzna w kaszkiecie tłumaczył coś energicznie przez żelazne pręty stojącemu wewnątrz innemu mężczyźnie. Jego argumentacja najwidoczniej jednak nie odnosiła skutku, bo udział tego drugiego polegał prawie wyłącznie na przeczącym kręceniu głowy.

– Co to jest? – szepnęła Josella.

Podciągnąłem ją trochę wyżej. Mówca odwrócił się, zobaczyliśmy jego profil. Był, na ile zdołałem ocenić, pod trzydziestkę, chudy, miał prosty, wąski nos i widoczne spod czapki ciemne włosy. Ale uwagę przykuwała nie tyle jego powierzchowność, ile bijący od niego zapał i siła przekonania.

Gdy rozmowa przez pręty bramy wciąż nie dawała rezultatów, mężczyzna podniósł głos i zaczął mówić z większym naciskiem, choć na tamtym wciąż nie robiło to żadnego wrażenia. Nie ulegało wątpliwości, że mężczyzna za bramą widzi: przez okulary w rogowej oprawie obserwował wszystko bardzo uważnie. O kilka jardów za nim stało jeszcze trzech mężczyzn, co do których również nie było wątpliwości, bo wpatrywali się w tłum i jego rzecznika z baczną uwagą. Mężczyzna po naszej stronie zapalał się coraz bardziej. Mówił teraz bardzo głośno, jak gdyby chciał, żeby słyszeli go nie tylko ci za bramą, ale i cały tłum.

– Posłuchajcie! – zawołał gniewnie. – Ci ludzie mają takie samo prawo do życia jak wy, prawda?! To nie ich wina, że oślepli, tak?! To niczyja wina, ale będzie wasza, jeżeli zdechną z głodu, i wy bardzo dobrze o tym wiecie!

Przemawiał osobliwą przeplatanką gwary miejskiej i języka warstw wykształconych, trudno więc było się zorientować, kim właściwie jest, bo oba te style w jego ustach brzmiały nienaturalnie.

– Pokazuję im, gdzie można znaleźć żarcie – mówił. – Robię dla nich, co mogę, ale Boże święty, ja jestem jeden, a ich są tysiące! Wy też moglibyście im pokazywać, gdzie znaleźć żarcie, ale czy im pokazujecie? Akurat! Palcem nie chcecie ruszyć! Wisi wam to wszystko! Troszczycie się tylko o własną parszywą skórę! Znam takich nie od dziś. „Utop się, Jack, ja siedzę na tratwie" – to jest wasze hasło!

Splunął z pogardą i ruchem wytrawnego mówcy uniósł długie ramię.

– Tam – powiedział, wskazując w stronę Londynu – tam są tysiące nieboraków, co pragną tylko, żeby ktoś im pokazał, gdzie jest żywność, która przecież leży bezużytecznie. Moglibyście im pomóc. Trzeba im tylko pokazać, nic więcej. A wy, łajdaki?! Zamykacie się tutaj na cztery spusty i pozwalacie im konać z głodu, kiedy każdy z was mógłby utrzymać przy życiu setki ludzi, gdyby tylko wyszedł i pokazał tym biedakom, gdzie mogą znaleźć jedzenie! Boże wszechmogący, czy nie jesteście ludźmi?!

Głos mężczyzny brzmiał coraz donośniej. Ten człowiek bronił słusznej sprawy i robił to z pasją. Ręka Joselli zacisnęła się bezwiednie na moim ramieniu. Nakryłem dłonią jej dłoń. Mężczyzna po drugiej stronie bramy powiedział coś, czego nie dosłyszeliśmy.

– Jak długo?! – krzyknął mężczyzna po naszej stronie bramy. – Skąd u diabła mam wiedzieć, na jak długo starczy jedzenia?! Wiem tylko, że jeżeli takie dranie jak wy nie pomogą, tylko nieliczni dożyją chwili, gdy wreszcie przybędzie ekspedycja ratunkowa, żeby zrobić z tym wszystkim porządek! – Przez chwilę patrzył na tamtych wzrokiem płonącym z gniewu. – Cała rzecz w tym, że wy się boicie, boicie się im pokazać, gdzie jest jedzenie! A dlaczego? Bo im więcej te biedaczyska zjedzą, tym mniej zostanie dla waszej paczki! Zgadza się, co?! Tak wygląda prawda, gdybyście tylko mieli odwagę się przyznać!

Znów nie dosłyszeliśmy odpowiedzi człowieka za prętami, w każdym razie nie udobruchała ona mówcy. Przez chwilę wpatrywał się groźnie w głąb bramy. Potem powiedział:

– No dobra, skoro tak chcecie!

Sięgnął błyskawicznie między pręty i chwycił ramię tamtego. Jednym zręcznym ruchem przeciągnął je między prętami i wykręcił. Potem chwycił rękę stojącego obok ślepca i zacisnął ją na wykręconym ramieniu mężczyzny zza bramy.

– Trzymaj mocno, chłopie – nakazał i skoczył ku sztabom zamykającym bramę.

Mężczyzna wewnątrz oprzytomniał po pierwszym zaskoczeniu. Wolną ręką zaczął bić na oślep za siebie przez pręty. Jeden z ciosów trafił ociemniałego w twarz. Ślepiec wrzasnął i ścisnął ramię jeszcze mocniej. Przywódca tłumu zmagał się ze sztabą. Nagle rozległ się wystrzał. Kula odbiła się od prętów i z przenikliwym dźwiękiem zrykoszetowała. Przywódca ślepców zatrzymał się nagle niezdecydowany. Za jego plecami posypały się przekleństwa, padło kilka okrzyków. Tłum zakołysał się naprzód i w tył, jakby niepewien, czy uciekać, czy przypuścić szturm na bramę. Decyzję powzięli za nich ci na dziedzińcu uniwersytetu. Młody mężczyzna przybrał charakterystyczną postawę i padłem na ziemię, pociągając za sobą Josellę. Zaterkotał pistolet maszynowy.

Jasne było, że mężczyzna strzela umyślnie bardzo wysoko, mimo wszystko jednak terkotanie peemu i świst kul budziły grozę. Jedna krótka seria wystarczyła, żeby rozstrzygnąć sprawę. Kiedy podnieśliśmy głowy, tłum przestał już tworzyć jedną całość, a poszczególni jego członkowie sunęli w trzech możliwych kierunkach, szukając bezpiecznego miejsca. Przywódca jeszcze krzyknął coś niezrozumiałego, po czym też się wycofał. Ruszył na północ po Malet Street, usiłując zebrać swoją rozproszoną gromadę.

Wsparłem się na łokciu i zerknąłem na Josellę. Spojrzała na mnie zamyślona, a potem utkwiła wzrok w ziemi. Upłynęło kilka minut, zanim któreś z nas się odezwało.

– I cóż? – zapytałem wreszcie.

Uniosła głowę i odprowadziła spojrzeniem żałośnie kusztykających maruderów.

– On ma rację – powiedziała. – Wiesz, że on ma rację, prawda?

Skinąłem głową.

– Tak, on ma rację. A zarazem bardzo się myli. Widzisz, nie przybędzie żadna ekspedycja ratunkowa, żeby zaprowadzić porządek, jestem już tego pewien. Nic się nie zmieni. Możemy postąpić tak, jak on mówi. Możemy pokazywać części, choć tylko niewielkiej części tego tłumu, gdzie jest jedzenie. Możemy to robić przez kilka dni, może przez kilka tygodni. Ale co potem?

– To takie okrutne, bezlitosne…

– Jeśli patrzeć trzeźwo, wybór jest prosty – powiedziałem. – Albo wyjedziemy stąd, żeby uratować z katastrofy, co się jeszcze da, włączając w to nas samych, albo poświęcimy się przedłużeniu życia tych ludzi o jakiś z pewnością niedługi czas. To najbardziej obiektywne stanowisko, jakie mogę zająć. Jednak to bardziej humanitarne rozwiązanie jest dla nas samobójcze.

Czy powinniśmy tracić czas i przedłużać męki tych ludzi, skoro jesteśmy przekonani, że niepodobna ich w końcu uratować?

Josella wolno skinęła głową.

– Jak tak rzecz postawić, to wyboru chyba w ogóle nie ma. A nawet gdyby się nam udało ocalić kilka osób, kogo mamy wybrać? I kim jesteśmy, żebyśmy mieli wybierać? No i jak długo zdołamy utrzymać ich przy życiu?

– Nic nie jest proste – powiedziałem. – Nie mam pojęcia, jaki odsetek tych na pół niedołężnych ludzi zdołamy wyżywić po wyczerpaniu zapasów, sądzę jednak, że nie może on być wysoki.

– Już zdecydowałeś – stwierdziła, patrząc na mnie. Nie jestem pewien, czy w jej głosie zabrzmiała nuta dezaprobaty.

– Moja droga – powiedziałem – mnie również się to nie podoba. Przedstawiłem ci tylko bez ogródek alternatywę. Czy mamy pomóc tym, którzy ocaleli, w budowaniu nowego życia? Czy też uczynimy szlachetny gest, który w tym stanie rzeczy nie może być niczym więcej niż gestem? Ludzie po drugiej stronie ulicy najwidoczniej zamierzają pozostać przy życiu.

Josella nabrała garść ziemi i przepuszczała ją teraz przez palce.

– Pewnie masz rację – rzekła. – Ale masz także rację, kiedy mówisz, że mi się to nie podoba.

– To, czy nam się coś podoba, czy nie, przestało być kryterium wyboru – odparłem.

– Być może. Ale trudno, mnie się zdaje, że coś, co się zaczyna od strzelaniny, nie może być dobre.

– On strzelał w powietrze… i najpewniej zapobiegł krwawemu starciu – zaznaczyłem.

Tłum już się rozszedł, na ulicy nie było nikogo. Wspiąłem się na mur i pomogłem przejść Joselli. Mężczyzna przy bramie otworzył ją, żeby nas wpuścić.

— Ilu was jest? — zapytał.

— Tylko dwoje. Zobaczyliśmy w nocy wasz sygnał — powiedziałem.

— Dobra. Chodźcie, poszukamy pułkownika — rzucił, prowadząc nas przez dziedziniec.

Mężczyzna, którego nazwał pułkownikiem, usadowił się nieopodal wejścia, w pokoiku przeznaczonym zapewne dla portierów. Był to pucołowaty pan około pięćdziesiątki. Włosy miał bardzo gęste, starannie ostrzyżone i siwe. Równie siwe wąsy sprawiały wrażenie, że ani jeden włosek nie śmie wyłamać się z szeregu. Rumiana, świeża, zdrowa cera mogłaby należeć do człowieka znacznie młodszego, a jak się później przekonałem, to samo dotyczyło jego władz umysłowych. Siedział przy stole, na którym leżał niezaplamiony arkusz różowej bibuły i rozmieszczone z idealną symetrią równiutkie pliki papieru.

Gdy weszliśmy, skierował na nas — najpierw na jedno, potem na drugie — przenikliwe spojrzenie, zatrzymując je nieco dłużej, niż to było konieczne. Znałem tę metodę. Ma ona dawać do zrozumienia, że ten, kto ją stosuje, jest wytrawnym znawcą ludzi, potrafiącym oceniać ich w jednej chwili. Przedmiot oględzin powinien odczuć, że stoi przed człowiekiem odpowiedzialnym, któremu nie w głowie żadne głupstwa — albo też, że go przejrzano na wylot i wykryto wszystkie jego wady i słabostki. Odpowiedzieć należy równie bacznym i długim spojrzeniem, po czym zostaje się uznanym za „gościa, który może być użyteczny". Tak też zrobiłem. Pułkownik wziął do ręki długopis.

— Nazwiska proszę.

Podaliśmy je.

— Adresy?

— W obecnych warunkach śmiem wątpić, czy się na coś zdadzą — odrzekłem. — Ale jeżeli uważa pan za konieczne... — podaliśmy także adresy.

Pułkownik mruknął coś na temat porządku, organizacji i krewnych, po czym zanotował adresy. Następnie zapisał wiek, zawód i całą resztę. Wbił w nas znów badawcze spojrzenie, dodał jakąś notatkę na każdym arkuszu i umieścił arkusze w kartotece.

– Potrzeba nam odpowiednich ludzi. Fatalna sytuacja. Ale jest mnóstwo do zrobienia. Mnóstwo. Pan Beadley wytłumaczy państwu, co należy robić.

Wyszliśmy znów do holu. Josella parsknęła śmiechem.

– Zapomniał zażądać referencji w trzech egzemplarzach, ale chyba dostaliśmy posadę – powiedziała.

Michael Beadley, kiedy go znaleźliśmy, okazał się przeciwieństwem pułkownika. Wysoki, szczupły, barczysty i lekko zgarbiony, sprawiał wrażenie byłego sportowca, który został molem książkowym. Duże ciemne oczy w chwilach odprężenia nadawały jego twarzy wyraz łagodnego smutku, rzadko jednak pozwalał sobie na odprężenie. Smugi siwizny we włosach nie pozwalały określić dokładnie jego wieku. Mógł mieć od trzydziestu pięciu do pięćdziesięciu lat. Był najwyraźniej wyczerpany, co jeszcze bardziej utrudniało ocenę. Wyglądał tak, jakby przez całą noc nie usiadł ani na chwilę, mimo to przywitał nas serdecznie i przedstawił nam młodą kobietę, która jeszcze raz zapisała nasze nazwiska.

– Sandra Telmont – wyjaśnił, wskazując ją. – Sandra pełni funkcje naszej kronikarki i sekretarza – dotychczas pracowała w kronice filmowej, więc bardzo szczęśliwie się składa, że jest teraz wśród nas.

Młoda kobieta skinęła mi głową i przyjrzała się uważnie Joselli.

– My się znamy – powiedziała z namysłem. Spojrzała na blok oparty o jej kolano. Po chwili lekki uśmiech przebiegł po miłej, choć niepozornej twarzy. – Ach, tak, oczywiście – dodała, przypomniawszy sobie widocznie.

– Nie mówiłam? Ta historia klei się do mnie jak lep na muchy – szepnęła Josella.

– O co chodzi? – spytał Beadley.

Wytłumaczyłem. Poddał Josellę dokładniejszym oględzinom. Josella westchnęła.

– Niech pan o tym zapomni – poprosiła. – Zmęczyła mnie już ta niepożądana popularność.

Jej słowa najwyraźniej mile go zaskoczyły.

– Dobra – powiedział, skinieniem głowy wyrażając zgodę. Odwrócił się znowu do stołu. – Przystąpmy do rzeczy. Byli państwo u Jaquesa?

– Jeżeli to ten pułkownik, co bawi się w szefa administracji państwowej, to owszem, byliśmy – odrzekłem.

Uśmiechnął się przelotnie.

– Musimy wiedzieć, na czym stoimy. Nic nie wskóramy, póki dokładnie nie ustalimy, jaką rozporządzamy siłą – powiedział, świetnie naśladując sposób mówienia pułkownika. – Ale to jednak prawda – ciągnął. – Pokrótce zapoznam państwa z sytuacją. W tej chwili jest nas około trzydziestu pięciu osób. Bardzo mieszane towarzystwo. Mamy nadzieję i spodziewamy się, że w ciągu dnia ludzi jeszcze przybędzie. Z tych, którzy tu są, dwadzieścia osiem osób widzi. Reszta to żony lub mężowie, którzy nie widzą. Jest też dwoje dzieci. W zasadzie chcemy wynieść się jutro z Londynu, jeśli uda się zakończyć przygotowania. Uważamy, że tak będzie bezpieczniej.

Skinąłem głową.

– Z tego samego powodu chcieliśmy wyjechać jeszcze dziś wieczorem – powiedziałem.

– Jaki państwo mają transport?

Wyjaśniłem, gdzie zostawiliśmy kombi.

– Mieliśmy zamiar uzupełnić dzisiaj zapasy – dodałem. –

Na razie nie mamy prawie nic oprócz kilku strzelb przeciw tryfidom.

Zdziwiony Beadley uniósł brwi. Sandra też spojrzała na mnie pytająco.

– Ciekawe, że właśnie to uznał pan za najważniejsze – zauważył Beadley.

Wyłuszczyłem im powody. Mówiłem chyba nie dość przekonująco, bo moje słowa nie zrobiły na nich specjalnego wrażenia. Beadley kiwnął zdawkowo głową i ciągnął dalej:

– Jeżeli decydują się państwo jechać z nami, proponowałbym co następuje: niech pan sprowadzi swój samochód, wyładuje z niego wszystko, a potem pojedzie i zamieni go na dużą, mocną ciężarówkę. Wówczas... aha, czy któreś z państwa ma jakieś pojęcie o medycynie?

Zaprzeczyliśmy. Beadley zmarszczył brwi.

– Szkoda. Wciąż nikogo takiego nie mamy. Będę bardzo zdziwiony, jeżeli w krótkim czasie nie będzie tu potrzebny lekarz, a powinniśmy się wszyscy poddać szczepieniom... Cóż, nie ma sensu posyłać państwa po medykamenty. Może więc zajmiecie się żywnością i przedmiotami pierwszej potrzeby? Odpowiada to państwu?

Przerzucił kilka spiętych kartek, odłączył jedną i podał mi. Opatrzona była numerem 15, pod liczbą wypisano na maszynie listę konserw, garnków, patelni, poduszek, koców i pościeli.

– Nie trzeba się zbyt sztywno trzymać listy – powiedział – lepiej jednak unikać za dużych odchyleń, żeby nie było nadmiaru duplikatów. Proszę brać tylko artykuły najwyższej jakości. Jeżeli chodzi o wiktuały, najważniejsza jest wartość odżywcza, jeśli więc na przykład uwielbiacie prażoną kukurydzę, musicie ją sobie wybić z głowy. Radzę trzymać się domów towarowych i wielkich hurtowni. – Odebrał mi listę i dopisał kilka adresów. – Konserwy i koncentraty są najważniejsze. Proszę się nie dać skusić na przykład workom mąki, tym się zajmuje inna grupa. – Spojrzał z namysłem na Josellę. – Ciężka praca, niestety, ale to najpożyteczniejsze zadanie, jakim mogę państwa w tej chwili obarczyć. Proszę zrobić, ile się da, przed zapadnięciem zmroku. Około dziesiątej trzydzieści wieczorem odbędzie się walne zebranie i dyskusja.

Gdy już kierowaliśmy się do wyjścia, zatrzymał nas jeszcze.

– Ma pan broń palną? – spytał.

– Nie pomyślałem o tym.

– Na wszelki wypadek lepiej mieć. Strzał w powietrze działa bardzo skutecznie – powiedział. Wyjął z szuflady stołu dwa rewolwery i dał je nam. – Mniej kłopotu niż z tym – dodał, spoglądając na piękny nóż.

Opróżniwszy kombi, ruszyliśmy do miasta. Na ulicach wciąż jeszcze było mniej ludzi niż poprzedniego dnia. Nieliczni piechurzy na dźwięk silnika przeważnie schodzili z jezdni i nie zdradzali chęci napastowania nas.

Pierwsza ciężarówka, która wpadła nam w oko, okazała się bezużyteczna, pełno w niej bowiem było skrzyń, za ciężkich, żebyśmy zdołali je usunąć. Z następną, pięciotonówką, mieliśmy więcej szczęścia: była prawie nowa i na dodatek pusta. Przesiedliśmy się i porzuciliśmy kombi na łaskę losu.

Pod pierwszym adresem z listy Beadleya żelazne żaluzje były spuszczone, ustąpiły jednak bez większego oporu wobec perswazji łomu z pobliskiego sklepu. Wewnątrz znaleźliśmy prawdziwy skarb. Przy rampie stały trzy ciężarówki. Jedna z nich załadowana była skrzyniami konserw mięsnych.

– Dasz radę ją poprowadzić? – spytałem Joselli.

Przyjrzała się ciężarówce.

– Właściwie czemu by nie? Ogólna zasada jest ta sama, prawda? A z ruchem ulicznym nie ma kłopotu.

Postanowiliśmy wrócić po ciężarówkę z konserwami później, pustą zaś pojechaliśmy do innego domu towarowego, gdzie załadowaliśmy paczki prześcieradeł, koców i kołder, a następnie dalej, po brzęczący ładunek garnków, patelni, kotłów oraz imbryków. Gdy zapełniliśmy platformę, uznaliśmy, że jak na jedno przedpołudnie dość się napracowaliśmy. Praca okazała się zresztą cięższa, niż przypuszczaliśmy. Głód, który po niej zaczął nam dokuczać, zaspokoiliśmy w małym, dotychczas niesplądrowanym barze.

Nastrój w dzielnicach handlowych i biurowych był posępny, choć wciąż jeszcze przywodził na myśl raczej normalną niedzielę lub dzień świąteczny niż powszechną i całkowitą klęskę. Tutaj ludzi nie widziało się prawie wcale. Gdyby katastrofa nastąpiła w dzień, a nie wieczorem, kiedy pracownicy już poszli do domu, obraz byłby nieporównanie straszniejszy.

Posiliwszy się, wyprowadziliśmy ciężarówkę z konserwami i wolno, bez przygód wróciliśmy obydwoma wozami na uniwersytet. Zaparkowaliśmy je na dziedzińcu i wyruszyliśmy znowu. O pół do siódmej wróciliśmy z inną parą wyładowanych ciężarówek i poczuciem dobrze spełnionego obowiązku.

Beadley wyszedł z gmachu, aby zobaczyć, co przywieźliśmy. Pochwalił wszystko prócz pół tuzina skrzyń, które dodałem do drugiego ładunku.

– Co tam jest? – zapytał.

– Strzelby na tryfidy i pociski do nich – odpowiedziałem.

Spojrzał na mnie badawczo.

– Ach, prawda. Przybył pan do nas od razu ze sporym zapasem broni przeciw tryfidom – rzucił.

– Bo najpewniej będzie nam potrzebna – odparłem.

Zastanawiał się przez chwilę. Zorientowałem się, że jego zdaniem mam lekkiego bzika na punkcie tryfidów. Tłumaczył to zapewne przeczuleniem wynikającym z mojej pracy spotęgowanym urazem po niedawnym oparzeniu. Zastanawiał się jednak, czy za tą obsesją nie kryją się jakieś inne, niebezpieczniejsze odchylenia od normy.

– Niech pan posłucha – odezwałem się – przywieźliśmy we dwoje cztery pełne ciężarówki. Zależy mi na tym, żeby w jednej z nich znalazło się miejsce na te skrzynie. Jeżeli uważa pan, że to niemożliwe, wybiorę się do miasta i znajdę przyczepę albo jeszcze jedną ciężarówkę.

– Nie, niech zostaną tam, gdzie są – zadecydował. – Nie są znów takie duże.

Weszliśmy do gmachu i napiliśmy się herbaty w zaimprowizowanej kantynie, którą bardzo sprawnie prowadziła miła starsza pani.

– On myśli – powiedziałem do Joselli – że mam kota na punkcie tryfidów.

– Zmieni zdanie, niestety – odrzekła. – Dziwne, że nikt inny jakoś się z nimi jeszcze nie zetknął.

– Oni wszyscy tutaj nie wyjeżdżają poza centrum miasta, więc nic w tym dziwnego. Przecież my też nie widzieliśmy dzisiaj ani jednego.

– Myślisz, że one przyjdą tu, na brukowane ulice?

– Trudno powiedzieć. Może jakieś zabłąkane.

– Jak wydostają się na wolność?

– Jeżeli szarpią pal dość mocno i wystarczająco długo, w końcu zwykle go wyciągają z ziemi. Na fermach wydostawały się rzadko, z reguły tak, że wszystkie tłoczyły się w jednym punkcie ogrodzenia i napierały na nie, dopóki nie ustąpiło.

– Nie można było zrobić mocniejszych ogrodzeń?

– Owszem, ale nie były nam one potrzebne stale w tym samym miejscu. Tryfidy wyłamywały je niezbyt często, a gdy już się to zdarzyło, zazwyczaj przedostawały się tylko z jednego pola na drugie, wystarczyło więc zapędzić je z powrotem i zreperować ogrodzenie. Nie sądzę, żeby miały rozmyślnie ruszyć w tym kierunku. Z punktu widzenia tryfida miasto jest pustynią, powinny się więc skierować na tereny niezabudowane. Umiesz się obchodzić ze strzelbą na tryfidy? – dodałem.

Pokręciła głową.

– Teraz muszę się wystarać o odpowiednie ubranie, a potem moglibyśmy trochę poćwiczyć, gdybyś miała ochotę – zaproponowałem.

Wróciłem po godzinie znacznie stosowniej ubrany. Za przykładem Joselli sprokurowałem sobie strój sportowy i ciężkie buty do górskiego trekkingu. Ona przebrała się tymczasem w bardzo twarzową suknię koloru wiosennej zieleni. Wzięliśmy dwie strzelby na tryfidy i poszliśmy do pobliskiego ogrodu przy Russel Square. Przez jakieś pół godziny ścinaliśmy górne pędy rozmaitych krzaków, gdy naraz zbliżyła się do nas młoda kobieta w czerwonej kurtce oraz pięknych zielonych spodniach i skierowała na nas mały aparat fotograficzny.

– Kim pani jest? Z prasy? – spytała Josella.

– Coś w tym rodzaju – oznajmiła młoda kobieta. – Prowadzę teraz naszą kronikę. Nazywam się Elspeth Cary.

– Już prowadzimy kronikę? – wtrąciłem. – Widzę w tym rękę naszego pułkownika, wyznawcy ładu i porządku.

– Zgadł pan – potwierdziła Elspeth Cary. Przeniosła wzrok na Josellę. – A pani jest panną Playton. Od dawna byłam ciekawa, jak...

– Proszę pani – przerwała jej Josella – dlaczego jedyną trwałą i niezniszczalną rzeczą w ginącym świecie musi być moja reputacja? Czy nie można by o niej zapomnieć?

– Hm – mruknęła zaskoczona panna Cary. – Mhm... – Zmieniła temat: – A o co chodzi z tymi tryfidami? – spytała.

Powiedzieliśmy jej.

— Oni myślą — dodała Josella — że Bill albo jest śmiertelnie przestraszony, albo ma bzika na tym punkcie.

Panna Cary znów przeniosła spojrzenie na mnie. Twarz miała raczej interesującą niż ładną, a jej cerę opaliło silniejsze słońce od naszego. Ciemne oczy zdradzały, że jest spostrzegawcza i bystra.

— A tak jest?

— Uważam po prostu, że są dość niebezpieczne, aby traktować je poważnie, kiedy się nad nimi nie panuje — wyjaśniłem.

Skinęła głową.

— To prawda. Bywałam w okolicach, gdzie nikt nad nimi nie panuje. Są bardzo niebezpieczne. Ale w Anglii... Doprawdy, tutaj trudno sobie coś podobnego wyobrazić.

— Teraz już napotykają niewiele przeszkód — powiedziałem.

Nie odpowiedziała, bo nad naszymi głowami rozległ się warkot silnika. Spojrzeliśmy w górę i po chwili nad dachem British Museum ukazał się helikopter.

— To musi być Iwan! — zawołała panna Cary. — Miał nadzieję, że uda mu się znaleźć śmigłowiec. Muszę pobiec i sfotografować go przy lądowaniu.

Odeszła spiesznie.

Josella wyciągnęła się na trawie, podłożyła ręce pod głowę i wpatrzyła się w niebo. Kiedy silnik helikoptera umilkł, cisza stała się jeszcze głębsza niż przedtem.

— Nie mogę w to uwierzyć — powiedziała. — Staram się, ale tak naprawdę wciąż nie mogę uwierzyć... To musi być jakiś sen. Jutro w tym ogrodzie będzie zgiełk. Czerwone autobusy pędzące z warkotem po jezdniach, tłumy ludzi śpieszące chodnikami, zmieniające się światła na skrzyżowaniach... Świat nie kończy się ot tak, po prostu... To nieprawdopodobne... niemożliwe...

Miałem bardzo podobne uczucie. Domy, drzewa, niedorzeczne wspaniałe hotele po drugiej stronie placu — wszystko to wyglądało tak normalnie, jakby było gotowe ożyć za dotknięciem czarodziejskiej różdżki…

– A jednak – powiedziałem – gdyby dinozaury potrafiły myśleć, myślałyby to samo. Od czasu do czasu coś takiego się zdarza.

– Ale dlaczego akurat nam? Zupełnie jakby się czytało w gazecie o zdumiewających rzeczach, które przytrafiają się ludziom, ale zawsze innym, nie nam. My przecież nie jesteśmy nikim szczególnym.

– Wciąż zadajemy sobie to pytanie: Dlaczego akurat ja? Czy to żołnierz, który ocalał, choć wszyscy jego koledzy zginęli, czy gość, którego aresztują za fałszowanie rachunków. Ślepy traf, przypadek i tyle.

– Przypadek, że to się w ogóle stało? Czy przypadek, że to się stało teraz?

– Teraz. Bo kiedyś i jakoś musiało się to stać. To przeciwne naturze, żeby jeden gatunek miał dominować bez końca.

– Nie rozumiem dlaczego.

– Dlaczego? Na to nie ma odpowiedzi. Wiadomo jednak, że życie jest dynamiczne, nie statyczne. Zmiana tak czy owak musi nastąpić. Nie wydaje mi się, aby tym razem załatwiło to nas na dobre, ale cios był cholernie mocny.

– Więc nie przypuszczasz, żeby to był naprawdę koniec… to znaczy zagłada całej ludzkości?

– To może być koniec. Ale… Cóż, myślę, że tym razem jeszcze nie.

I to mógł być koniec. Nie miałem co do tego wątpliwości. Ale musiały przecież powstać inne grupy takie jak nasza. Przed oczami stanął mi pusty świat z niezliczonymi rozproszonymi społecznościami walczącymi o to, aby odzyskać nad nim panowanie. Należało przypuszczać, że przynajmniej niektórym to się uda.

– Nie – powtórzyłem – to niekoniecznie musi być koniec. Wciąż jesteśmy elastyczni, łatwo się przystosowujemy do nowych warunków, a na dodatek w porównaniu z naszymi przodkami mamy doskonały start. Dopóki choć część gatunku jest cała i zdrowa, mamy szanse przetrwania, bardzo duże szanse.

Josella nie odpowiedziała. Leżała na wznak zapatrzona gdzieś w dal. Domyślałem się, nad czym się zastanawia, ale się nie odzywałem. Po chwili milczenia rzekła:

– Wiesz, najbardziej wstrząsająca jest w tym wszystkim świadomość, że tak łatwo straciliśmy świat, który wydawał się bezpieczny i pewny.

Miała słuszność. Właśnie to było najbardziej przerażające. Nazbyt dobrze znając swoje otoczenie, nazbyt do niego przyzwyczajeni, zapominamy o czynnikach utrzymujących równowagę, skłonni więc jesteśmy uważać bezpieczeństwo za stan normalny. Tak nie jest. Chyba nigdy dotychczas nie przeszło mi przez myśl, że człowiek nie zawdzięcza supremacji swemu mózgowi, jak każe nam sądzić większość literatury naukowej. Zawdzięcza ją temu, że mózg potrafi korzystać z informacji dostarczanych mu przez wąskie pasmo promieniowania świetlnego. Cała cywilizacja, wszystko, co człowiek osiągnął lub mógłby osiągnąć, zależy jedynie od jego zdolności postrzegania owego zakresu drgań od czerwieni do fioletu. Bez tej zdolności jest zgubiony. Zrozumiałem, olśniony, jak niepewna i ograniczona jest ta zdolność dająca człowiekowi władzę i jakich cudów dokonał za pomocą tak kruchego narzędzia...

Josella wciąż snuła swoje rozważania.

– Bardzo dziwny będzie to świat, a właściwie to, co z niego zostanie. Wątpię, czy się nam będzie podobał – powiedziała refleksyjnie.

Uznałem to stanowisko za dość osobliwe – jak gdyby ktoś oznajmił, że nie podoba mu się śmierć albo narodziny. Ja bym wolał zobaczyć najpierw, jak to będzie, a potem szukać rady na wszystko, co mi się najbardziej nie podoba – ale pominąłem to milczeniem.

Od czasu do czasu słyszeliśmy ciężarówki zajeżdżające na dziedziniec uniwersytetu. Jasne było, że większość zaopatrzeniowców wróciła już do bazy. Spojrzałem na zegarek i sięgnąłem po strzelbę leżącą obok mnie na trawie.

– Jeśli mamy zdążyć na kolację, zanim usłyszymy, co sądzą o tym wszystkim inni, to czas wracać – powiedziałem.

Narada

Wszyscy zapewne przypuszczali, że zebranie będzie miało charakter odprawy. Godziny wyruszenia i powrotu, wskazówki na temat jazdy, zadania na następny dzień itd. W każdym razie nie spodziewałem się, że otrzymamy tak wielką dawkę materiału do przemyślenia.

Zebranie odbyło się w małej sali wykładowej, oświetlonej na tę okazję reflektorami samochodowymi zasilanymi z akumulatorów. Kiedy weszliśmy, przy katedrze naradzało się kilku mężczyzn i dwie kobiety. Tworzyli oni widocznie swego rodzaju komitet. Ku naszemu zdumieniu zastaliśmy na sali blisko sto osób. Wśród zebranych przeważały młode kobiety w stosunku mniej więcej cztery do jednego. Dopiero kiedy Josella zwróciła mi na to uwagę, spostrzegłem, jak niewiele z nich widzi.

W naradzającej się grupie górował wzrostem Michael Beadley. Obok niego stał pułkownik. Pozostałe twarze były mi nieznane, z wyjątkiem Elspeth Cary, która zamieniła teraz aparat fotograficzny na notatnik – bez wątpienia dla dobra potomności. Uwagę wszystkich skupiał na sobie starszy pan, brzydki, lecz o dobrotliwej twarzy. Miał okulary w złotej oprawie i ładne siwe włosy, które nosił przycięte dość długo, niczym pewien wybitny mąż stanu. Wszyscy, którzy przy nim stali, mieli takie miny, jakby trochę się o niego niepokoili.

Druga kobieta w tej grupie była bardzo jeszcze młoda – mogła mieć najwyżej dwadzieścia trzy lata. Widać było, że jest bardzo speszona, bo od czasu do czasu rzucała niepewne spojrzenia na salę.

Weszła Sandra Telmont z kartką papieru w dłoni. Zajrzała do niej, a potem energicznie rozproszyła członków komitetu, wskazując każdemu odpowiednie wolne krzesło. Ruchem ręki zaprosiła Beadleya na katedrę i zebranie się zaczęło.

Beadley stał nieco zgarbiony i posępnie wpatrywał się w widownię, czekając, aż ucichnie gwar. Wówczas przemówił miłym, dobrze wyszkolonym głosem, a tak spokojnie i swobodnie, jakby prowadził gawędę przy kominku.

– Wielu z nas – zaczął – jest jeszcze w szoku po tej katastrofie. Świat, który znaliśmy, w jednej chwili przestał istnieć. Niektórzy być może sądzą, że to koniec wszystkiego. Tak nie jest. Ale powiem od razu, że to może być koniec wszystkiego – jeśli do tego dopuścimy.

Mimo straszliwych rozmiarów tej klęski – kontynuował – istnieje możliwość, że pozostaniemy przy życiu. Warto przypomnieć, że nie my pierwsi i jedyni doświadczyliśmy tak potwornego kataklizmu. Sprawa obrosła wprawdzie mitami i legendami, nie ulega jednak wątpliwości, że niegdyś, w odległym okresie naszych dziejów, nastąpił wielki potop. Ci, którzy ocaleli, byli świadkami katastrofy na podobną skalę, a pod pewnymi względami jeszcze bardziej przerażającej. Z pewnością jednak nie poddali się rozpaczy: musieli zacząć wszystko od nowa, tak jak my możemy to zrobić. Na litowaniu się nad sobą i poczuciu tragizmu chwili nic nie zbudujemy. Powinniśmy więc od razu wyzbyć się takich uczuć, musimy bowiem stać się budowniczymi.

Aby przeciąć dramatyzowanie sytuacji, chciałbym zwrócić państwu uwagę, że to, co się stało, nie jest najgorszą rzeczą, jaka mogła się zdarzyć. Zarówno ja, jak i zapewne wielu spośród państwa przez większość życia spodziewaliśmy się czegoś znacznie gorszego. Wciąż zresztą żywię przeświadczenie, że gdyby nie obecna katastrofa, spotkałby nas tamten straszliwy kataklizm.

Począwszy od szóstego sierpnia 1945 roku – ciągnął Beadley – szanse ludzkości na przetrwanie zmniejszyły się w sposób dotychczas niespotykany. Jeśli chodzi o ścisłość, przed dwoma dniami były jeszcze mniejsze, niż są teraz. Jeżeli ktoś lubi dramatyzować, niech rozważy sobie lata po 1945 roku, kiedy ścieżka bezpieczeństwa zamieniała się w napiętą linę, po której musieliśmy kroczyć, mocno zaciskając powieki, żeby nie widzieć rozwierającej się pod nami otchłani.

W ciągu owych lat w każdej chwili mogło się zdarzyć fatalne potknięcie. Istny cud, że do tego nie doszło. Podwójny cud, że trwało to tyle lat. Ale prędzej czy później musielibyśmy się potknąć. Mniejsza o to, czy stałoby się to przez złą wolę, niedbalstwo bądź zwykły przypadek – utrata równowagi pociągnęłaby za sobą zniszczenie.

Jakie rozmiary by ono przybrało, trudno powiedzieć, ale jakie mogło przybrać? No cóż, mógłby nikt nie ocaleć, cała planeta mogłaby przestać istnieć…

Teraz przeciwstawmy tej ewentualności naszą sytuację. Ziemia jest nietknięta, nieskażona, płodna. Może dostarczać nam pożywienia i surowców. Dysponujemy wiedzą, z którą możemy robić wszystko, co robiono dotychczas – chociaż lepiej będzie o pewnych rzeczach raz na zawsze zapomnieć. Mamy też środki, zdrowie i siły, aby zacząć budować od nowa.

Michael Beadley skończył. Jego przemówienie nie było długie, ale wywarło silne wrażenie. Słuchacze poczuli zapewne, że nie są świadkami końca świata, lecz początku nowego życia. Na sali powiało optymizmem.

Po Beadleyu zabrał głos pułkownik. Ściśle trzymał się faktów i spraw praktycznych. Przypomniał nam, że ze względów zdrowotnych pożądane jest, żebyśmy opuścili zabudowane tereny możliwie jak najprędzej, czyli około południa następnego dnia. Stwierdził, że zgromadziliśmy już dostateczny zapas przedmiotów pierwszej potrzeby i nawet trochę więcej, żeby zapewnić nam życie na jakim takim poziomie. Jeśli chodzi o zapasy żywności, mówił, naszym celem musi być uniezależnienie się od źródeł zewnętrznych co najmniej na rok. Okres ten wypadnie nam zapewne spędzić w czymś zbliżonym do stanu oblężenia. Każdy z nas, ciągnął pułkownik, bez wątpienia chciałby zabrać ze sobą wiele rzeczy poza wyszczególnionymi w spisach, ale z tym trzeba będzie poczekać do chwili, gdy personel medyczny (tu młoda dziewczyna z komitetu zaczerwieniła się gwałtownie) uzna, że poszczególni członkowie mogą bezpiecznie opuścić miejsce odosobnienia, aby się po te rzeczy wybrać. Co się tyczy owego miejsca odosobnienia, komitet dokładnie rozważył sprawę i mając na uwadze obszar, samowystarczalność i brak bliskiego sąsiedztwa, doszedł do wniosku, że do tego celu nada się najlepiej jakaś położona na uboczu szkoła z internatem albo duży dwór wiejski.

Nie wiem, czy komitet rzeczywiście nie zdecydował się dotąd na jakieś określone miejsce, czy też pułkownik wciąż jeszcze miał obsesję na punkcie tajemnicy wojskowej, nie ulega jednak dla mnie wątpliwości, że największym błędem popełnionym tego wieczoru było to, że nie wymienił nazwy upatrzonego obiektu ani nawet nie powiedział, w jakiej okolicy się on znajduje. Na razie jednak jego rzeczowy ton również natchnął słuchaczy ufnością.

Kiedy usiadł, wstał znowu Michael. Wypowiedział pod adresem młodej dziewczyny kilka słów zachęty, po czym przedstawił ją zebranym. Jedną z największych naszych trosk, powiedział, był brak wśród nas osoby z wykształceniem medycznym, toteż wita pannę Berr z wielką ulgą. Nie ma ona wprawdzie przy nazwisku imponujących liter „dr med.", ale jest dyplomowaną pielęgniarką, jego zdaniem zaś świeżo zdobyta wiedza może być warta więcej niż stopnie naukowe uzyskane przed laty.

Dziewczyna, znów się czerwieniąc, zapewniła, że ma niezłomny zamiar sumiennie pełnić swoje szczytne obowiązki, po czym dość nagle i niespodziewanie zakończyła informacją, że nim wyjdziemy z sali, zaszczepi nas przeciwko całej masie chorób.

Drobny, przypominający wróbla mężczyzna, którego nazwiska nie dosłyszałem, przez dłuższą chwilę wkładał nam łopatą do głowy, że powinniśmy niezwłocznie meldować o najlżejszych objawach niedyspozycji, ponieważ skutki jakiejkolwiek choroby zakaźnej mogą być dla nas nader poważne.

Kiedy skończył, Sandra wstała i przedstawiła ostatniego mówcę. Był nim doktor E.H. Vorless z Edynburga, profesor socjologii na uniwersytecie w Kingston.

Siwowłosy mężczyzna wszedł na katedrę. Stał tam chwilę, opierając na blacie końce palców i pochylając głowę, jakby bacznie się mu przyglądał. Ci, co siedzieli za nim, wpatrywali się w niego pilnie i z pewnym niepokojem. Pułkownik nachylił się do Michaela i coś mu szepnął, na co Michael skinął głową, nie odrywając oczu od doktora. Starszy pan uniósł głowę i przeciągnął ręką po włosach.

– Przyjaciele – rzekł – sądzę, że jestem wśród was najstarszy. W ciągu blisko siedemdziesięciu lat życia wiele się nauczyłem i wiele z tego musiałem potem przekreślić – choć w rezultacie zdobyłem znacznie mniejszą wiedzę, niżbym pragnął. Ale w czasie wieloletnich studiów nad ludzkimi normami obyczajowymi jeszcze większe zdumienie niż sztywność tych norm budziła we mnie ich różnorodność.

Słusznie mówią Francuzi: *autres temps, autres mœurs*. Każdy z nas po chwili zastanowienia zorientuje się, że to, co jest cnotą w jednym społeczeństwie, może być zbrodnią w innym; że coś, od czego odwracamy się ze wstrętem tutaj, może uchodzić za chwalebne gdzie indziej; że zwyczaje potępiane w jednym stuleciu w innym uważane są za najzupełniej dopuszczalne. Przekonamy się też, że w każdym społeczeństwie i w każdym okresie historycznym ludzie przeświadczeni są o słuszności moralnej swoich obyczajów.

Rzecz jasna, ponieważ przeświadczenie jednego zbiorowiska ludzkiego jest częstokroć sprzeczne z przeświadczeniem innego zbiorowiska, obyczaje te nie mogą zawsze być „słuszne" w sensie bezwzględnym. Możemy tylko stwierdzić – jeżeli w ogóle mamy wydawać sądy – że obyczaje te w pewnym okresie były „słuszne" dla społeczeństwa, które się do nich stosowało. Mogą zresztą nadal być słuszne, ale okazuje się często, że tak nie jest i że społeczeństwa, które mimo zmienionych warunków ślepo tych obyczajów przestrzegają, czynią to ze szkodą dla siebie, czasem nawet w ostatecznym rozrachunku powodując tym własną zagładę.

Słuchacze wciąż nie mogli się zorientować, do czego prowadzi ten wstęp. Zaczęli się wiercić na krzesłach. Większość, słysząc podobne słowa na przykład w radiu, zwyczaj od razu je wyłączała. Teraz najwyraźniej czuli się w potrzasku, toteż mówca postanowił wyrażać się jaśniej.

– Nikt się zatem nie spodziewa – ciągnął dalej – że znajdzie te same obyczaje i formy towarzyskie w przymierającej głodem nędznej hinduskiej wiosce, co, powiedzmy, w Mayfair, najelegantszej dzielnicy Londynu. Podobnie też zasadnicze cnoty mieszkańców ciepłych krajów, gdzie życie jest łatwe, muszą się różnić od cnót uznawanych przez ciężko pracujących obywateli kraju przeludnionego. Innymi słowy, odmienne otoczenie stwarza odmienne reguły.

Mówię o tym dlatego, że świat, który znaliśmy, przestał istnieć, skończył się bezpowrotnie. Wraz z nim zniknęły warunki, które kształtowały nasze zasady i nam je wpajały. Inne teraz mamy potrzeby i inne musimy mieć cele. Mogę przytoczyć przykład: dziś cały dzień z najzupełniej spokojnym sumieniem robiliśmy coś, co jeszcze przed dwoma dniami uznane byłoby za kradzież z włamaniem. Dawne normy postępowania zostały unicestwione, trzeba więc ustalić nowe, najlepiej odpowiadające nowym warunkom życia. Musimy nie tylko zacząć od nowa budować, musimy zacząć od nowa m y ś l e ć — a to zadanie znacznie trudniejsze i znacznie bardziej niemiłe.

Człowiek obdarzony jest bardzo dużą fizyczną zdolnością przystosowania się. Ale każde społeczeństwo ma zwyczaj kształtować umysły swoich młodych według przyjętych form, jako spoiwa używając przesądów. Rezultatem jest zdumiewająco twarda substancja zdolna stawiać opór naciskowi wielu, nawet wrodzonych, skłonności i instynktów. W ten sposób można wychować człowieka, który na przekór instynktowi samozachowawczemu dobrowolnie narazi się na śmierć dla ideału, ale w ten sposób również wychowuje się tępego głupca, który jest wszystkiego pewien i wie, co jest „słuszne".

Teraz, w najbliższym okresie, większość wpojonych nam przesądów wypadnie odrzucić albo radykalnie zmienić. Możemy przyjąć i zatrzymać tylko jeden podstawowy dogmat — ten mianowicie, że rodzaj ludzki wart jest uratowania. Temu nakazowi, przynajmniej jakiś czas, wszystko będzie musiało być podporządkowane.

Przystępując do jakiegokolwiek działania, musimy zadać sobie pytanie: Czy to działanie pomoże ludzkości w walce o byt, czy przeszkodzi? Jeśli pomoże, musimy się na nie zdobyć, choćby było sprzeczne z ideałami, w których nas wychowano. Jeżeli nie, musimy się od tego działania powstrzymać, choćbyśmy mieli przez to popaść w konflikt z naszymi dawnymi pojęciami o obowiązkach lub nawet o sprawiedliwości.

Profesor urwał i przez chwilę obserwował pilnie słuchaczy. Wreszcie powiedział:

– Zanim zdecydują się państwo na wstąpienie do naszej wspólnoty, muszą sobie zupełnie wyraźnie uświadomić pewien warunek. Każdy z nas, kto podejmie się czekającego nas wyzwania, będzie miał określone zadanie do wykonania. Mężczyźni będą musieli pracować, kobiety będą musiały rodzić dzieci. Jeżeli ktoś się na to nie zgadza, nie ma dla niego miejsca w naszej społeczności.

Zapanowała martwa cisza. Profesor odczekał chwilę i dodał:

– Możemy utrzymywać ograniczoną liczbę ociemniałych kobiet, ponieważ ich dzieci będą miały normalny wzrok. Nie możemy sobie pozwolić na utrzymywanie ociemniałych mężczyzn. Dzieci więc w naszym nowym świecie będą znacznie ważniejsze od mężów.

Gdy skończył, przez jakiś czas panowała cisza, potem rozległy się szepty przechodzące w ogólny gwar.

Spojrzałem na Josellę. Ku mojemu zdumieniu uśmiechała się łobuzersko.

– Co cię tak bawi? – spytałem dość szorstko.

– Miny większości ludzi – odpowiedziała.

Rozejrzawszy się wkoło, musiałem przyznać jej rację. Spojrzałem na Michaela. Toczył wzrokiem po sali, usiłując ocenić reakcję zebranych.

– Michael jest chyba zaniepokojony – szepnąłem.

— Nie powinien się niepokoić — odparła Josella. — Jeżeli Brigham Young* zdołał wprowadzić wielożeństwo w połowie dziewiętnastego wieku, tutaj powinno pójść jak z płatka.

— Zdumiewa mnie czasem twoja rubaszność — zauważyłem. — Wiedziałaś o tym wszystkim już przedtem?

— Niezupełnie, ale jak wiesz, nie jestem kompletną idiotką. Poza tym, kiedy ciebie nie było, ktoś przywiózł autobus pełen tych niewidomych dziewczyn. Wszystkie wzięto najwyraźniej z jakiegoś zakładu. Zadałam sobie pytanie, po co wieźć je stamtąd, skoro można zebrać tysiące na okolicznych ulicach? Odpowiedź jest jasna: a) ponieważ były już ślepe, zanim się to wszystko stało, są obyte z kalectwem i nauczone jakiejś pracy i b) są to wyłącznie młode, niezamężne dziewczęta. Wnioski nie nastręczały trudności.

— Hm — mruknąłem. — To zależy od punktu widzenia. Mnie by taka myśl, przyznam się, nie przyszła do głowy. Czy ty...

— Cicho — nakazała, w sali bowiem znów zapanowało milczenie.

Z krzesła wstała wysoka, dość młoda kobieta. Sprawiała wrażenie energicznej. Gdy czekała, aż audytorium się uciszy, miało się wrażenie, że jej zacięte usta w ogóle nie drgną, otworzyły się jednak.

— Czy mamy przez to rozumieć — spytała głosem zimnym jak stal — czy mamy przez to rozumieć, że ostatni mówca propaguje wolną miłość?

Zadawszy to pytanie, znów usiadła, i to ruchem tak stanowczym, aż dziw brał, że nie pękł jej kręgosłup.

Doktor Vorless przyglądał się jej, przesuwając ręką po siwych włosach.

---

* Brigham Young (1801–1877) — przywódca amerykańskich mormonów, propagator poligamii.

— Osoba, która zadała pytanie, zdaje sobie chyba sprawę, że nie wspomniałem w ogóle o miłości, wolnej czy jakiejkolwiek innej. Może więc zechce sformułować to pytanie jaśniej?

Kobieta znów wstała.

— Sądzę, że mówca mnie zrozumiał. Pytam, czy nawołuje do obalenia prawa małżeńskiego?

— Wszystkie znane nam prawa zostały obalone przez okoliczności. Na nas teraz spada obowiązek stworzenia praw odpowiednich do istniejących warunków i wprowadzenia ich przemocą, jeśli to będzie konieczne.

— Istnieją jeszcze prawa boskie i nakazy przyzwoitości.

— Szanowna pani, Salomon miał trzysta – czy może pięćset? – żon, a pan Bóg wcale nie miał mu tego za złe. Przeciętny muzułmanin cieszy się powszechnym szacunkiem, mając trzy żony. Wszystko to kwestia lokalnych zwyczajów. Jakie mają być nasze prawa zarówno w tej dziedzinie, jak i w innych, ustalimy później pod kątem największych korzyści dla społeczności. Komitet po naradzie doszedł do wniosku, że jeśli mamy zbudować nowy ład i uniknąć powrotu do barbarzyństwa – a z takim niebezpieczeństwem należy się liczyć – ci, którzy zechcą się do nas przyłączyć, muszą powziąć określone zobowiązania. Nikt z nas nie zdoła przywrócić dawnych warunków życia. Możemy tylko obiecać czynne życie w najlepszych warunkach, jakie uda się stworzyć, i zadowolenie, jakie płynie z pokonywania trudności. Żądamy w zamian dobrej woli i owocnej pracy. Nie ma żadnego przymusu.

Mają państwo wolny wybór. Ci, którym nie przemawia do przekonania nasza propozycja, mogą udać się gdzie indziej i założyć inną społeczność na takich zasadach, jakie bardziej im odpowiadają. Prosiłbym jednak rozważyć bardzo dokładnie, czy ktokolwiek z was ma pewność, że upoważniony jest od Boga do pozbawienia jakiejkolwiek kobiety jej przyrodzonej funkcji, a mianowicie macierzyństwa.

Nastąpiła dość chaotyczna dyskusja, dotycząca częstokroć szczegółów i hipotez, na które nie mogło być na razie odpowiedzi. Nikt jednak nie próbował zakończyć debaty. Im dłużej trwała, tym mniej dziwna i zaskakująca wydawała się sama myśl.

Josella i ja podeszliśmy do stołu, na którym panna Berr rozłożyła swoje przybory. Dostaliśmy po kilka zastrzyków w ramię, po czym znów usiedliśmy, aby posłuchać sporów.

– Jak myślisz, ile kobiet zdecyduje się przystąpić do tej wspólnoty? – spytałem Joselli.

Rozejrzała się po sali.

– Prawie wszystkie… zanim nadejdzie świt – odparła.

Nie byłem tego pewien. Wciąż jednak padało mnóstwo pytań i wysuwano mnóstwo zastrzeżeń. Josella rzekła:

– Gdybyś był kobietą i miał spędzić przed zaśnięciem kilka godzin na zastanawianiu się, czy wolisz dzieci i organizację, która będzie się tobą opiekować, czy też wierność zasadzie, która może w rezultacie doprowadzić do braku dzieci i jakiejkolwiek opieki, wyzbyłbyś się wątpliwości. Koniec końców każda kobieta chce mieć dzieci; mąż jest czymś, co doktor Vorless nazwałby przypuszczalnie środkiem prowadzącym do celu.

– Co za cyniczne podejście.

– Jeżeli uważasz, że moje poglądy są cyniczne, musisz być bardzo sentymentalny. Mówię o prawdziwych kobietach, nie o tych wyimaginowanych, z filmów i nowelek w pismach kobiecych.

– Hm… – mruknąłem.

Josella siedziała zamyślona. Nagle zmarszczyła brwi.

– Niepokoi mnie tylko – powiedziała – ile dzieci będą od nas wymagać. Lubię dzieci, ale wszystko ma swoje granice.

Mniej więcej po godzinie bezładna dyskusja dobiegła końca, Michael poprosił, żeby wszyscy, którzy chcą wziąć udział w jego projekcie, zgłosili się nazajutrz przed dziesiątą rano do jego biura i podali swoje nazwiska. Pułkownik nakazał, aby wszyscy ci, co potrafią prowadzić ciężarówki, zameldowali się u niego punktualnie o siódmej rano, po czym zebranie zakończono.

Wyszliśmy z Josellą na powietrze. Wieczór był pogodny i ciepły. Reflektor na wieży znów wbijał w niebo swój optymistyczny słup światła. Księżyc właśnie wzeszedł nad dachem British Museum. Znaleźliśmy niski murek i usiedliśmy na nim. Patrzyliśmy na zasnuty ciemnością ogród i słuchaliśmy cichego szelestu wiatru w gałęziach drzew. Nie przerywając milczenia, zapaliliśmy papierosy. Kiedy wypaliłem swego, odrzuciłem niedopałek i zaczerpnąłem tchu.

– Josello – powiedziałem.

– M-m? – odezwała się, wciąż głęboko zamyślona.

– Josello – powtórzyłem. – Co do tych dzieci... słuchaj... byłbym okropnie dumny i szczęśliwy, gdyby mogły być nie tylko twoje, ale i moje... no, słowem... nasze wspólne...

Siedziała przez chwilę, nie mówiąc ani słowa. Wreszcie odwróciła do mnie głowę. Światło księżyca połyskiwało na jej jasnych włosach, ale twarz i oczy okrywał cień. Czekałem, czując, że w skroniach walą mi młoty, a serce ściska się jakby z bólu. Powiedziała ze zdumiewającym spokojem:

– Dziękuję, kochany. Myślę, że ja też byłabym szczęśliwa.

Odetchnąłem z ulgą. Młoty jednak wciąż waliły, gdy zaś sięgnąłem po jej dłoń, zauważyłem, że ręka mi drży. Na razie nie byłem w stanie wydobyć z siebie żadnego dźwięku. Ale Josella znów powiedziała spokojnie:

– To wszystko jednak nie będzie już teraz takie proste.

Doznałem wstrząsu.

– Co masz na myśli? – spytałem.

Zastanowiła się.

– Gdybym była na miejscu tamtych ludzi – wskazała głową w kierunku wieży – ustaliłabym pewną regułę. Podzieliłabym nas wszystkich na grupki. Powiedziałabym, że każdy mężczyzna, który żeni się z dziewczyną mającą normalny wzrok, musi oprócz tego wziąć dwie niewidome. Jestem pewna, że tak bym postąpiła.

Usiłowałem dojrzeć jej okrytą cieniem twarz.

– Nie mówisz serio – zaprotestowałem.

– Owszem, Bill, mówię jak najbardziej serio.

– Ale posłuchaj...

– Nie sądzisz, że oni, wnosząc z tego, co mówili, mają coś takiego na myśli?

– Bardzo możliwe – przyznałem. – Ale jeżeli to oni ustalą taką regułę, to co innego. Nie rozumiem jednak...

– To znaczy, że nie kochasz mnie dość mocno, żeby wziąć jeszcze dwie kobiety?

Zdębiałem. Zaraz jednak zdobyłem się na protest:

– Słuchaj, to czysty obłęd. Coś takiego jest przeciwne naturze. To, co mówisz...

Powstrzymała mnie ruchem ręki.

– Bill, wysłuchaj mnie. Wiem, że to, co mówię, w pierwszej chwili wydaje się szokujące, ale nie ma w tym nic obłędnego. Sprawa jest najzupełniej jasna... chociaż wcale nieprosta. Bo uważasz, cała ta historia – ręką zakreśliła półkole – sprawiła, że coś się we mnie odmieniło. Jakbym nagle zobaczyła wszystko w innym świetle. Przy tym, co najważniejsze, widzę, że ci spośród nas, którzy przeżyją, będą znacznie bliżsi sobie nawzajem, znacznie bardziej od siebie zależni, słowem, znacznie bardziej niż dotychczas będą przypominali zżyte plemię. Przez cały dzień, kiedy krążyliśmy po mieście, widziałam nieszczęśliwych ludzi skazanych na zagładę. I wciąż myślałam: „Gdyby nie przypadek…". A potem powiedziałam sobie: „To cud! Przecież wcale nie zasługuję na lepszy los niż ci inni ludzie. Ale tak się stało. Jestem cała i zdrowa, żyję, muszę więc coś zrobić, żeby na to zasłużyć". W jakiś dziwny sposób poczułam ściślejszą więź z innymi ludźmi niż kiedykolwiek przedtem. Dlatego wciąż się zastanawiam, co mogę zrobić, żeby pomóc choćby niektórym z nich. No bo zrozum, musimy coś zrobić, żeby usprawiedliwić ten cud, Bill. Mogłabym być którąś z tych ślepych dziewczyn, ty mógłbyś być którymś z tych błąkających się mężczyzn. Nie możemy dokonać niczego wielkiego, ale jeśli postaramy się zaopiekować choć paroma osobami i damy im trochę szczęścia, zaczniemy spłacać choć odrobinę… mikroskopijną część zaciągniętego długu. Bill, chyba to rozumiesz?

Przez kilka minut zastanawiałem się nad jej słowami.

– Myślę – powiedziałem wreszcie – że to najdziwniejsze rozumowanie, jakie dzisiaj słyszałem… a może nawet kiedykolwiek. Jednak…

– Jednak słuszne, prawda, Bill? Wiem, że jest słuszne, bo wyobraziłam sobie bardzo żywo siebie na miejscu takiej ociemniałej dziewczyny. Mamy szansę stworzyć niektórym, paru spośród tych nieszczęsnych, coś zbliżonego do normalnego życia. No więc czy w dowód naszej wdzięczności postaramy się o to, czy też pozbawimy je tej możliwości w imię wpojonych nam przesądów? Do tego się wszystko sprowadza.

Milczałem. Ani przez chwilę nie wątpiłem, że Josella mówi najzupełniej szczerze. Przypomniało mi się, jak wywrotowe wydawały się opinie Florence Nightingale i Elizabeth Fry*. Takich stanowczych, zdecydowanych kobiet nikt nie zawróci z drogi – a jakże często okazuje się w końcu, że miały słuszność.

---

* Elizabeth Fry (1780–1845) – angielska inicjatorka reformy więziennictwa.

– Cóż – powiedziałem, przemyślawszy to – skoro uważasz, że tak powinno być... Ale mam nadzieję...

Przerwała mi szybko:

– Bill, wiedziałam, że zrozumiesz. Tak się cieszę, tak bardzo się cieszę. Dzięki tobie czuję się teraz szczęśliwa.

Ja jednak nie dałem za wygraną.

– Mam nadzieję... – zacząłem znowu.

Josella pogłaskała mnie po ręce.

– Nic się nie martw, kochany. Wybiorę dwie miłe, rozsądne dziewczyny.

– Ach tak – bąknąłem.

Siedzieliśmy wciąż na murku, trzymając się za ręce i patrząc na tonące w mroku drzewa, lecz ich nie widząc – ja przynajmniej ich nie widziałem. Naraz w budynku za nami ktoś nastawił płytę z walcem Straussa. Dźwięki popłynęły nad pustym dziedzińcem, budząc bolesną tęsknotę. Ulica przed nami zamieniła się na sekundę w widmową salę balową z księżycem zamiast kryształowego kandelabra.

Josella zsunęła się z murka. Rozpostarłszy ramiona, kołysząc całym ciałem, tańczyła lekka jak puszek w wielkim kole księżycowej poświaty. Zbliżyła się do mnie. Oczy jej lśniły, ramiona przywoływały.

Tańczyliśmy na progu nieznanego jutra przy akompaniamencie echa bezpowrotnie minionej przeszłości.

Rozczarowanie

Szedłem przez nieznane, opuszczone miasto, gdzie przeraźliwie bił dzwon, a grobowy głos znikąd wołał w pustkę: „Bestia wyrwała się na wolność!". Wtem obudziłem się i uświadomiłem sobie, że istotnie słyszę dzwonienie. Był to ręczny dzwon, brzmiący tak ostro i ogłuszająco, że przez chwilę nie mogłem sobie przypomnieć, gdzie jestem. Gdy tak siedziałem wciąż jeszcze oszołomiony, dobiegły mnie krzyki: „Pali się!". Zerwałem się z posłania i wypadłem na korytarz. Dym, tupot biegnących nóg, trzaskanie drzwiami. Większość dźwięków dobiegała z prawej strony, gdzie wciąż dzwonił dzwon i padały okrzyki przerażenia, pobiegłem więc w tę stronę. Na końcu korytarza odrobina poświaty księżyca sączyła się przez wysokie okna, rozpraszając mrok o tyle, że mogłem trzymać się środka i unikać zderzenia z ludźmi, którzy sunęli po omacku pod ścianami.

Dotarłem do schodów. W holu na dole wciąż jęczał dzwon. Przez coraz gęstszy dym schodziłem możliwie jak najprędzej na dół. Na ostatnim stopniu potknąłem się o coś i upadłem.

Półmrok zamienił się naraz w nieprzejrzane ciemności, z których buchnął snop iskier – i to było wszystko…

Pierwszym uczuciem, jakiego doznałem, był piekielny ból głowy. Potem, kiedy otworzyłem oczy, oślepił je nieznośny blask. W pierwszej chwili myślałem, że to chyba jupitery, ale gdy ostrożniej uchyliłem powieki, przekonałem się, że to tylko zwykłe okno, dość przy tym brudne. Czułem, że leżę na łóżku, ale nie próbowałem usiąść, żeby dokonać dalszego rekonesansu: w głowie walił mi młot pneumatyczny, odbierając ochotę do wszelkich ruchów. Leżałem więc cicho i wpatrywałem się w sufit, aż w pewnej chwili zorientowałem się, że mam związane ręce.

Wytrąciło mnie to z letargu mimo pulsowania w głowie. Jak stwierdziłem, skrępowano mnie bardzo umiejętnie: więzy nie były ciasne, lecz idealnie skuteczne. Izolowany przewód owinięty kilka razy wokół przegubu każdej ręki, skomplikowany węzeł umieszczony tak, abym w żaden sposób nie mógł dosięgnąć go zębami. Zakląłem w duchu i rozejrzałem się wkoło. Pokój był mały i poza łóżkiem, na którym leżałem, zupełnie pusty.

– Hej! – zawołałem. – Jest tam kto?!

Mniej więcej pół minuty później za drzwiami dało się słyszeć szuranie. Drzwi otworzyły się i ukazała się głowa. Była to mała głowa w tweedowej czapce. Pod niegoloną od kilku dni brodą miała dość brudny kołnierzyk. Zwrócona była nie wprost do mnie, lecz tylko w moim kierunku.

– Hola, koleś – powiedziała dość przyjaźnie. – Oprzytomniałeś, co? Czekaj chwilę, przyniosę ci kubek herbaty. – Po czym znów znikła.

Nakaz, abym czekał, był zupełnie zbędny, ale czekanie nie potrwało długo. Mężczyzna wrócił po paru minutach, niosąc bańkę z dorobioną rączką z drutu.

– Gdzie jesteś? – spytał.

– Prosto przed tobą, na łóżku.

Wyciągnął lewą rękę i posuwał się naprzód, aż namacał tylną część łóżka. Obszedł je i podał mi bańkę.

– Masz, bracie. Może będzie miała trochę dziwny smak, bo Charlie wlał do niej rumu, ale chyba się o to nie pogniewasz.

Wziąłem od niego bańkę, trzymając ją z pewnym trudem w związanych rękach. Herbata była mocna i słodka, rumu nie pożałowano. Smak był owszem, dziwny, ale płyn podziałał na mnie niczym eliksir życia.

– Dziękuję – powiedziałem. – Cudotwórca z ciebie. Na imię mi Bill.

Mężczyzna, jak mi oświadczył, miał na imię Alf.

– Co to wszystko znaczy, Alf? Co tu się dzieje? – zapytałem.

Usiadł na brzegu łóżka i wyciągnął ku mnie paczkę papierosów z pudełkiem zapałek. Wyjąłem jedną, zapaliłem papierosa najpierw dla niego, potem dla siebie, a następnie oddałem mu pudełko.

– To jest tak, koleś – powiedział. – Wiesz, że wczoraj rano koło uniwersytetu była mała rozróba – może nawet tam byłeś?

Odpowiedziałem, że widziałem to z daleka.

– No więc po tej hecy Coker – to ten gość, co gadał – trochę się wkurzył. „Dobra jest – powiada, zły jak diabli – trzeba się do tych sukinsynów zabrać inaczej, sami się o to proszą. Przedstawiłem im całą sprawę szczerze i uczciwie, a teraz niech mają, na co zasłużyli". Więc się naradziliśmy z jeszcze paroma facetami i jedną starszą kobitą, którzy jeszcze widzą, i oni wszystko obmyślili. Ten Coker ma łeb!

– To znaczy, że... że on sfabrykował całe zajście? Nie było pożaru ani nic podobnego? – spytałem.

– Jaki tam pożar! Przeciągnęli po prostu kilka drutów na dolnym stopniu, zapalili kupę papieru i trochę szczap w holu, a potem zaczęli bić w dzwon. Kombinowaliśmy, że ci, co widzą, przybiegną pierwsi, bo księżyc świecił. No i tak było. Coker razem z drugim gościem nokautowali każdego, kto się potknął, i podawali go nam, a my zanosiliśmy go do ciężarówki. Proste jak drut.

– Hm – mruknąłem z żalem. – Ten Coker to rzeczywiście musi być łebski chłop. Ilu takich głupków jak ja wpadło w pułapkę?

– Chyba ze dwa tuziny, chociaż potem się okazało, że pięciu czy sześciu jest ślepych. Jakeśmy załadowali pełną ciężarówkę, daliśmy gazu i uciekliśmy.

Bez względu na stanowisko Cokera jasne było, że Alf nie żywi do nas wrogich uczuć. Najwidoczniej uważał całą historię za świetny kawał. Głowa zbyt mnie bolała, żeby tak zakwalifikować to zdarzenie, ale w myśli pochyliłem przed Alfem czoło. Na jego miejscu z pewnością nie zdobyłbym się na tyle humoru, żeby uważać cokolwiek za świetny kawał. Dopiłem herbatę i przyjąłem od Alfa jeszcze jednego papierosa.

– Jaki jest dalszy program? – zapytałem.

– Coker chce podzielić nas wszystkich na oddziały i do każdego oddziału przydzielić jednego z was. Macie doglądać rabowania i w ogóle być oczami wszystkich innych. Do was należy udzielać nam pomocy, póki ktoś nie nadjedzie i nie zrobi z tym wszystkim porządku.

– Rozumiem – powiedziałem.

Alf zwrócił głowę w moją stronę. Z pewnością nie można mu było odmówić bystrości. Usłyszał w moim głosie coś, z czym się wcale nie chciałem zdradzić.

– Myślisz, że to długo potrwa? – spytał.

– Nie wiem. Co mówi Coker?

Coker, jak się okazało, nie wdawał się w szczegóły. Alf jednak miał własne zdanie o sytuacji.

– Bo ja tak sobie myślę, że nikt w ogóle nie przyjedzie. Jakby mieli przyjechać, toby już tu byli. Co innego, gdyby chodziło o jakieś małe miasteczko na końcu świata. Ale Londyn?! Jasna rzecz, że tu by przyjechali najpierw. Nie, na mój rozum, jak nikt dotąd nie przyjechał, to już nikt nie przyjedzie, a to znaczy, że nie ma nikogo takiego, co mógłby przyjechać. Niech to szlag, kto by pomyślał, że coś podobnego może się zdarzyć?

Nie odzywałem się. Alf nie należał do ludzi, których można by łudzić słowami fałszywej pociechy.

– Ty chyba też tak uważasz? – powiedział po chwili.

– Sprawy nie wyglądają za dobrze – przyznałem. – Ale jest jeszcze szansa. Może ludzie z dalekich stron…

Alf potrząsnął głową.

– Już by tu byli. Już by mieli na ulicach samochody z głośnikami i mówiliby nam, co mamy robić. Nie, koleś, już po nas: nie ma nigdzie nikogo, kto by nas mógł uratować. Fakt faktem.

Milczeliśmy chwilę.

– Trudno, Alf. Życie nie było takie złe, póki się to nie stało.

Pogawędziliśmy o jego życiu. Miewał różne zajęcia, wszystkie związane z mniej lub bardziej nielegalną działalnością. Podsumował w końcu:

– Tak czy owak, nieźle mi się powodziło. A ty coś robił?

Powiedziałem mu. Otrząsnął się ze wstrętem.

– Tryfidy, ha! Ohyda! Przeciwne naturze, jakby mnie kto pytał!

Więcej do tego tematu nie wracaliśmy. Alf wyszedł, zostawiając mnie sam na sam z moimi myślami i z paczką jego papierosów. Rozważałem sytuację i nie byłem nią bynajmniej zachwycony. Interesowało mnie, jak inni ją przyjmą. Szczególnie byłem ciekaw, jak się na to wszystko zapatruje Josella.

Wstałem z łóżka i podszedłem do okna. Perspektywy ucieczki były mizerne: wewnętrzna, wykładana białymi kafelkami studnia ciągnąca się cztery piętra w dół i zakończona oszklonym świetlikiem. Nic by się tu nie dało zrobić. Alf zamknął za sobą drzwi na klucz, ale spróbowałem je otworzyć, ot tak, na wszelki wypadek. Nic w pokoju nie podsuwało mi żadnego pomysłu. Sprawiał wrażenie numeru w trzeciorzędnym hotelu, z tą tylko różnicą, że wszystkie meble prócz łóżka usunięto.

Usiadłem znów na łóżku i pogrążyłem się w rozmyślaniach. Może uda mi się uporać z Alfem mimo związanych rąk – jeżeli tylko nie ma przy sobie noża. Ale przypuszczalnie ma nóż, więc to będzie przykre. Przecież ślepiec nie będzie groził mi nożem, będzie musiał go użyć, żeby mnie obezwładnić. Poza tym nie wiem, kto jeszcze znajduje się w budynku i kogo będę musiał minąć, nim wyjdę. Co więcej, nie życzę Alfowi niczego złego. Doszedłem do wniosku, że najmądrzej jest czekać na jakąś dogodną sposobność – widzącemu wśród niewidomych z pewnością taka się nadarzy.

Po godzinie Alf wrócił z jedzeniem na talerzu, łyżką i nową porcją herbaty.

– Trochę to nieporęczne – powiedział skruszony. – Ale przykazali mi: żadnych noży i widelców, więc nic nie poradzę.

Borykając się z jedzeniem, zapytałem o moich towarzyszy niedoli. Alf niewiele mógł mi powiedzieć, nie znał też żadnych nazwisk, dowiedziałem się jednak, że wśród tych, których tutaj przywieziono, są również kobiety. Potem zostałem na kilka godzin sam. Robiłem, co mogłem, żeby spać, bo wciąż potwornie bolała mnie głowa.

Kiedy Alf przyszedł znów z jedzeniem i sakramentalną bańką herbaty, towarzyszył mu mężczyzna, w którym rozpoznałem Cokera. Był bardziej zmęczony niż wtedy, kiedy go pierwszy raz widziałem. Pod pachą niósł plik papierów. Rzucił mi badawcze spojrzenie.

– Orientuje się pan, o co chodzi? – spytał.

— Wiem tyle, ile Alf mi powiedział.

— To dobrze. — Rzucił papiery na łóżko, wziął górny arkusz i rozłożył go. Był to plan Wielkiego Londynu. Coker wskazał obszar obejmujący część Hampstead i Swiss Cottage, grubo zakreślony niebieskim ołówkiem.

— To pański rewir — powiedział. — Pański oddział może operować tylko w tych granicach. Nie można pozwolić, żeby wszystkie grupy korzystały z tych samych źródeł zaopatrzenia. Pana rzeczą jest znajdować na tym terenie żywność i pilnować, żeby pańscy ludzie mieli jej pod dostatkiem. Żywności, a także wszystkiego innego, czego im potrzeba. Zrozumiano?

— W przeciwnym razie? — spytałem, wpatrując się w niego.

— W przeciwnym razie będą głodni. A jeżeli będą głodni, to się może dla pana źle skończyć. Mamy tu sporo twardych chłopaków i nikt z nas nie robi tego wszystkiego dla zabawy. Więc radzę panu uważać. Jutro rano ciężarówkami zawieziemy pana razem z pańskim oddziałem na wyznaczony teren. Potem pańską rzeczą będzie dbać o swoich ludzi, dopóki się ktoś nie zjawi i nie zaprowadzi porządku.

— A jeżeli nikt się nie zjawi? — spytałem.

— Musi się ktoś zjawić — odpowiedział z zaciętą miną. — W każdym razie takie są pańskie obowiązki. I niech pan pamięta, że ma się trzymać wyznaczonego rewiru.

Chciał już wyjść, kiedy go zatrzymałem.

— Czy jest tu u was niejaka panna Playton? — zapytałem.

— Nie znam żadnych waszych nazwisk — odparł.

— Jasnowłosa, dość wysoka, szaroniebieskie oczy — nalegałem.

— Jest wysoka blondynka, Ale nie przyglądałem się jej oczom. Mam ważniejsze sprawy na głowie — powiedział i wyszedł.

Obejrzałem uważnie plan. Nie byłem zachwycony rewirem, który mi przydzielono. Znaczną część stanowiła ładna zielona dzielnica podmiejska, ale portowe magazyny i domy towarowe dawałyby większe możliwości. Wątpiłem, czy znajdę tu większe składy i sklepy. Jednakże „wszyscy nie mogą być wygrani", jak by to niewątpliwie ujął Alf, a zresztą nie zamierzałem zostać tam ani chwili dłużej, niż to będzie konieczne.

Kiedy Alf znów się pokazał, spytałem go, czy nie zaniósłby listu do Joselli. Pokręcił przecząco głową.

— Nie, koleś. Tego mi nie wolno.

Zapewniłem go, że list będzie zupełnie nieszkodliwy, Alf jednak był nieugięty. W gruncie rzeczy nie miałem mu tego za złe. Nie miał powodu mi ufać, a nie mógł przeczytać listu, żeby stwierdzić, czy rzeczywiście jest tak nieszkodliwy, jak utrzymywałem. Zresztą nie miałem papieru ani ołówka, więc dałem tej sprawie spokój. Po długich perswazjach zgodził się zawiadomić Josellę, że jestem tutaj, i dowiedzieć się, jaki rewir jej przydzielono. Wyraził zgodę bardzo niechętnie, musiał jednak przyznać, że jeżeli dojdzie do porządkowania bałaganu, znacznie łatwiej odnajdę Josellę, jeśli będę wiedział, gdzie mam zacząć poszukiwania.

Potem na dłuższy czas zostałem sam na sam ze swoimi myślami.

Sęk w tym, że nie miałem przed sobą jasno wytyczonej drogi. Nazbyt wyraźnie widziałem racje zarówno jednej, jak i drugiej strony. Zdawałem sobie sprawę, że rozsądek i długofalowe przewidywanie każe popierać Beadleya i jego towarzyszy. Gdyby wyruszyli, Josella i ja bez wątpienia pojechalibyśmy z nimi i z nimi współpracowali, a przecież czułem, że nie miałbym spokojnego sumienia. Nie byłbym nigdy pewien, czy nic by się nie dało zrobić dla ratowania tonącego statku, nie byłbym nigdy pewien, czy nie wmówiłem sobie dla własnej korzyści, że obrana przeze mnie droga jest słuszna. Jeżeli rzeczywiście nie ma żadnej nadziei na zorganizowany ratunek, ich zamiar ratowania tego, co się da, jest rozumny. Niestety rozum nie jest jedynym motorem ludzkich poczynań. Miałem w tej chwili do czynienia z owymi wpojonymi normami postępowania, które, jak mówił stary doktor, tak trudno przełamać. Miał też rację, mówiąc o trudnościach przyswojenia sobie nowych zasad. Gdyby cudem przybyła jakaś pomoc, czułbym się przez swoją ucieczkę jak ostatni nędznik, bez względu na to, jakie pobudki mną kierowały. Gardziłbym sobą i resztą towarzyszy za to, że nie zostaliśmy w Londynie, aby nieść pomoc tak długo, jak to możliwe.

Z drugiej jednak strony, jeżeli pomoc nie nadejdzie, czy nie będę sobie wyrzucał, że zmarnowałem czas i wysiłki, kiedy ludzie mocniejsi duchem w porę zabrali się do ratowania rodzaju ludzkiego przed ostateczną zagładą?

Wiedziałem, że powinienem raz na zawsze zdecydować się, jaką drogę obieram, i już z niej nie zbaczać. Ale nie mogłem. Wahałem się. Kilka godzin później, zasypiając, wciąż jeszcze nie podjąłem decyzji.

Nie mogłem się dowiedzieć, na co się zdecydowała Josella. Nie dostałem od niej wiadomości. Dopiero wieczorem Alf wsunął głowę do pokoju.

– Westminster – powiedział krótko. – Rany! Wątpię, czy ta grupa znajdzie coś do żarcia w budynkach parlamentu.

Następnego dnia Alf obudził mnie wcześnie rano. Towarzyszył mu wyższy i bardziej barczysty mężczyzna o rozbieganych oczach, który ze zbędną ostentacją obracał w palcach nóż rzeźnicki. Alf podszedł i rzucił na łóżko naręcze odzieży. Jego towarzysz zamknął drzwi na klucz i oparł się o nie, wodząc po pokoju podejrzliwym spojrzeniem i bawiąc się nożem.

– Dawaj graby, koleś – powiedział Alf.

Wyciągnąłem do niego ręce. Obmacał przewody na moich przegubach i przeciął je nożycami.

– Teraz wkładaj te ciuchy, bracie – powiedział, odstępując o krok.

Gdy się ubierałem, mężczyzna z nożem pilnie śledził każdy mój ruch. Kiedy już byłem gotów, Alf wyciągnął z kieszeni kajdanki.

– Jeszcze tylko to – zaznaczył.

Zawahałem się. Mężczyzna przy drzwiach przestał się o nie opierać i wysunął nóż nieco do przodu. Jasne było, że nadeszła dla niego najbardziej interesująca chwila. Uznałem, że nie czas teraz na żadne próby, i wyciągnąłem przed siebie ręce. Alf obmacał je i zatrzasnął na nich kajdanki. Potem wyszedł i przyniósł mi śniadanie.

Blisko dwie godziny później ten drugi zjawił się znowu, wciąż demonstracyjnie trzymając w ręce nóż. Wskazał na drzwi.

– Chodź – powiedział. Było to jedyne słowo, jakie od niego usłyszałem.

Ruszyłem naprzód, mając niezbyt miłą świadomość, że w moje plecy wymierzone jest ostrze noża. Zeszliśmy kilka pięter w dół, minęliśmy hol. Na ulicy czekały dwie ciężarówki pełne ludzi. Przy tylnej klapie jednej z nich stał Coker z dwoma towarzyszami. Przywołał mnie ruchem ręki. Bez słowa przeciągnął mi pod ramionami łańcuch zakończony z obu stron rzemiennymi paskami. Jeden pasek był już zapięty wokół przegubu lewej ręki barczystego ślepca stojącego obok, drugi zapiął wokół prawej ręki równie potężnego osobnika, znalazłem się więc między nimi. Widać było, że postanowili unikać zbędnego ryzyka.

– Na pańskim miejscu nie próbowałbym żadnych kawałów – przestrzegał mnie Coker. – Niech pan postępuje z nimi jak należy, a oni pana nie skrzywdzą.

Wszyscy trzej wgramoliliśmy się z trudem do pudła i obie ciężarówki ruszyły.

Zatrzymaliśmy się nieopodal Swiss Cottage i wysiedliśmy. W polu widzenia było około dwudziestu osób wędrujących bez celu skrajem jezdni. Na odgłos silników wszyscy zwrócili się ku nam z wyrazem niedowierzania na twarzach i niby części jednego mechanizmu zaczęli sunąć ku nam, coś tam, pełni nadziei, wołając. Kierowcy krzyknęli nam, żebyśmy uciekali. Cofnęli wozy, zawrócili i odjechali w tę samą stronę, z której przybyliśmy. Zbliżający się ludzie stanęli jak wryci. Kilku z nich krzykiem usiłowało zatrzymać ciężarówki, reszta w milczeniu podjęła beznadziejną wędrówkę. O jakieś pięćdziesiąt jardów dalej stała kobieta. W ataku histerii zaczęła walić głową o mur. Chwyciły mnie mdłości.

Zwróciłem się do moich strażników.

– Od czego chcecie zacząć? – spytałem.

– Od kwatery – odezwał się jeden. – Musimy mieć jakiś nocleg.

Pomyślałem, że tyle przynajmniej muszę dla nich zrobić. Nie mogłem się wymknąć i zostawić ich po prostu na ulicy. Skoro już do tego doszło, musiałem znaleźć dla nich jakąś bazę, kwaterę główną, no i pomóc im stanąć na nogi. Potrzebne było jakieś miejsce, gdzie można by magazynować żywność, jeść i gdzie wszyscy mogliby być razem. Policzyłem ich. Pięćdziesiąt dwie osoby, z tego czternaście kobiet. Najlepiej chyba znaleźć jakiś hotel. W ten sposób oszczędzimy sobie kłopotu ze zdobywaniem łóżek i pościeli.

Znaleźliśmy w końcu elegancki pensjonat, utworzony z czterech przylegających do siebie domów jednorodzinnych. Miejsca było tu pod dostatkiem. Wewnątrz zastaliśmy jakieś pół tuzina osób. Bóg jeden wie, co się stało z resztą. Znaleźliśmy tę przerażoną gromadkę w jednym z holów: starzec, niemłoda kobieta (jak się okazało, kierowniczka pensjonatu), mężczyzna w średnim wieku i trzy dziewczyny. Kierowniczka opanowała się na tyle, aby obrzucić nas pogróżkami, ale mimo jej surowego tonu właściwego kierowniczkom pensjonatów czuło się, że to czcze słowa. Starzec bezskutecznie próbował ją poprzeć, reszta tylko patrzyła na nas zalękniona.

Oznajmiłem, że wprowadzamy się tutaj. Jeżeli się to obecnym tu osobom nie podoba, mogą sobie iść; jeśli jednak zechcą zostać i dzielić nasz los, bardzo prosimy. Mieszkańcy pensjonatu nie zdradzali zachwytu. Wyglądało na to, że mają gdzieś ukryte zapasy żywności, którymi wcale się nie chcą dzielić. Kiedy zrozumieli, że mamy zamiar zgromadzić tu znacznie większe zapasy, wyraźnie zmienili ton i gotowi już byli pogodzić się z sytuacją.

Doszedłem do wniosku, że muszę zostać ze swoim oddziałem przez dzień lub dwa, żeby zaopatrzyć go jak należy. Domyślałem się, że Josella będzie się poczuwała do tego samego obowiązku wobec swojej gromady. Dobry psycholog z tego Cokera – wrobił nas w to bardzo pomysłowo i skutecznie. Ale potem, kiedy już wszystko będzie na dobrej drodze, urwę się i odnajdę Josellę.

Przez następne dwa dni pracowaliśmy systematycznie, obrabiając pobliskie sklepy, należące przeważnie do sieci handlowej tej samej firmy, niezbyt przy tym duże. Prawie wszędzie ktoś inny był już przed nami. Część frontowa sklepów znajdowała się w opłakanym stanie. Powybijane szyby wystawowe, podłogi zaśmiecone półotwartymi puszkami i rozdartymi paczkami, których zawartość sprawiła znalazcom zawód – psująca się, cuchnąca masa zmieszana z odłamkami szkła. Ale z reguły straty były niewielkie, a szkody powierzchowne, na zapleczu bowiem znajdowaliśmy większe skrzynie, całe i nienaruszone.

Niełatwe to było zadanie dla ludzi ociemniałych wynosić ze sklepów ciężkie skrzynie i ładować je na taczki. Potem znów trzeba było zawieźć zdobycz na kwaterę i tam odpowiednio ulokować. Ale ludzie z godziny na godzinę nabierali wprawy.

Najbardziej utrudniała sprawę konieczność mojej nieustannej obecności. Niewiele albo zgoła nic nie można było zrobić, jeżeli nie kierowałem pracą osobiście. Nie sposób też było używać do pracy więcej niż jednej brygady naraz, chociaż mogliśmy utworzyć ich ponad dziesięć. Niewiele również dało się przeprowadzić w hotelu, kiedy byłem na mieście z brygadą zaopatrzeniową. Ponadto czas, który musiałem spędzić na przeszukiwaniu okolicy, był właściwie dla wszystkich innych stracony. Dwóch ludzi obdarzonych wzrokiem mogłoby zrobić nie dwa razy, lecz kilka razy więcej.

Przez cały dzień od świtu do nocy byłem zbyt zajęty, żeby myśleć o czymkolwiek prócz doraźnych zadań, wieczorem zaś tak zmordowany, że zasypiałem, ledwie dotknąłem głową poduszki. Od czasu do czasu tylko mówiłem sobie: „Jutro wieczorem będą już zaopatrzeni we wszystko, co niezbędne – przynajmniej na pewien czas. Wtedy wyrwę się stąd i odnajdę Josellę".

Brzmiało to bardzo ładnie, ale codziennie mówiłem sobie: „Jutro już sobie pójdę" i z każdym dniem sprawa stawała się trudniejsza. Niektórzy z moich podopiecznych trochę się już nauczyli, ale wciąż właściwie nic, poczynając od zdobywania żywności, a kończąc na otwieraniu puszek, nie mogło się odbyć bez mojej obecności i wskazówek. Zdawało mi się, że staję się potrzebny nie coraz mniej, lecz coraz bardziej.

Nikt z nich nie ponosił za to winy i dlatego właśnie sytuacja była dla mnie taka trudna. Większość naprawdę robiła, co mogła. Obserwując ich, czułem, że coraz trudniej będzie mi ich porzucić, gdyż to haniebne. Sto razy dziennie przeklinałem Cokera za to, że wrobił mnie w taką kabałę, nic to jednak nie pomagało. Zastanawiałem się tylko, jak to wszystko się skończy…

Pierwszą zapowiedzią końca – choć wcale się w tym nie zorientowałem – było coś, co zdarzyło się czwartego lub może piątego dnia, kiedy mieliśmy właśnie wyruszyć. Jedna z kobiet zawołała z górnego piętra, że jest tam dwoje chorych, jak jej się zdaje, bardzo ciężko.

Moim psom łańcuchowym to się nie spodobało.

– Posłuchajcie – powiedziałem im. – Mam już dość tej zabawy w kajdaniarza. Wszystko będzie nam szło znacznie sprawniej, jeżeli z tym skończymy.

– Aha, żebyś zwiał do swojej ferajny? – odezwał się ktoś.

– Nie łudźcie się – oświadczyłem. – Mogłem dać w łeb tym strażnikom amatorom w każdej chwili i o każdej porze dnia i nocy. Nie zrobiłem tego, bo nie mam nic przeciwko nim poza tym, że są parą dokuczliwych durni…

– Ej, ty… – zaczął protestować jeden z moich aniołów stróżów.

– Ale – mówiłem dalej – jeżeli nie pozwolą mi zobaczyć, co jest tym chorym ludziom, mogą się lada moment spodziewać ciosu.

Strażnicy dali się przekonać, ale kiedyśmy weszli do pokoju chorych, postarali się stanąć w takiej odległości ode mnie, na jaką tylko pozwalał łańcuch. Okazało się, że zachorowali dwaj mężczyźni: jeden młody, drugi w podeszłym wieku. Obaj mieli wysoką gorączkę i skarżyli się na silne bóle brzucha. Wtedy jeszcze niewiele się na takich rzeczach znałem, wystarczająco jednak, żeby się poważnie zaniepokoić. Nic mądrego nie potrafiłem wymyślić, kazałem tylko zanieść ich do pobliskiego pustego domu i poleciłem jednej z kobiet, aby opiekowała się nimi najlepiej, jak umie.

Tak się zaczął ten dzień niepowodzeń. Następne niepowodzenie, zupełnie innego rodzaju, zdarzyło się około południa.

Ogołociliśmy już większość pobliskich sklepów spożywczych, postanowiłem więc zapuścić się nieco dalej. O ile dobrze pamiętałem, powinniśmy znaleźć następną handlową ulicę mniej więcej o pół mili na północ i tam też poprowadziłem swoją brygadę. Znaleźliśmy sklepy, owszem, ale i coś jeszcze.

Kiedy skręciliśmy za róg i ujrzeliśmy sklepy, stanąłem jak wryty. Ze spożywczego grupa ludzi wynosiła skrzynie i ładowała je na ciężarówkę. Gdyby nie odmienny środek transportu, zdawałoby mi się, że obserwuję moich własnych ludzi przy pracy. Zatrzymałem swoją brygadę, złożoną z dwudziestu mężczyzn, zastanawiając się, jak postąpić. Skłonny byłem się wycofać, by uniknąć starcia, i poszukać innych źródeł zaopatrzenia. Wdawanie się w utarczkę nie miało sensu, w okolicy bowiem pod dostatkiem było sklepów dla ludzi dość dobrze zorganizowanych, aby z nich korzystać. Jednak decyzja nie mnie przypadła w udziale. Kiedy stałem, rozmyślając, ze sklepu pewnym krokiem wyszedł młody rudowłosy mężczyzna. Nie ulegało wątpliwości, że widzi, a chwilę później – że nas zobaczył.

Najwidoczniej nie podzielał moich skrupułów. Błyskawicznie sięgnął do kieszeni. Padł strzał i kula uderzyła w ścianę za mną.

Na sekundę wszystko zamarło. Jego i moi ludzie obracali ku sobie niewidzące oczy, usiłując zrozumieć, co się dzieje. Potem mężczyzna strzelił po raz drugi. Sądzę, że celował we mnie, ale kula trafiła mojego towarzysza z lewej. Strażnik wydał pomruk jakby zdziwienia i z westchnieniem osunął się na ziemię. Dałem nura za róg, ciągnąc za sobą drugiego strażnika.

– Prędko – powiedziałem. – Daj klucz od kajdanek. Skuty nie mogę nic zrobić.

Odpowiedział mi przemądrzałym uśmiechem. Jego myśli biegły tylko jednym torem.

– A jakże – powiedział. – Odwal się. Mnie nie nabierzesz.

– Na miłość boską, ty cholerny błaźnie… – rzuciłem, szarpiąc za łańcuch, by przyciągnąć ciało pierwszego strażnika, żebyśmy mogli się lepiej ukryć.

Głupiec zaczął się ze mną kłócić. Bóg jeden wie, o co mnie posądzał. Łańcuch był teraz dość luźny. Uniosłem ramiona i obiema pięściami rąbnąłem go po łbie, aż wyrżnął nim w ścianę. Na tym się kłótnia urwała. Znalazłem klucz w jego bocznej kieszeni.

– Słuchajcie mnie – zwróciłem się do pozostałych. – Zawróćcie i idźcie prosto, przed siebie. Nie rozdzielajcie się, bo będzie po was. Ruszajcie.

Otworzyłem zatrzask jednej bransoletki, zrzuciłem łańcuch i przez mur przedostałem się do czyjegoś ogrodu. Skuliłem się tam na czas niezbędny, żeby zdjąć drugą. Potem przeszedłem przez ogród i wyjrzałem ostrożnie zza przeciwległego załomu muru. Mężczyzna z pistoletem nie pobiegł za nami, jak się spodziewałem. Stał przy swoich ludziach i udzielał im wskazówek. Nie musiał się spieszyć. Skoro nie odpowiedzieliśmy strzałami, jasne było, że nie mamy broni, no i z pewnością nie możemy się szybko poruszać.

Kiedy skończył wydawać instrukcje, spokojnie doszedł ulicą do punktu, z którego dostrzegł moją oddalającą się grupę, i ruszył za nią. Na rogu przystanął, aby spojrzeć na moich dwóch leżących strażników. Łańcuch prawdopodobnie nasunął mu myśl, że jeden z nich był widzącym przewodnikiem naszej gromadki, schował bowiem pistolet do kieszeni i swobodnym, pewnym krokiem poszedł za resztą moich ludzi.

Nie spodziewałem się tego, zastanawiałem się więc blisko minutę, nim przejrzałem jego plan. Zrozumiałem wówczas, że najkorzystniej dla niego jest iść za moimi ludźmi aż do naszej siedziby i sprawdzić, co da się tam zrabować. Był, musiałem przyznać, albo znacznie bardziej ode mnie bystry, jeśli chodziło o wykorzystywanie każdej okazji, albo też znacznie gruntowniej niż ja przemyślał wszystkie ewentualności. Byłem zadowolony, że kazałem swoim ludziom iść prosto przed siebie. Pewnie im się to po jakimś czasie znudzi, ale bardzo wątpliwe, żeby któryś z nich potrafił odnaleźć drogę do hotelu i doprowadzić tam rudowłosego. Dopóki trzymają się razem, będę mógł ich potem bez większego trudu odnaleźć. Najpilniejsza sprawa to znalezienie jakiejś sposobu na człowieka, który chodzi z pistoletem i tak chętnie go używa.

W niektórych częściach świata można wejść do pierwszego lepszego domu i znaleźć broń palną, jakiej się akurat potrzebuje. Niestety w Hampstead, dzielnicy ludzi spokojnych i szacownych, trudno było o takie domy. Może gdzieś znalazłaby się strzelba myśliwska, ale musiałbym jej długo szukać. Pozostawało tylko nie spuszczać z oczu rudowłosego i liczyć na jakieś pomyślne zdarzenie, które pozwoli mi się z nim rozprawić. Ułamałem gałąź z rosnącego obok drzewa, przelazłem przez mur na ulicę i ruszyłem za nim, postukując o krawężnik i mając nadzieję, że niczym się nie różnię od setek wędrujących tak niewidomych.

Ulica przez dłuższy czas biegła prosto. Rudowłosy był o jakieś pięćdziesiąt jardów przede mną, a moja grupa o tyleż przed nim. Szliśmy tak ponad pół mili. Ku mojej uldze nikt z mojej grupy nie próbował skręcić w ulicę prowadzącą do naszej bazy. Zastanawiałem się już, jak długo jeszcze potrwa, nim uznają, że odeszli dość daleko, gdy naraz zdarzyło się coś nieprzewidzianego. Jeden z grupy, który wlókł się w tyle za resztą, w końcu się zatrzymał. Upuścił laskę i zgiął się wpół, przyciskając rękami brzuch. Potem osunął się na ziemię i zaczął tarzać się z bólu. Tamci wcale się nie zatrzymali. Musieli słyszeć jęki chorego, ale chyba nie mieli pojęcia, że to jeden z nich.

Rudowłosy młody człowiek spojrzał na niego i przystanął. Następnie zmienił kierunek i ruszył ku wijącej się postaci.

Zatrzymał się kilka jardów od chorego i przez kilkanaście sekund przyglądał się mu uważnie. Wreszcie powoli, ale bez wahania wyjął z kieszeni pistolet i zabił go strzałem w głowę. Na odgłos strzału moi ludzie stanęli. Ja również. Rudowłosy nie próbował wcale do nich podejść; ściśle biorąc, od razu stracił dla nich całe zainteresowanie. Wykręcił się na pięcie i ruszył z powrotem środkiem jezdni. Przypomniałem sobie o swojej roli i zacząłem znów opukiwać krawężnik. Nie zwrócił na mnie uwagi, przechodząc, ja jednak widziałem jego twarz: był zaniepokojony, szczęki miał mocno zaciśnięte... Szedłem dalej, postukując, do chwili gdy się dostatecznie ode mnie oddalił, po czym pobiegłem do grupy. Moi podopieczni, spłoszeni wystrzałem, sprzeczali się, czy iść dalej, czy też nie.

Przerwałem sprzeczkę, oznajmiając im, że teraz, kiedy nie przeszkadzają mi już tępi strażnicy, zorganizujemy sprawy inaczej. Zdobędę ciężarówkę i wrócę za dziesięć minut, żeby ich odwieźć do hotelu.

Zaniepokoiło mnie, że w moim rewirze działa konkurencyjna grupa, ale na hotel, jak się okazało, żadnego napadu nie było. Mieli tam dla mnie tylko jedną nowinę: jeszcze dwaj mężczyźni i jedna kobieta dostali silnych boleści i przeniesiono ich do sąsiedniego domu.

Poczyniliśmy wszelkie możliwe przygotowania do obrony przed rabusiami, na wypadek gdyby dokonali napadu na hotel pod moją nieobecność. Następnie wybrałem nową brygadę i wyruszyliśmy ciężarówką, tym razem w innym kierunku.

Przypomniałem sobie, że w swoim czasie jeździłem do Hampstead Heath autobusem i na placyku przy końcowym przystanku widziałem sporo niewielkich sklepów i domów towarowych. Z pomocą planu bez trudu znalazłem to miejsce – i nie tylko znalazłem, lecz odkryłem, że chyba nikt się nim dotychczas nie zainteresował. Z wyjątkiem trzech lub czterech wybitych szyb sklepy wyglądały, jakby je zamknięto na weekend.

Ale były też znaczne różnice. Przede wszystkim nigdy dawniej nie panowała tutaj taka cisza, ani w dzień powszedni, ani w niedzielę. Na ulicy leżało kilka trupów. Zacząłem się już tak przyzwyczajać do ich widoku, że prawie nie zwracałem na nie uwagi. Dziwiłem się nawet, że nie widzi się ich więcej, i doszedłem do wniosku, że większość ludzi szuka jakiegoś schronienia albo ze strachu, albo już z osłabienia. Był to jeden z powodów, dla których niechętnie wchodziłem do mieszkań.

Zatrzymałem ciężarówkę przed sklepem spożywczym i przez kilka sekund nasłuchiwałem. Cisza spowiła nas jak gruba chusta. Nie było słychać postukiwania lasek, nikt nie przechodził. Nic się nie poruszało.

– Dobra – powiedziałem. – Wysiadać, chłopcy.

Zamknięte drzwi sklepu ustąpiły z łatwością. Wewnątrz panował absolutny ład: beczki niezepsutego masła, sery, bekon, worki cukru, słowem wszystko. Kazałem swoim ludziom brać się do roboty. Nauczyli się wcale nieźle pracować i poruszali się znacznie pewniej. Mogłem ich zostawić na chwilę samych, poszedłem więc obejrzeć zaplecze i piwnicę.

Sprawdzałem w piwnicy zawartość stojących tam skrzyń, gdy usłyszałem gdzieś na zewnątrz krzyki. Zaraz potem nad moją głową rozległ się tupot nóg. Jeden z mężczyzn spadł przez otwartą klapę prosto na głowę. Nie poruszył się ani nie wydał żadnego dźwięku. Pomyślałem, że na górze odbywa się chyba bitwa z konkurencyjną bandą. Przestąpiłem przez leżącego mężczyznę i ostrożnie wspiąłem się po drabinie, unosząc ramię, by osłonić głowę.

Najpierw zobaczyłem niebezpiecznie blisko zwartą masę szurających po podłodze butów. Wszystkie posuwały się ku klapie.

Wyskoczyłem szybko i usunąłem się na bok, żeby mnie nie stratowały. W tej samej chwili ujrzałem, że wielka szyba wystawowa na froncie sklepu pękła. Wpadło wraz z nią z zewnątrz trzech mężczyzn. Za nimi śmignęła długa zielona wić, która uderzyła jednego z leżących. Pozostali dwaj wygramolili się ze stosu artykułów na wystawie i potykając się, cofnęli w głąb sklepu. Naparli na pozostałych i jeszcze dwóch ludzi wpadło przez otwartą klapę do piwnicy.

Wystarczył jeden błysk zielonej wici, abym wiedział, co zaszło.

W nawale pracy ostatnich dni niemal zapomniałem o tryfidach. Stanąłem na skrzyni i spojrzałem ponad głowami stłoczonych mężczyzn. Miałem w polu widzenia trzy tryfidy – jeden stał na jezdni, dwa bliżej, na chodniku. Czterech mężczyzn leżało bez ruchu na ziemi. Zrozumiałem, dlaczego nikt tych sklepów nie ruszał i dlaczego nie było nikogo w okolicy. Skląłem się za to, że nie przyjrzałem się uważniej trupom na ulicy. Nabrzmiała pręga na twarzy lub ręce byłaby aż nadto wyraźnym ostrzeżeniem.

– Stać! – krzyknąłem. – Nie ruszać się!

Zeskoczyłem ze skrzyni, odepchnąłem tych, co stali na odrzuconej na bok klapie, i zamknąłem otwór.

– Tu są drzwi na zaplecze – powiedziałem. – Idźcie ostrożnie.

Dwóch pierwszych ruszyło powoli. Naraz tryfid ze świstem smagnął wicią przez wybitą szybę. Jeden z mężczyzn krzyknął i upadł. Reszta w panice runęła naprzód, pchając mnie przed sobą. W drzwiach powstał zator. Za nami wić uderzyła jeszcze dwa razy, nim udało nam się przejść.

Na zapleczu rozejrzałem się zdyszany. Było nas tylko siedmiu.

– Stójcie – powiedziałem znowu. – Tutaj nic nam nie grozi.

Wróciłem do drzwi. Dalsza część sklepu była poza zasięgiem tryfidów, dopóki pozostawały na zewnątrz. Udało mi się dotrzeć bezpiecznie do klapy w podłodze i podnieść ją. Dwaj mężczyźni, którzy wpadli do piwnicy po tym, jak z niej wyskoczyłem, wygramolili się na górę. Jeden przytrzymywał złamaną rękę, drugi był tylko potłuczony i klął jak szewc.

Za zapleczem znajdowało się małe podwórko, a naprzeciw, w murze, furtka wysoka na osiem stóp. Stałem się teraz ostrożny. Zamiast iść prosto do furtki, wspiąłem się na dach przybudówki, żeby się rozejrzeć. Furtka, jak zobaczyłem, wychodziła na wąską uliczkę biegnącą wzdłuż całego kwartału. Uliczka była pusta, ale w oddali, za murem okalającym przypuszczalnie ogrody szeregu zamożnych domów, dostrzegłem czubki tryfidów tkwiących nieruchomo w zaroślach. Mogło się ich tam czaić dużo więcej. Mur po tamtej stronie był niższy, bez trudu więc sięgnęłyby wiciami przez całą szerokość uliczki. Wyjaśniłem sytuację moim towarzyszom.

– Ohydne potwory – powiedział jeden z nich. – Nie cierpię tego ścierwa.

Przeprowadziłem dalszą inspekcję. Jak się okazało, drugi budynek w kierunku północnym mieścił agencję wynajmu samochodów i na dziedzińcu stały trzy wozy. Niełatwo było przerzucić całe towarzystwo – zwłaszcza tego ze złamaną ręką – przez dwa ogrodzenia dzielące nas od dziedzińca, ale w końcu sobie z tym poradziliśmy. Udało mi się też jakoś upchnąć wszystkich w dużym daimlerze. Kiedy już wszyscy byli w samochodzie, otworzyłem bramę wiodącą na ulicę i biegiem wróciłem do wozu.

Tryfidy natychmiast się nami zainteresowały. Niesamowite wyczulenie na dźwięki podpowiedziało im, że coś się dzieje. Kiedy odjeżdżaliśmy, dwa kuśtykały już ku bramie. Wycelowane w nas wici chlasnęły po zamkniętych oknach, nie czyniąc nikomu szkody. Wziąłem ostro zakręt, uderzając jednego tryfida, i obaliłem go na ziemię. Po chwili byliśmy już na szosie, zdążając ku bezpieczniejszej okolicy.

Ten wieczór był dla mnie najgorszy od czasu katastrofy. Uwolniony od strażników zająłem mały pokój, gdzie mogłem być sam. Na gzymsie nad kominkiem ustawiłem sześć zapalonych świec i długo siedziałem w fotelu, starając się jak najdokładniej wszystko przemyśleć. Po powrocie do bazy dowiedzieliśmy się, że z dwóch mężczyzn, którzy zachorowali poprzedniego dnia, jeden umarł, a drugi jest konający. Prócz tego zachorowały cztery osoby. Tuż po kolacji zaniemogły jeszcze dwie. Nie miałem pojęcia, co to za choroba. Biorąc pod uwagę brak wody i kanalizacji oraz ogólny stan higieny, mogła to być jedna z bardzo wielu chorób zakaźnych. Pomyślałem o tyfusie brzusznym, ale coś mi świtało, że ma on znacznie dłuższy okres inkubacji. Zresztą choćbym wiedział na pewno, nie stanowiłoby to wielkiej różnicy. Wiedziałem tylko, że choroba musi być bardzo groźna, skoro na widok jej objawów rudowłosy użył pistoletu, a potem zrezygnował ze śledzenia mojej grupy.

Wyglądało na to, że od samego początku oddawałem swojemu oddziałowi wątpliwe przysługi. Udało mi się wprawdzie utrzymać tych ludzi przy życiu, ale z jednej strony zagrażała im teraz konkurencyjna banda, z drugiej zaś tryfidy nadciągające z podmiejskich terenów zielonych. A teraz na dodatek ta epidemia. Koniec końców zdołałem tylko odwlec na jakiś czas śmierć głodową.

Zupełnie nie wiedziałem, co robić.

Ustawicznie myślałem też o Joselli. O tym, że podobne rzeczy, może nawet gorsze, dzieją się zapewne i w jej rewirze…

Znów stanął mi przed oczami Michael Beadley ze swoją grupą. Już wtedy wiedziałem, że ludzie ci rozumują logicznie, a teraz zacząłem dochodzić do wniosku, że ich humanitaryzm jest może wyższej próby. Zrozumieli, że niepodobna pomóc wszystkim i należy ratować tylko nieliczną garstkę, a łudzenie pozostałych próżnymi nadziejami równa się okrucieństwu.

Poza tym chodziło także o nas samych. Jeżeli istnieje w ogóle jakiś nadrzędny cel, po co zostaliśmy ocaleni? Chyba nie po to, aby zginąć, borykając się z przedsięwzięciem z góry skazanym na przegraną…

Postanowiłem, że zaraz następnego dnia wyruszę na poszukiwania Joselli i wspólnie rozstrzygniemy sprawę…

Ktoś poruszył klamką. Drzwi otworzyły się wolno.

– Kto tam? – spytałem.

– Ach, więc pan jednak tu jest – przemówił dźwięczny głos.

Weszła, zamykając za sobą drzwi.

– O co chodzi? – spytałem.

Była wysoka i smukła. Na oko nie miała jeszcze dwudziestu lat. Jej włosy wiły się lekko. Miały barwę kasztanu. Mimo skromnego, spokojnego stylu bycia wyróżniałaby się z tłumu nieskazitelną budową i rysami twarzy. Słysząc mój głos, musiała się zorientować, gdzie się znajduję. Złotobrązowe oczy spoglądały gdzieś poza moje lewe ramię. Gdyby nie to, byłbym przekonany, że dziewczyna na mnie patrzy.

Odpowiedziała nie od razu. To niezdecydowanie jakoś nie pasowało do jej wyglądu. Czekałem, aż się odezwie. Naraz poczułem, że coś ściska mi gardło. Była taka młoda i piękna. Powinna mieć przed sobą całe, może wspaniałe życie… Zresztą czy nawet w najpomyślniejszych okolicznościach młodość i uroda nie mają w sobie czegoś wzruszającego, smutnego?…

– Pan chce stąd odejść? – wyrzekła wreszcie. Było to na pół

pytanie, na pół stwierdzenie, wypowiedziane stłumionym, lekko się załamującym głosem.

– Nic podobnego nie mówiłem.

– To prawda – przyznała – ale inni to mówią. Mają rację, tak?

Nie odpowiedziałem na to. Dziewczyna ciągnęła dalej:

– Nie może pan. Nie może ich pan tak zostawić. Jest im pan potrzebny.

– Nie ma tu ze mnie pożytku – powiedziałem. – Wszystkie nadzieje są bezpodstawne.

– A jeżeli się okaże, że mają podstawy?

– Już się nic nie okaże. Za późno. Do tego czasu już byśmy coś wiedzieli.

– Ale gdyby jednak... a pan tak po prostu by odszedł...

– Sądzi pani, że o tym nie myślałem? Nie macie ze mnie żadnego pożytku, zapewniam panią. Moja obecność jest jak narkotyk, który wstrzykuje się choremu, żeby go trochę dłużej utrzymać przy życiu – żadnej wartości logicznej, tylko odwlekanie końca.

Przez kilka sekund nie odpowiadała. Potem odezwała się bardzo cicho:

– Życie jest bezcenne... nawet takie.

Prawie już nie panowała nad sobą.

Nie zdobyłem się na żadną odpowiedź. Dziewczyna z wysiłkiem odzyskała równowagę.

– Może pan pomóc nam przeżyć to wszystko. Zawsze jest jakaś szansa... choćby nikła, że coś się zdarzy, nawet teraz.

Powiedziałem już, co o tym myślę. Nie chciałem się powtarzać.

– Tak mi trudno – szepnęła jak gdyby do siebie. – Gdybym pana widziała... Ale oczywiście, gdybym mogła widzieć, tobym... Czy pan jest młody? Ma pan młody głos.

– Nie mam jeszcze trzydziestu lat – odparłem. – I jestem bardzo przeciętny.

– Ja mam osiemnaście. Tego dnia, kiedy nadleciała kometa… były moje urodziny.

Nie przychodziły mi na myśl żadne słowa, które nie byłyby okrutne. Milczenie się przedłużało. Dziewczyna z całych sił zaciskała dłonie. Potem opuściła ręce, kostki palców miała zupełnie białe. Otworzyła usta, jakby chciała coś powiedzieć, ale nie zdołała.

– O co chodzi? – spytałem. – Co więcej mogę zrobić, jak tylko to trochę odwlec?

Przygryzła wargę.

– Oni… oni mówią, że pan może czuje się osamotniony – powiedziała wreszcie. – Myślą, że może… – głos jej się załamał, kostki rąk bardziej zbielały – może gdyby pan miał kogoś… to znaczy kogoś tutaj, na miejscu… może by pan nie chciał nas porzucić. Może zostałby pan z nami?

– O Boże – szepnąłem cicho.

Patrzyłem na nią. Stała wyprostowana, tylko usta drżały jej lekko. Tłumy wielbicieli powinny by zabiegać o jej najlżejszy uśmiech. Powinna by jeszcze przez jakiś czas żyć wesoło i beztrosko… a potem zaznać szczęścia odwzajemnionej miłości. Życie powinno być dla niej czarowne, miłość pełna uroków…

– Pan byłby dla mnie dobry, prawda? – powiedziała. – Widzi pan, ja jeszcze…

– Niech pani przestanie! Niech pani przestanie! – zawołałem. – Nie wolno pani mówić takich rzeczy. Błagam, niech pani stąd idzie.

Nie odeszła. Stała, wpatrując się we mnie oczami, które mnie nie widziały.

– Niech pani stąd idzie! – powtórzyłem.

Nie mogłem znieść bólu, jaki sprawiał mi jej widok. Była nie tylko sobą – była uosobieniem tysięcy, milionów młodych istnień skazanych na śmierć...

Podeszła bliżej.

– Ależ pan płacze! – szepnęła.

Wahała się chwilę, w końcu zawróciła i po omacku ruszyła do drzwi. Kiedy już wychodziła, powiedziałem:

– Może im pani powiedzieć, że zostaję.

Pierwszym, co poczułem następnego dnia rano, był fetor. Tu i ówdzie czuło się go już przedtem, ale na szczęście było chłodno. Tego dnia zaspałem i obudziłem się dość późno, czując gorące promienie słońca. Nie będę się wdawał w szczegóły na temat fetoru – ci, którzy go poznali, nigdy go nie zapomną, dla innych jest nie do opisania. Buchał z każdego miasta i miasteczka przez długie tygodnie i niósł go każdy powiew wiatru. Tego ranka, kiedy się obudziłem, ów odór przekonał mnie ponad wszelką wątpliwość, że to koniec. Śmierć jest tylko wstrząsającym zakończeniem życia, dopiero rozkład jest czymś ostatecznym.

Przez kilka minut leżałem i zastanawiałem się. Pozostało mi tylko załadować swoich podopiecznych do ciężarówki i partiami przewieźć ich na wieś. A te wszystkie zapasy? Trzeba by je również załadować i wywieźć, a tylko ja mogę prowadzić... Potrwa to kilka dni – jeśli mamy jeszcze do dyspozycji kilka dni...

Na dobitkę niepokoiła mnie dziwna cisza panująca w budynku. Kiedy się wsłuchałem, posłyszałem tylko jakiś jęk w sąsiednim pokoju, poza tym absolutnie nic. Wstałem i ubrałem się szybko, zdjęty coraz silniejszym lękiem. Na schodach znów przystanąłem, żeby posłuchać. W całym domu nie było słychać niczyich kroków. Miałem obrzydliwe uczucie, że oto historia zatoczyła koło i znalazłem się z powrotem w szpitalu.

– Hej! Jest tam kto?! – zawołałem.

Odpowiedziało kilka głosów. Otworzyłem najbliższe drzwi. Leżał tam mężczyzna. Wyglądał bardzo źle i najwyraźniej majaczył. Nic tu nie mogłem pomóc. Zamknąłem drzwi.

Moje kroki odbijały się głośnym echem na drewnianych schodach. Na następnym piętrze kobiecy głos zawołał:

– Bill! Bill!

Leżała tam w małym pokoiku – dziewczyna, która była u mnie poprzedniego wieczoru. Kiedy wszedłem, zwróciła głowę w moją stronę. Ona też była chora.

– Nie podchodź za blisko – powiedziała. – Bo to przecież ty, Bill?

– Tak, to ja.

– Byłam tego pewna. Ty chodzisz swobodnie, reszta snuje się pod ścianami. Cieszę się, Bill. Mówiłam im, że zostajesz, ale oni twierdzili, że już odszedłeś. Teraz wszyscy pouciekali, wszyscy, którzy mogli się poruszać.

– Zaspałem – rzekłem. – Co się stało?

– Coraz więcej osób choruje. Przerazili się.

– Co mogę dla ciebie zrobić? – spytałem bezradnie. – Może coś podać?

Jej twarz się wykrzywiła, dziewczyna skuliła się cała, ściskając ramionami brzuch. Kiedy atak minął, na czole pozostały grube krople potu.

– Chcę cię o coś poprosić, Bill. Nie jestem zbyt odważna. Czy mógłbyś dać mi coś, żeby… żeby z tym skończyć?

– Tak – powiedziałem. – To mogę dla ciebie zrobić.

Po dziesięciu minutach wróciłem z apteki. Podałem jej szklankę wody, do drugiej ręki włożyłem tabletki.

Trzymała je przez chwilę.

– Wszystko na marne… – powiedziała – a mogło być zupełnie inaczej. Żegnaj, Bill, i dziękuję ci, że się starałeś nas uratować.

Patrzałem na leżącą nieruchomo postać. Było coś, co sprawiało, że serce ściskało mi się jeszcze bardziej – zastanawiałem się, ile dziewcząt powiedziałoby: „Weź mnie ze sobą", gdy ona prosiła tylko: „Zostań z nami".

A nawet nie znałem jej imienia.

Ewakuacja

Wciąż żywe wspomnienie o rudowłosym, który do nas strzelał, wpłynęło na mój wybór trasy do Westminsteru.

Od czasu, gdy miałem szesnaście lat, moje zainteresowanie bronią palną osłabło, ale jasne było, że w otoczeniu powracającym szybko do stanu dzikości albo muszę także reagować jak dzikus, albo w niedługim czasie mogę w ogóle przestać na cokolwiek reagować. Pamiętałem, że przy St James's Street było kilka sklepów, w których z największą uprzejmością sprzedawano klientom wszelkiego rodzaju mordercze narzędzia, poczynając od małokalibrowych flowerów, a kończąc na sztucerach do polowania na słonie.

Wyjeżdżałem stamtąd zabezpieczony przed nieprzewidzianymi wypadkami, ale zarazem czując się trochę jak bandyta. Miałem znów za pasem doskonały nóż myśliwski. W mojej kieszeni spoczywał pistolet dorównujący precyzją najczulszemu mikroskopowi. Na siedzeniu obok leżała nabita dwunastka i stos pudełek z nabojami. Wolałem śrutówkę od karabinu – huk jest równie przekonujący, natomiast śrut ucina tryfidowi wierzchołek z pewnością, jaką rzadko osiąga kula. Tryfidy zaś teraz widać już było w centrum Londynu. Wciąż w miarę możności unikały ulic, zauważyłem jednak kilka kuśtykających przez Hyde Park i sporo innych w Green Parku. Mogły to być trzymane dla ozdoby, nieszkodliwe okazy z przyciętymi wiciami, ale mogło też być inaczej.

Dojechałem w końcu do Westminsteru.

Tutaj jeszcze wyraźniej niż gdzie indziej wyczuwało się, że nastąpił już nieodwracalny koniec. Na ulicach wszędzie stały porzucone samochody. Ludzi prawie nie było widać. Dostrzegłem tylko trzy poruszające się osoby. Dwie, postukując laskami, sunęły skrajem jezdni Whitehallu, trzecia znajdowała się na Parliament Square. Był to mężczyzna.

Siedział w pobliżu pomnika Lincolna, przyciskając do piersi najdroższy skarb: połeć bekonu, od którego tępym nożem odkrawał poszarpane paski.

Na tle nieba rysował się gmach parlamentu. Wskazówki zegara zatrzymały się trzy minuty po szóstej. Trudno było uwierzyć, że wszystko to nic już nie znaczy, że jest to tylko pretensjonalna zbieranina różnych kamieni, które będą teraz wietrzały w spokoju. Skruszałe wieże runą w końcu na taras, ale nie będzie już oburzonych posłów protestujących przeciw niebezpieczeństwu grożącemu ich bezcennym osobom. W tych salach, z których ongiś rozbrzmiewały na cały świat przemówienia pełne dobrych zamiarów lub żałosnych wykrętów, z czasem zapadną się dachy, a nikt tego procesu nie powstrzyma ani nie będzie się nim przejmował. Z niezmąconym spokojem płynąca opodal Tamiza będzie tak płynąć aż do dnia, gdy rozpadnie się kamienne nabrzeże, woda zaleje wszystko dokoła i Westminster znów stanie się wyspą wśród bagnisk…

Spojrzałem w bok. Oto z cudowną wyrazistością rysowało się w niezadymionym powietrzu srebrzystoszare opactwo westminsterskie. Wielowiekowym pogodnym majestatem odcinało się od okalających je efemerycznych budowli. Wsparte na mocnych fundamentach stuleci może jeszcze przez stulecia zachowa pomniki tych, których dzieło ulegało teraz zniszczeniu.

Nie chciałem dłużej patrzeć. Kiedyś ludzie pewnie będą jeździli oglądać stare opactwo w romantycznej zadumie. Ale taki romantyzm jest zlepkiem tragedii z retrospekcją. Dla mnie wszystko to było jeszcze zbyt świeżej daty.

Ponadto opadło mnie obce mi dotychczas uczucie – lęk przed samotnością. Nie byłem sam od czasu, gdy szedłem ze szpitala Piccadilly, ale wtedy wszystko, co widziałem, było dla mnie czymś oszałamiająco nowym i nieznanym. Teraz po raz pierwszy doznałem przerażenia, jakim prawdziwa samotność napełnia przedstawiciela gatunku z natury swej towarzyskiego. Zdawało mi się, że jestem nagi, wydany na łup wszelkich okropności czyhających za każdym węgłem...

Zmusiłem się do tego, żeby uruchomić silnik i pojechać Victoria Street. Już sam warkot samochodu przyprawiał mnie o bicie serca. Miałem ochotę wysiąść z wozu i skradać się pieszo, zdać się tylko na własną przebiegłość, niczym zwierzę w dżungli. Musiałem użyć całej siły woli, żeby się opanować i trzymać obmyślonego z góry planu. Wiedziałem bowiem, co bym zrobił, gdyby wyznaczono mi ten rewir: brałbym prowiant z największego domu towarowego dzielnicy.

Przewidywania okazały się słuszne: dział spożywczy zaopatrzenia Wojsk Lądowych i Marynarki Wojennej ogołocono do cna, ale teraz już nie było tam żywej duszy.

Wyszedłem bocznymi drzwiami. Na chodniku kot obwąchiwał coś, co wyglądało jak kupa łachmanów, lecz nią nie było.

Spłoszyłem go, klaszcząc w dłonie. Spojrzał na mnie z wściekłością, a potem umknął.

Zza rogu wyłonił się mężczyzna. Z tryumfalną radością toczył przed sobą środkiem jezdni wielki ser. Kiedy usłyszał kroki, przytrzymał ser i usiadł na nim, groźnie wywijając laską. Wróciłem do samochodu, który zostawiłem na głównej ulicy.

Uznałem, że Josella najpewniej też urządziła swą bazę w jakimś hotelu. Przypomniałem sobie, że przy Victoria Station stoi ich kilka, tam więc pojechałem. Okazało się, że jest ich nieporównanie więcej, niż przypuszczałem. Kiedy już obszedłem ponad dwadzieścia i nie znalazłem żadnych śladów zorganizowanego życia, sprawa zaczęła wyglądać beznadziejnie.

Rozejrzałem się za kimś, kogo mógłbym zapytać. Była możliwość, że ktoś, kto jeszcze tu żyje, zawdzięcza to właśnie Joselli. Od przyjazdu do tej dzielnicy widziałem tylko kilka osób. Teraz nie było nikogo. W końcu jednak, przy rogu Buckingham Palace Road, natrafiłem na starą kobietę. Siedziała skulona na stopniach jakiegoś frontowego wejścia.

Połamanymi paznokciami szarpała puszkę, na przemian pochlipując i klnąc. Podszedłem do sklepiku nieopodal, znalazłem pół tuzina puszek fasoli oraz otwieracz do konserw i wróciłem do niej. Wciąż jeszcze na próżno obmacywała oporną puszkę.

– Niech pani to wyrzuci. To kawa – powiedziałem. Wsadziłem jej do ręki otwieracz i podałem puszkę fasoli.

– Proszę posłuchać – powiedziałem. – Czy wiadomo coś pani o młodej dziewczynie w tej okolicy? O dziewczynie, która widzi? Przypuszczalnie opiekowała się całą grupą.

Nie miałem wielkich nadziei, ale ktoś przecież musiał pomóc tej staruszce, skoro przeżyła dłużej od innych. Nie wierzyłem swemu szczęściu, kiedy skinęła głową.

– Tak – powiedziała, wprawiając w ruch otwieracz.

– Wie pani coś o niej! Gdzie ona jest? – spytałem. Nawet nie przeszło mi przez myśl, że może to być kto inny niż Josella.

Ale stara pokręciła głową.

– Nie wiem. Byłam jakiś czas w tej grupie, ale ich zgubiłam. Taka stara kobieta jak ja nie może nadążyć za młodymi, więc ich zgubiłam. Nie chcieli czekać na biedną staruszkę i już ich potem nie mogłam znaleźć. – Nadal w skupieniu prowadziła ostrze otwieracza po wieczku puszki.

– Gdzie ona mieszka? – zapytałem.

– Byliśmy wszyscy w hotelu. Nie wiem, gdzie to jest, bobym ich odszukała.

– Nie zna pani nazwy hotelu?

– A po co? Na co się zdadzą nazwy, jak nie można ich przeczytać?

– Ale coś pani chyba zapamiętała.

– Nie, nic.

Podniosła puszkę i przezornie powąchała zawartość.

– Niech mnie pani posłucha – powiedziałem ozięble. – Pani chce zatrzymać te puszki, tak?

Zrobiła ruch ręką, jakby chciała je wszystkie przygarnąć do siebie.

– Więc niech mi pani lepiej powie wszystko, co pani wie o tym hotelu – ciągnąłem dalej. – Musi pani na przykład wiedzieć, czy jest duży, czy mały.

Zastanowiła się, wciąż obejmując ramieniem puszki.

– Na dole było niby, no echo… jakby sala była duża. No i było bardzo elegancko: miękkie dywany, wygodne łóżka, cienkie prześcieradła.

– Nic więcej pani nie pamięta?

– Nie, chyba nic… Ale tak, owszem. Przed wejściem były dwa małe schodki i wchodziło się przez takie kręcone drzwi.

– To już lepiej – stwierdziłem. – Jest pani tego pewna? Bo jeżeli nie znajdę hotelu, to znów znajdę panią.

– Jak Boga najświętszego kocham, proszę pana. Dwa małe schodki i kręcone drzwi.

Pogrzebała w zniszczonej torbie, wyciągnęła brudną łyżkę i zaczęła zajadać fasolę, jakby to był rajski przysmak.

Jak się okazało, w pobliżu było jeszcze więcej hoteli, niż sądziłem, a zdumiewająca ich liczba miała obrotowe drzwi. Ale nie dawałem za wygraną. Kiedy wreszcie trafiłem do właściwego, nie miałem najmniejszych wątpliwości, że to ten. Ślady i odór były mi aż nadto dobrze znane.

– Jest tam kto?! – zawołałem w wielkim holu, aż poniosło się echo. Miałem już pójść dalej, kiedy z kąta dobiegł mnie jęk. W ciemnej niszy leżał na kanapce mężczyzna. Mimo półmroku od razu było widać, że niewiele mu pozostało życia. Nie podchodziłem za blisko. Mężczyzna otworzył oczy. Przez moment myślałem, że widzi.

– Ktoś tu jest? – spytał.

– Tak, chciałem…

– Wody… – jęknął. – Na litość boską, dajże mi trochę wody…

Podszedłem do jadalni i znalazłem za nią bufet. Krany były suche.

Wylałem do wielkiego dzbanka dwa syfony wody sodowej i wraz z kubkiem zaniosłem choremu. Postawiłem dzban i kubek tak, aby mógł do nich sięgnąć.

– Dziękuję, przyjacielu – powiedział. – Poradzę sobie. Trzymaj się ode mnie z daleka.

Zanurzył kubek w dzbanie i osuszył go do dna.

– Rany – westchnął – ale mi było tego potrzeba! – Następnie powtórzył całą czynność. – Co tu robisz, bracie? Tu niezdrowo wchodzić, wiesz.

– Szukam dziewczyny… dziewczyny, która widzi. Na imię ma Josella. Jest tutaj?

– Była tutaj. Ale się spóźniłeś, przyjacielu.

Przeszyło mnie nagłe podejrzenie.

– Czyżby… Chcesz powiedzieć…

– Nie. Uspokój się, bracie. Ona się nie zaraziła. Po prostu odeszła. Tak samo jak wszyscy, co mogli jeszcze chodzić.

– Dokąd poszła, nie wiesz?

– Pojęcia nie mam.

– Rozumiem – powiedziałem zgnębiony.

– Ty też idź już stąd, bracie. Jak się tu za długo będziesz obijał, zostaniesz na dobre, tak jak ja.

Miał rację. Stałem, patrząc na niego.

– Może jeszcze coś ci podać?

– Nie. To mi wystarczy. Czuję, że już niedługo nic mi nie będzie potrzeba. – Milczał chwilę, po czym dodał: – Żegnaj, bracie, i dziękuję. A jeżeli ją znajdziesz, pilnuj jej, bo to dobra dziewczyna.

Kiedy nieco później posilałem się szynką z puszki i butelką piwa, przypomniałem sobie, że nie zapytałem chorego mężczyzny, kiedy Josella odeszła, doszedłem jednak do wniosku, że w tym stanie nie orientował się najlepiej w upływie czasu.

Jedynym miejscem, gdzie miałem nadzieję się jeszcze czegoś dowiedzieć, był uniwersytet. Przypuszczałem, że Josella też mogła się tam udać. Być może wrócili tam również inni członkowie naszej rozproszonej grupy, by znów do niej dołączyć. Niewielka na to była wprawdzie nadzieja, bo rozsądek zapewne dawno już im kazał opuścić Londyn.

Dwie flagi wciąż zwisały z wieży, nieruchome w ciepłym przedwieczornym powietrzu. Spośród dwudziestu kilku ciężarówek zgromadzonych na dziedzińcu cztery wciąż jeszcze tam stały, najwidoczniej pozostawione wraz z ładunkiem.

Zaparkowałem samochód obok nich i wszedłem do gmachu. Moje kroki niosły się wśród ciszy.

— Halo! Hej! — wołałem. — Jest tam kto?!

Głos odbijał się echem w korytarzach i na klatkach schodowych, przechodząc w szept i w końcu zamierając. Podszedłem do drzwi innego skrzydła i znowu zawołałem. Raz jeszcze echo zamarło po chwili, rozsiewając się miękko niczym kurz. I dopiero kiedy zawróciłem, dostrzegłem napis kredą na ścianie obok drzwi wejściowych. Wielkimi literami nakreślono tu jedynie adres:

DWÓR TYNSHAM
TYNSHAM
koło DEVIZES, WILTS.

To już było coś.

Wpatrywałem się w adres, wytężając myśli. Za godzinę będzie już ciemno. Do Devizes jest co najmniej sto mil, może nawet więcej. Wyszedłem znów na dziedziniec i dokładnie obejrzałem ciężarówki. Jedna z nich była ostatnią, którą przyprowadziłem; to w niej umieściłem moją wzgardzoną przez wszystkich broń na tryfidy. Pamiętałem, że resztę ładunku stanowi bardzo przydatny asortyment żywności i przedmiotów pierwszej potrzeby. Znacznie lepiej będzie przyjechać z takimi zapasami niż z pustymi rękami samochodem osobowym. Ale nie było szczególnego powodu do pośpiechu, a nie miałem ochoty prowadzić wielkiej wyładowanej ciężarówki w nocy po nieoświetlonych drogach, gdzie mogą czyhać przeróżne niebezpieczeństwa. Gdybym się miał wywrócić, co było najzupełniej możliwe, straciłbym więcej czasu na znalezienie innej ciężarówki i przeniesienie do niej ładunku, niż go stracę, spędzając tę jedną noc tutaj. Znacznie lepiej będzie wyruszyć o świcie. Przeniosłem pudełka z nabojami do szoferki, żeby mieć je później pod ręką. Strzelbę zatrzymałem przy stole.

Odnalazłem pokój, z którego wybiegłem na alarm. Był w tym samym stanie, w jakim go opuściłem: moje ubranie leżało na krześle, nawet papierośnica i zapalniczka znajdowały się na tym samym miejscu przy moim zaimprowizowanym łożu.

Za wcześnie jeszcze było, żeby się położyć spać. Zapaliłem papierosa, schowałem papierośnicę do kieszeni i postanowiłem wyjść na zewnątrz.

Zanim wszedłem do ogrodu przy Russel Square, przyjrzałem mu się uważnie. Wszelkie tereny zielone budziły teraz we mnie nieufność. I rzeczywiście, dostrzegłem jednego tryfida. Krył się w północno-zachodnim kącie. Trwał w całkowitym bezruchu, był jednak znacznie wyższy od otaczających go zarośli. Podszedłem bliżej i jednym strzałem rozwaliłem mu czubek na strzępy. Odgłos strzału w zalegającej wokół ciszy rozbrzmiał tak, jakbym wystrzelił z armaty. Upewniwszy się, że w pobliżu nie czają się inne tryfidy, wszedłem do ogrodu i usiadłem, opierając się plecami o drzewo.

Siedziałem tak około dwudziestu minut. Słońce chyliło się ku zachodowi i połowę placu okrywał cień. Pomyślałem, że niedługo trzeba będzie wracać do budynku. Przy świetle mogłem się bronić, po ciemku mogło się coś do mnie podkraść. Rozpocząłem już drogę powrotną do czasów pierwotnych. Wkrótce będę pewnie na wzór swoich odległych przodków spędzał nocne godziny w ustawicznym lęku, wpatrując się nieufnie w mrok zasnuwający wejście do jaskini. Zatrzymałem się tylko, żeby jeszcze raz ogarnąć spojrzeniem Russel Square, jak gdyby to była strona podręcznika historii, której treść muszę zapamiętać, nim ją przewrócę. A gdy tak stałem, dobiegł mnie szelest kroków na żwirowej drodze, ledwie dosłyszalny dźwięk, w tej ciszy jednak donośny jak łoskot koła młyńskiego.

Obróciłem się, trzymając strzelbę w pogotowiu. Robinson z pewnością nie był bardziej zaskoczony widokiem śladu ludzkiej stopy niż ja odgłosem kroków, gdyż nie wyczuwało się w nich wahania człowieka ślepego. W zapadającym zmierzchu mignęła mi poruszająca się postać. Gdy weszła do ogrodu, dostrzegłem, że to mężczyzna. Widocznie zobaczył mnie, nim jeszcze go usłyszałem, bo zmierzał prosto do mnie.

– Nie ma potrzeby strzelać – powiedział, rozkładając puste ręce. Poznałem go, dopiero gdy podszedł na odległość kilku kroków. On też mnie poznał.

– A, to ty – powiedział.

Wciąż trzymałem strzelbę w pogotowiu.

– Cześć, Coker. O co chodzi? Chcesz, żebym wziął udział w jakimś nowym przedsięwzięciu? – spytałem.

– Nie. Możesz odłożyć tę pukawkę. I tak robi za dużo hałasu. Dzięki niej cię znalazłem. Nie – powtórzył – mam już dość. Zabieramy się stąd.

– Ja też – odparłem, opuszczając strzelbę.

– Co się stało z twoją gromadą?

Opowiedziałem mu. Pokiwał głową.

– To samo z moją. I pewnie z innymi. No, ale się przynajmniej staraliśmy…

– W niewłaściwy sposób – powiedziałem.

Znów pokiwał głową.

– Tak – przyznał – twoja paczka od początku chyba miała rację… tylko tydzień temu to wszystko wydawało się niesłuszne.

– Sześć dni temu – powiedziałem.

– Tydzień – powiedział.

– Nie, jestem pewien… zresztą co za różnica? – powiedziałem. – Ale w tych warunkach co ty na to, żebyśmy ogłosili amnestię i zaczęli wszystko od nowa?

Zgodził się od razu.

– Myliłem się – powtórzył. – Myślałem, że tylko ja traktuję sprawę poważnie... ale traktowałem ją nie dość poważnie. Nie mogłem uwierzyć, że tak już zostanie, że znikąd nie nadejdzie pomoc. A teraz spójrz tylko na to wszystko! I pewnie tak samo jest wszędzie: Europa, Azja, Ameryka... Pomyśleć tylko, że Amerykę też to spotkało! Ale musiało ją spotkać. W przeciwnym razie Amerykanie byliby już tutaj, nieśliby pomoc, staraliby się doprowadzić wszystko do porządku – tacy już są. Tak, twoja paczka od początku lepiej się orientowała w sytuacji.

Zamyśliliśmy się. Po chwili zapytałem:

– Ta choroba, zaraza, jak myślisz, co to jest?

– Pojęcia nie mam, bracie. Myślałem, że to tyfus, ale ktoś powiedział, że tyfus dłużej się rozwija, więc już nie wiem. Nie wiem też, dlaczego się nie zaraziłem – tyle tylko, że mogłem trzymać się z daleka od chorych, no i uważałem na to, co jem. Jadłem tylko konserwy, które sam otwierałem, i piłem butelkowe piwo. W każdym razie, chociaż dotychczas miałem szczęście, nie mam ochoty obijać się tu dłużej. A ty dokąd chcesz jechać?

Powiedziałem mu o adresie wypisanym kredą na ścianie. Nie widział go jeszcze. Szedł właśnie do budynku uniwersytetu, kiedy mój wystrzał kazał mu najpierw rozejrzeć się ostrożnie po okolicy.

– Ten adres... – zacząłem i urwałem raptownie. Z którejś ulicy na zachód od nas dobiegł warkot zapuszczanego silnika. Samochód szybko dodał gazu i warkot ucichł w oddali.

– No, przynajmniej ktoś jeszcze pozostał – powiedział Coker. – No i ten, co napisał adres. Nie domyślasz się, kto to mógł być?

Wzruszyłem ramionami. Należało przypuszczać, że to ktoś z grupy schwytanych przez Cokera albo że adres napisała osoba widząca, której Coker i jego towarzysze nie złapali. Nie sposób było określić, od jak dawna ten adres tam był. Coker zastanowił się.

– We dwóch będzie nam raźniej. Pojadę z tobą i zobaczę co i jak. Dobra?

– Dobra – zgodziłem się. – A teraz powinniśmy pójść spać i wyruszyć o świcie.

Coker spał jeszcze, kiedy się obudziłem i ubrałem. Było mi znacznie wygodniej w stroju sportowym i trekkingowych butach niż w zwykłym garniturze, który dali mi jego ludzie. Gdy wróciłem z torbą wybranych paczek i puszek, Coker również był ubrany. Przy śniadaniu postanowiliśmy, że każdy z nas poprowadzi wyładowaną ciężarówkę, zamiast jechać razem w jednej. Widząc dwie ciężarówki pełne zapasów, mieszkańcy Tynsham z pewnością przywitają nas życzliwiej.

– Uważaj tylko, żeby okna szoferki dobrze się zamykały – ostrzegłem Cokera. – Dookoła Londynu jest wiele szkółek tryfidów, zwłaszcza na zachód od miasta.

– Mhm... Widziałem już kilka tych paskudztw – rzucił zdawkowo.

– Ja też już je widziałem, i to w akcji – odparłem.

Przy pierwszej napotkanej stacji benzynowej wyłamaliśmy zamek pompy i zatankowaliśmy paliwo. Potem ruszyliśmy na zachód z moją trzytonówką na przedzie, a na milczących ulicach robiliśmy taki hałas jak kolumna czołgów.

Jazda była uciążliwa. Co kilkadziesiąt jardów trzeba było objeżdżać jakiś porzucony pojazd. Niekiedy dwa lub trzy razem tarasowały drogę, musieliśmy więc zwalniać i ostrożnie spychać jeden z nich na bok. Bardzo niewiele samochodów było rozbitych. Ślepota widocznie następowała u kierowców dość szybko, lecz nie dość, by nagle tracili panowanie nad kierownicą. Z reguły mieli jeszcze czas zjechać na pobocze, nim się zatrzymali. Gdyby katastrofa zdarzyła się w dzień, główne arterie stałyby się nie do przebycia i wydostanie się ze śródmieścia bocznymi ulicami zabrałoby nam na pewno kilka dni, spędzonych przeważnie na cofaniu się przed zwartą gęstwą pojazdów i szukaniu objazdu. Po pewnym czasie przekonałem się jednak, że posuwamy się naprzód nie tak wolno, jak mi się zdawało, a kiedy kilka mil dalej zauważyłem przy szosie przewrócony samochód, zdałem sobie sprawę, że jesteśmy już na trasie, którą przed nami jechali inni i częściowo ją dla nas oczyścili.

Wreszcie znaleźliśmy się poza granicami Londynu. Zatrzymałem wóz i podszedłem do Cokera. Kiedy wyłączył silnik, zwarła się wokół nas gęsta, nienaturalna cisza, przerywana tylko niekiedy ledwie słyszalnym dźwiękiem metalu. Zorientowałem się naraz, że od wyjazdu nie widziałem ani jednego żywego stworzenia prócz kilku wróbli. Coker wyskoczył z szoferki. Stał pośrodku szosy, nasłuchując i rozglądając się wkoło.

A dalej ciągnie się przed nami
Pustka wieczności bezgraniczna...

– wyszeptał.

Spojrzałem na niego. Wyraz twarzy miał poważny, był zamyślony, ale w odpowiedzi na moje spojrzenie uśmiechnął się łobuzersko.

– Może wolisz Shelleya? – spytał.

Jam Ozymandias jest, król królów. Memu dziełu
Przyjrzyjcie się, potężni, i zapłaczcie!

– Chodź, poszukamy czegoś do zjedzenia.

— Coker — powiedziałem, gdy kończyliśmy posiłek, siedząc na ladzie jakiegoś sklepu i smarując biszkopty dżemem — nie mogę cię rozgryźć. Kim jesteś? Za pierwszym razem, kiedy cię zobaczyłem, perorowałeś — daruj to słowo — żargonem agitatora z doków. Teraz cytujesz mi Shelleya. Nic z tego wszystkiego nie rozumiem.

Uśmiechnął się znowu.

— Sam tego dobrze nie rozumiem i nigdy nie rozumiałem — powiedział. — To dlatego, że jestem kimś w rodzaju mieszańca — taki człowiek nigdy nie wie dokładnie, kim jest. Moja matka też nie wiedziała, w każdym razie nie potrafiła nic udowodnić i miała do mnie pretensję o to, że nie mogła dostawać na mnie alimentów. Więc już jako dziecko stałem się zgorzkniały, no i kiedy skończyłem szkołę, zacząłem chodzić na zebrania — było mi właściwie obojętne, co to za zebrania, byle na nich przeciw czemuś protestowano. W rezultacie poznałem ludzi, którzy na te zebrania przychodzili. Uważali chyba, że jestem dość zabawny. W każdym razie zabierali mnie ze sobą na różne artystyczno-polityczne przyjęcia. Po pewnym czasie miałem już dość tego, że jestem zabawny i że moi towarzysze śmieją się po trosze ze mnie, kiedy mówię, co myślę. Zrozumiałem, że potrzeba mi ich wiedzy, żebym ja też mógł się z nich naśmiewać, zacząłem więc chodzić na kursy wieczorowe i uczyć się ich sposobu mówienia, żeby go w razie potrzeby używać. Mnóstwo ludzi nie zdaje sobie sprawy, że aby ktoś nas traktował poważnie, trzeba do niego przemawiać jego własnym językiem. Jeżeli mówisz jak prostak, a cytujesz przy tym Shelleya, ludzie uważają, że jesteś przekomiczny, coś jak tresowana małpa, ale nie zwracają najmniejszej uwagi na to, co mówisz. Trzeba do nich mówić tym językiem, który mają zwyczaj brać poważnie. To samo się zresztą dzieje, jeśli sprawę odwrócić. Połowa tego, co mówią politycy z inteligencji do robotników, nie dociera do słuchaczy —

nie dlatego, że to dla robotnika za trudne, tylko dlatego, że robotnicy słuchają przede wszystkim sposobu mówienia, intonacji i nie traktują serio całego tego gadania, bo jest zbyt wymyślne i odmienne od zwykłej, powszedniej mowy. Doszedłem więc do wniosku, że muszę się stać dwujęzyczny i używać właściwego języka we właściwym miejscu – a niekiedy odwrotnie: niewłaściwego języka w niewłaściwym miejscu, i to raptem, ni stąd, ni zowąd. Nie masz pojęcia, jakie to robi wrażenie. Angielski układ kastowy to cudowna rzecz. Z czasem zostałem zawodowym mówcą i wcale nieźle mi się powodziło. Nie miałem oczywiście stałej posady, ale praca była ciekawa i bardzo urozmaicona. Wilfred Coker. Przemawianie na zebraniach. Temat obojętny. Oto mnie masz.

– Co to znaczy: temat obojętny? – spytałem.

– No, po prostu dostarczam słowa mówionego, tak jak zecer dostarcza słowa drukowanego. Nie mam obowiązku wierzyć we wszystko, co się składa czy drukuje.

Dałem temu na razie spokój.

– Jak to się stało, że nie dotknął cię ten kataklizm? – spytałem. – Nie byłeś chyba w szpitalu?

– Ja? Skądże. Tak się po prostu złożyło, że przemawiałem na zebraniu protestacyjnym przeciwko stronniczości policji w drobnej sprawie pewnego strajku. Zaczęliśmy około szóstej po południu, a już koło pół do siódmej policjanci sami przyjechali, żeby nas rozpędzić. Natrafiłem na dogodną klapę w podłodze i wskoczyłem do piwnicy. Oni też tam zeszli, żeby rzucić okiem, ale nie znaleźli mnie, bo się ukryłem w stosie wiórów. Tupali jeszcze jakiś czas na górze, po czym wszystko ucichło. Ale ja się stamtąd nie ruszałem. Nie miałem zamiaru wpaść w sprytnie zastawioną pułapkę. Było mi na tych wiórach wcale wygodnie, więc zasnąłem. Dopiero rano, gdy zacząłem ostrożnie badać sytuację, odkryłem, co się stało. – Umilkł na chwilę. – Cóż, wszystko już skończone i nie wygląda na to, żeby miał być znów popyt na moje specyficzne zdolności – dodał.

Nie zaprzeczyłem. Dokończyliśmy posiłek. Coker zsunął się z lady.

– Chodźmy. Trzeba ruszać. „Świeże pastwiska, nowe pola nas czekają”*, jeśli zależy ci na jeszcze jednym cytacie.

– Cytat stosowny, ale nieścisły – odparłem. – „Lasy”, nie „pola”.

Zmarszczył brwi z namysłem.

– Niech mnie drzwi ścisną, bracie, masz rację – przyznał.

Na wzór Cokera, który odzyskał już humor, ja też zacząłem się otrząsać z przygnębienia. Krajobraz wiejski budził we mnie coś na kształt nadziei. Wprawdzie nikt już nie uprzątnie tych młodych zielonych zasiewów, kiedy dojrzeją, i nikt nie zbierze owoców z drzew; nigdy już nie będzie tutaj tak ładnie i porządnie jak dzisiaj, ale mimo wszystko te obszary na swój sposób przetrwają – w przeciwieństwie do zamarłych na wieki, jałowych miast. Można tu znaleźć miejsce do pracy, skrawek ziemi, który się będzie uprawiać, można tu sobie stworzyć jakąś przyszłość. Moja egzystencja w ostatnim tygodniu wydała mi się teraz egzystencją szczura żywiącego się okruchami i grzebiącego w śmietnikach. Gdy patrzyłem na rozpościerające się pola, wciąż rosła we mnie otucha.

Miejscowości na naszej trasie, miasta takie jak Reading lub Newbury, przywracały na jakiś czas londyński nastrój, ale były to już tylko drobne załamania wznoszącej się linii odrodzenia.

Ludzki umysł nie potrafi wytrwać w tragicznym nastroju, przypomina pod tym względem Feniksa. Właściwość ta bywa

* John Milton (1608–1674) „Sonety”.

pożyteczna lub szkodliwa, lecz jest nieodłącznym składnikiem woli życia. To ta właściwość sprawiła, że mogliśmy się wdać w dwie wyniszczające nas i osłabiające wojny jedna po drugiej. Lecz jest ona zarazem niezbędną częścią naszego mechanizmu i dzięki niej tylko przez krótki czas możemy płakać i rozpaczać z powodu nawet najgorszego nieszczęścia – potem, żeby żyć, musimy się pogodzić z losem. Pod błękitnym niebem, po którym nieliczne obłoki żeglowały niby napowietrzne góry lodowe, wspomnienie o miastach straciło grozę, a świadomość, że mimo wszystko żyjemy, działała orzeźwiająco jak świeży podmuch wiatru. Nie staram się usprawiedliwić, chcę tylko wyjaśnić, czemu raz po raz ze zdumieniem łapałem się na tym, że śpiewam, prowadząc ciężarówkę.

Zatrzymaliśmy się w Hungerford, żeby zdobyć żywność i zatankować. Uczucie wyzwolenia wciąż narastało, gdy jechaliśmy mila za milą przez na pozór niezmienione tereny. Nie wydawały się jeszcze opuszczone, lecz tylko śpiące, choć zarazem nam życzliwe. Nawet widok trafiających się grupek tryfidów sunących chybotliwym krokiem przez pole lub pojedynczych okazów odpoczywających z korzeniami zanurzonymi w ziemi nie psuł mi humoru. Były teraz znowu jedynie przedmiotami mojego zawodowego zainteresowania, chwilowo w zawieszeniu.

Przed Devizes znów się zatrzymaliśmy, żeby spojrzeć na mapę. Nieco dalej skręciliśmy w boczną drogę i wjechaliśmy do wsi Tynsham.

Tynsham

Było mało prawdopodobne, aby ktokolwiek mógł nie zauważyć dworu Tynsham. Za kilkoma domkami składającymi się na wioskę biegł tuż przy szosie wysoki mur okalający majątek. Jechaliśmy więc, aż ujrzeliśmy masywną bramę z kutego żelaza. Za bramą stała młoda kobieta, na której twarzy malowała się surowa powaga odpowiedzialności przesłaniająca wszelkie ludzkie uczucia. Kobieta uzbrojona była w dubeltówkę i ściskała ją kurczowo w najzupełniej niewłaściwych miejscach. Dałem znak Cokerowi, żeby się zatrzymał, i hamując, zawołałem do niej. Poruszyła ustami, ale ani jedno słowo nie przebiło się przez warkot silnika. Wyłączyłem silnik.

– Czy to dwór Tynsham? – zapytałem.

Kobieta nie zamierzała zdradzać żadnych tajemnic.

– Skąd jedziecie? I ilu was jest? – spytała zamiast odpowiedzi.

Wolałbym, żeby się nie obchodziła ze strzelbą tak niewprawnie. Mając wciąż na oku jej niespokojne palce, wyjaśniłem zwięźle, kim jesteśmy, dlaczego przyjechaliśmy, z grubsza co wieziemy, zapewniłem ją również, że nikt więcej nie ukrywa się w ciężarówkach. Wątpiłem, czy mi uwierzyła. Wypatrywała się we mnie z ponurym namysłem właściwym raczej psom gończym, ale i u nich dość niepokojącym. Moje słowa nie rozproszyły wcale tej wszechogarniającej podejrzliwości, która sprawia, że osoby bardzo sumienne są zwykle tak męczące. Kiedy wyszła z bramy, żeby zajrzeć do krytych ciężarówek i zweryfikować prawdziwość moich twierdzeń, życzyłem jej w myśli, dla jej własnego dobra, by nie trafiła przypadkiem na kogoś, co do kogo podejrzenia okazałyby się słuszne. Nie mogła oczywiście powiedzieć wprost, że kontrola wypadła zadowalająco, gdyż osłabiłoby to jej autorytet jako osoby zaufanej i pełniącej ważną funkcję, w końcu jednak, choć wciąż z rezerwą, zgodziła się nas wpuścić.

– Skręt na prawo! – zawołała, gdy ją mijałem, po czym natychmiast się odwróciła, aby na dłużej nie spuszczać z oka bramy, którą powierzono jej pieczy.

Za krótką aleją wiązową rozpościerał się park uformowany na modłę końca osiemnastego wieku, obsadzony drzewami, które miały dość miejsca, aby osiągnąć pełnię wspaniałego rozwoju. Dom, który się wreszcie zza nich wynurzył, nie był pałacem w sensie architektonicznym, lecz imponował rozmiarami. Rozciągnął się na pokaźnej przestrzeni i prezentował mnogość stylów, jak gdyby żaden z jego poprzednich właścicieli nie mógł się oprzeć pokusie pozostawienia na nim osobistego piętna. Każdy z nich, szanując dzieło antenatów, zarazem poczytywał sobie za obowiązek dać wyraz duchowi swojej epoki. Ponieważ przy stawianiu każdej nowej przybudówki nie zważano na wysokość i płaszczyzny części już istniejących, całość sprawiała wrażenie chimerycznej przypadkowości. Był to niewątpliwie przezabawny dom, jednak pełen uroku, a przy tym solidny i mocny.

Skręt na prawo zaprowadził nas na obszerny dziedziniec, gdzie stało już kilka samochodów. Wokół dziedzińca ciągnęły się wozownie i stajnie zajmujące chyba kilka hektarów: Coker zatrzymał swą ciężarówkę obok mojej i wysiadł. Wokół nie było widać żywej duszy.

Weszliśmy przez otwarte tylne drzwi głównego budynku i ruszyliśmy długim korytarzem. Na końcu widać było olbrzymią kuchnię, skąd rozchodziło się ciepło i zapachy przyrządzanych potraw. Zza drzwi w głębi dobiegał szmer głosów i brzęk talerzy, ale musieliśmy przebyć jeszcze jeden ciemny korytarz i jeszcze jedne drzwi, nim dotarliśmy do celu.

Pomieszczenie, do którego weszliśmy, było, jak sądzę, salą jadalną dla służby w czasach, kiedy personel usługujący był dość liczny, aby można było używać tej nazwy. W każdym razie mogło się tu swobodnie zmieścić przy stołach ponad sto osób. Obecnych stołowników, siedzących na ławkach przy dwóch długich blatach wspartych na krzyżakach, nie było zapewne więcej niż sześćdziesięciu i na pierwszy rzut oka zauważyłem, że wszyscy są niewidomi. Siedzieli bardzo spokojnie i cierpliwie, gdy tymczasem kilka osób widzących uwijało się jak muchy w ukropie. Przy bocznym stole trzy dziewczyny zajęte były porcjowaniem ugotowanych kur. Podszedłem do jednej z nich.

– Przyjechaliśmy przed chwilą – powiedziałem. – Co mam robić?

Zatrzymała się, wciąż ściskając w ręce widelec, i grzbietem dłoni odrzuciła z czoła pasmo włosów.

– Byłoby dobrze, gdyby jeden z was zajął się jarzynami, a drugi pomógł przy talerzach – odrzekła.

Objąłem dowództwo nad dwoma wielkimi garami kartofli i kapusty.

W przerwach między nakładaniem porcji na talerze przyglądałem się obecnym. Joselli wśród nich nie było, nie dostrzegłem też nikogo z wybitniejszych członków grupy, która przedstawiła swój plan działania na zebraniu w gmachu uniwersytetu – chociaż zdawało mi się, że już widziałem twarze niektórych kobiet.

Odsetek mężczyzn był tu znacznie większy niż w tamtej grupie i stanowili oni dziwną zbieraninę. Było kilku londyńczyków, a w każdym razie mieszkańców miast, większość jednak miała na sobie ubrania, jakie noszą robotnicy rolni. Wyjątkiem z obu kategorii był niemłody pastor, poza tym zaś wszyscy mieli jedną cechę wspólną – byli ślepi.

Kobiety bardziej się między sobą różniły. Niektóre miały na sobie stroje miejskie, najzupełniej niestosowne w obecnych warunkach, reszta należała przypuszczalnie do miejscowej ludności. Z tych miejscowych jedna tylko dziewczyna widziała, lecz wśród przyjezdnych było sześć czy siedem kobiet widzących, a ponadto kilka takich, co choć ślepe, nie były nieporadne.

Coker również obserwował wszystkich uważnie.

– Dziwaczne towarzystwo – rzucił mi półgłosem. – Już ją widziałeś?

Pokręciłem przecząco głową, uświadamiając sobie ze smutkiem, że liczyłem na znalezienie tutaj Joselli znacznie bardziej, niż się przed sobą przyznawałem.

– To dziwne – odezwał się znów Coker – nie ma tu prawie nikogo z tych, których zgarnąłem razem z tobą – z wyjątkiem dziewczyny, która tam kroi mięso.

– Poznała cię? – zapytałem.

– Chyba tak. Spojrzała na mnie bardzo nieżyczliwie.

Kiedy zakończono roznoszenie i podawanie, wzięliśmy talerze dla siebie i znaleźliśmy sobie miejsce przy stole. Na kuchnię nie można było narzekać, zresztą żywienie się przez cały tydzień zimnymi konserwami potęguje uznanie dla sztuki kulinarnej. Pod koniec posiłku rozległo się pukanie w stół. Pastor wstał, zaczekał, aż się wszyscy uciszą, i powiedział:

— Przyjaciele, godzi się, abyśmy pod koniec jeszcze jednego dnia ponownie zanieśli podziękowania do Boga za to, że w niezmierzonym swym miłosierdziu raczył nas zachować wśród tak straszliwej klęski. Módlmy się wszyscy, aby zechciał zwrócić litościwe oko na tych, co wciąż błąkają się samotnie w ciemnościach, i skierował ich stopy tutaj, byśmy mogli im przyjść z pomocą. Błagajmy Go wszyscy, aby pozwolił nam wyjść cało ze wszystkich prób, co jeszcze nas czekają, i abyśmy w wyznaczonym przez Niego czasie i z Jego pomocą zdołali wziąć udział w odbudowie lepszego świata ku większej Jego chwale.

Tu pochylił głowę.

— Panie Boże Wszechmogący i Najmiłosierniejszy...

Po „amen" zaintonował hymn. Gdy modły zostały zakończone, zebrani podzielili się na grupki, w których każdy trzymał za rękę sąsiada. Cztery widzące dziewczyny wyprowadziły ich z sali.

Zapaliłem papierosa. Coker wziął ode mnie papierosa z taką miną, jakby myślami był gdzie indziej. Jedna z dziewczyn podeszła do nas.

— Pomożecie sprzątnąć? — spytała. — Panna Durrant pewno niedługo wróci.

— Panna Durrant? — powtórzyłem.

— Ona zajmuje się organizacją — wyjaśniła dziewczyna. — Będziecie mogli wszystko z nią załatwić.

Godzinę później, gdy było już prawie ciemno, powiedziano nam, że panna Durrant wróciła. Zastaliśmy ją w małym pokoju urządzonym jak gabinet, a oświetlonym tylko dwiema świecami stojącymi na biurku. Poznałem w niej od razu ciemnowłosą kobietę o wąskich ustach, która na zebraniu przemawiała w imieniu opozycji. Przez chwilę cała jej uwaga skupiła się na Cokerze. Jej twarz miała wyraz równie odpychający jak wtedy na zebraniu.

— Podobno — zaczęła ozięble, patrząc z odrazą na Cokera — podobno to pan zorganizował napad na gmach uniwersytetu?

Coker potwierdził i czekał, co dalej nastąpi.

— W takim razie powiem panu raz na zawsze, że my tutaj nie uznajemy brutalnych metod i nie zamierzamy ich tolerować.

Coker uśmiechnął się lekko. Odpowiedział swoim najpiękniejszym „inteligenckim" stylem:

— To zależy od punktu widzenia. Któż rozstrzygnie, czyje metody były bardziej brutalne? Tych, co oddali pierwszeństwo odpowiedzialności doraźnej i zostali, czy tych, co oddali pierwszeństwo odpowiedzialności bardziej dalekosiężnej i uciekli?

Panna Durrant wciąż patrzała na niego surowo. Nie zmieniła wyrazu twarzy, lecz najwidoczniej musiała zmienić zdanie o człowieku, z którym miała do czynienia. Nie spodziewała się po nim ani takiej odpowiedzi, ani takiego zachowania. Na razie więc odłożyła sprawę na bok i zwróciła się do mnie.

— Czy pan też brał udział w napadzie? — spytała.

Wyjaśniłem, że mój udział był poniekąd bierny, i z kolei zadałem pytanie:

— Co się stało z Michaelem Beadleyem, z pułkownikiem i resztą?

Pytanie nie zostało dobrze przyjęte.

— Pojechali gdzie indziej — odparła ostro. — Mamy tu zdrową, czystą społeczność, opierającą się na zasadach... na chrześcijańskich zasadach... i zamierzamy te zasady stosować na co dzień. Nie ma tu miejsca dla ludzi o niemoralnych poglądach. Dekadencja, rozwiązłość i brak wiary były przyczyną większości nieszczęść świata. Obowiązkiem tych spośród nas, których Bóg oszczędził, jest zadbać o to, abyśmy zbudowali społeczeństwo, w którym nic podobnego więcej już się nie zdarzy. Cynicy i ludzie przemądrzali przekonają się szybko, że ich tu nie chcemy, choćby głosili nie wiedzieć jak błyskotliwe teorie, usiłując zamaskować swoją rozwiązłość i swój materializm. Jesteśmy społecznością chrześcijańską i taką zamierzamy pozostać.

Spojrzała na mnie wyzywająco.

– A więc nastąpił rozłam? – spytałem. – Dokąd oni pojechali?

Odpowiedziała lodowato:

– Oni pojechali dalej, a my zostaliśmy tutaj. Tylko to jest istotne. Tak długo, jak nie starają się wywierać tutaj swego destrukcyjnego wpływu, mogą sobie zarabiać na wieczne potępienie według własnego uznania. A ponieważ wyobrażają sobie, że mogą lekceważyć prawa boskie i zwyczaje ludzi cywilizowanych, nie wątpię, że będą potępieni.

Zakończyła tę tyradę zaciśnięciem warg, oznaczającym, że stracę na próżno czas, jeśli będę ją dalej indagował, po czym zwróciła się znów do Cokera.

– Co pan umie robić? – zapytała.

– Różne rzeczy – odparł spokojnie. – Proponuję, żebym na razie robił wszystko, co się nadarzy, dopóki się nie przekonam, gdzie jestem najbardziej potrzebny.

Zawahała się, nieco zaskoczona. Miała bez wątpienia zamiar powziąć decyzję i wydać instrukcje, ale się rozmyśliła.

– Dobrze. Proszę się rozejrzeć i przyjść do mnie na omówienie jutro wieczorem – nakazała.

Ale Coker nie dał się zbyć tak łatwo. Zażądał szczegółowych informacji o wielkości majątku, liczbie osób mieszkających obecnie w domu, procentowym stosunku widzących do niewidomych oraz o wielu sprawach i informacje te uzyskał.

Zanim wyszliśmy, spytałem jeszcze o Josellę. Panna Durrant zmarszczyła brwi.

– Nazwisko jest mi chyba znajome. Ale skąd je mogę… Aha, czy ta pani brała udział w ostatniej kampanii wyborczej konserwatystów?

– Nie sądzę. Ona… w swoim czasie napisała książkę.

– Książkę… – zaczęła panna Durrant. Naraz sobie przypomniała. – Ach, to ta!… Doprawdy, panie Masen, trudno mi sobie wyobrazić, żeby odpowiadała jej społeczność, jaką tu budujemy.

Za drzwiami, na korytarzu, Coker zwrócił się do mnie. W półmroku błysnął jego łobuzerski uśmiech.

– Ortodoksja kwitnie w tej okolicy – zauważył. I już bez uśmiechu dodał: – Dziwna kobieta. Uosobienie pychy i przesądów. Potrzeba jej pomocy. Ona wie, że jej bardzo potrzeba pomocy, ale za nic w świecie do tego się nie przyzna.

Zatrzymał się przed otwartymi drzwiami. Było już zbyt ciemno, żeby rozróżnić coś w pokoju, ale gdy szliśmy w tamtą stronę, widzieliśmy, że to sypialnia mężczyzn.

– Zamienię słówko z tymi facetami. Do zobaczenia później.

Wszedł do pokoju i przywitał wszystkich ogólnym: „Cześć, brachy! Jak leci?”. Ja zaś wróciłem do jadalni.

Jedyne oświetlenie stanowiły tu trzy świece stojące obok siebie na stole. Tuż przy nich jedna z dziewczyn, mrużąc z wysiłkiem oczy, usiłowała coś cerować.

– Halo – powiedziała. – Okropne, co? W jaki sposób ludzie za dawnych czasów robili coś po zmroku?

– To nie takie znów dawne czasy – odparłem. – I nie tylko przeszłość, ale i przyszłość – oczywiście jeśli znajdzie się ktoś, kto nauczy nas robić świece.

– Tak sądzę. – Podniosła głowę i spojrzała na mnie. – Pan przyjechał dzisiaj z Londynu?

– Tak.

– Źle tam teraz?

– Tam jest już po wszystkim – powiedziałem.

– Musiał pan widzieć okropne rzeczy?

– Owszem – odparłem krótko. – Od kiedy pani tu jest?

Opowiedziała mi wszystko bez dalszej zachęty.

Po napadzie Cokera na uniwersytet pozostało tam tylko sześć osób widzących. Ona i panna Durrant należały do tych, których Cokerowi nie udało się schwytać. Następnego dnia panna Durrant objęła dowództwo, nie bardzo jednak sobie z tym zadaniem radziła. Nie mogło być mowy o natychmiastowym wyjeździe, gdyż tylko jedna osoba z sześciu próbowała kiedykolwiek prowadzić ciężarówkę. Przez ten dzień i większą część następnego stosunki między widzącymi a resztą gromady były zbliżone do stosunków między mną a moją grupą w Hampstead. Ale pod wieczór drugiego dnia wrócił Michael Beadley i dwaj inni członkowie grupy, a w nocy przyszło jeszcze kilku.

Do następnego popołudnia mieli już kierowców na tuzin pojazdów. Doszli do wniosku, że lepiej wyjechać od razu, niż czekać na niepewny powrót reszty.

Na pierwszy, próbny cel podróży wybrano dwór Tynsham, gdyż pułkownik znał go i twierdził, że jest dość obszerny i ustronny, wobec czego odpowiada wymogom.

Towarzystwo było niedobrane, a przywódcy zdawali sobie z tego sprawę. Nazajutrz po przybyciu do Tynsham odbyło się zebranie, mniej liczne, poza tym jednak identyczne z poprzednim, zwołanym w gmachu uniwersytetu. Michael i jego zwolennicy oznajmili, że za dużo jest do zrobienia, aby tracić energię na utrzymywanie spokoju w skłóconej grupie i walkę z zastarzałymi przesądami. Chodzi tu o sprawy zbyt doniosłe, a czas nagli. Florence Durrant zgodziła się z tym. Katastrofa, która spadła na świat, jest dostatecznym ostrzeżeniem, stwierdziła. Ona, panna Durrant, nie może zrozumieć, jak ktokolwiek może nie być wdzięczny za cudowne ocalenie i ponownie głosić wywrotowe teorie, które od stu lat podkopują fundamenty religii chrześcijańskiej. Ona w każdym razie nie zamierza żyć w społeczności, której jedna część będzie stale usiłowała niweczyć szczerą wiarę tych, co nie wstydzą się okazywać wdzięczności Bogu, przestrzegając Jego nakazów. Sama oczywiście rozumie całą powagę sytuacji. Ale najwłaściwiej będzie mieć wciąż w pamięci ostrzeżenie dane od Boga i niezwłocznie zwrócić się ku Jego naukom.

Rozłam, choć wyraźny, podzielił gromadę na bardzo nierówne części. Wśród stronników panny Durrant, jak się okazało, znalazło się tylko pięć dziewczyn widzących, dziesięć czy dwanaście ślepych, kilku starszych mężczyzn i kobiet, nie było jednak wśród nich ani jednego widzącego mężczyzny. W tych warunkach nie ulegało wątpliwości, że wyprowadzić musi się odłam Beadleya. Ciężarówek jeszcze nie rozładowano, toteż nie było powodu do zwłoki i wczesnym popołudniem grupa Beadleya odjechała, pozostawiając pannę Durrant i jej zwolenników własnemu losowi i szczytnym zasadom.

Aż do tej chwili brakowało czasu na zbadanie możliwości dworu i jego okolic. Główna część domu była zamknięta, ale w części przeznaczonej dla służby znaleziono ślady niedawnego pobytu ludzi. Inspekcja ogrodu warzywnego dała wyraźny obraz tego, co spotkało osoby sprawujące pieczę nad posiadłością. Wśród rozsypanych owoców leżały obok siebie zwłoki mężczyzny, kobiety i młodej dziewczyny. W pobliżu, z korzeniami w ziemi, czekały dwa tryfidy. Przy wzorowej farmie na odległym krańcu majątku panowała podobna sytuacja. Nie wiadomo, czy tryfidy dostały się do parku przez którąś otwartą bramę, czy też jakieś będące już przedtem na terenie posiadłości nieprzycięte okazy zerwały się z łańcuchów, w każdym razie stanowiły groźne niebezpieczeństwo i należało się z nimi rozprawić, zanim będą kolejne ofiary. Panna Durrant kazała jednej z widzących dziewczyn obejść mur i pozamykać wszystkie furtki i bramy, sama zaś włamała się do magazynu broni myśliwskiej. Mimo braku doświadczenia zdołała z jeszcze jedną młodą kobietą odstrzelić czubki wszystkim tryfidom, jakie znalazły, a było ich dwadzieścia sześć. Więcej tryfidów wewnątrz ogrodzenia nie widziano i miano nadzieję, że na terenie majątku już ich nie ma.

Nazajutrz przeszukano wieś. Okazało się, że jest tam dużo tryfidów. Z mieszkańców ocaleli tylko ci, którzy zamknęli się w swoich domostwach i postanowili egzystować jak długo się da, żywiąc się zapasami, albo też ci, co mieli dość szczęścia, by nie spotkać tryfidów podczas krótkich wypraw po prowiant. Wszystkich, których udało się znaleźć, zabrano do dworu. Byli zdrowi i w przeważającej części silni, ale na razie stanowili raczej obciążenie niż pomoc, gdyż ani jeden z nich nie widział.

W ciągu dnia przybyły jeszcze cztery młode kobiety. Dwie przyjechały, prowadząc na zmianę dobrze wyładowaną ciężarówkę, i przywiozły ze sobą ociemniałą dziewczynę. Czwarta przyjechała autem sama. Rozejrzawszy się pobieżnie, oznajmiła, że założenia tutejszej wspólnoty są mało ponętne, i ruszyła dalej. Spośród kilku osób, które przybywały w ciągu następnych dni, zostały tylko dwie. Były to same kobiety. Większość mężczyzn, jak się okazało, była bardziej bezwzględna, gdy chodziło o porzucenie oddziałów utworzonych przez Cokera, i wróciła w porę, aby się przyłączyć do pierwotnej grupy.

O Joselli dziewczyna nic mi nie potrafiła powiedzieć. Najwyraźniej nigdy nie słyszała jej nazwiska, a moje próby opisania panny Playton nie obudziły w niej żadnych wspomnień.

Kiedy jeszcze rozmawialiśmy, w pokoju nagle zapaliło się światło elektryczne. Dziewczyna uniosła głowę i spojrzała na płonące żarówki ze zbożnym zdumieniem człowieka, który jest świadkiem cudu. Zdmuchnęła świece, zabrała się znów do cerowania, ale raz po raz zerkała na lampy, jakby chcąc się upewnić, że nie zniknęły.

Po kilku minutach do pokoju wszedł z niewinną miną Coker.

— To pewnie twoja robota? — powiedziałem, wskazując głową lampy.

– Tak – przyznał. – Bo tu jest przecież generator. Lepiej zużyć paliwo, niż żeby miało się ulotnić.

– Chce pan powiedzieć, że przez cały czas, odkąd tu jesteśmy, mogliśmy mieć światło? – spytała dziewczyna.

– Gdybyście tylko zadali sobie trud wprawienia w ruch silnika – odparł Coker, wpatrując się w nią. – Jeżeli chcieliście mieć oświetlenie, czemu nie spróbowaliście go uruchomić?

– Nie miałam pojęcia, że tu jest jakiś generator, a poza tym nie znam się na silnikach ani na elektryczności.

Coker wciąż się w nią wpatrywał, jakby się nad czymś zastanawiając.

– Więc po prostu siedzieliście w ciemnościach – stwierdził. – A jak długo, pani zdaniem, utrzymacie się przy życiu, jeżeli będziecie po prostu siedzieli w ciemnościach, kiedy trzeba coś zdziałać?

Ton Cokera dotknął dziewczynę do żywego.

– Nie moja wina, że się nie znam na takich rzeczach.

– Nie zgodzę się z panią – oświadczył Coker. – To nie tylko pani wina, to wina, którą pani sama pogłębia. Co więcej, to obłudna poza. Uważa się pani za zbyt uduchowioną, aby znać się na jakiejś tam mechanice. Marna i bardzo niemądra forma próżności. Każdy człowiek zaczyna od tego, że nic o niczym nie wie, ale na to Bóg dał mu mózg, żeby się dowiedział. Niechęć do używania mózgu nie jest bynajmniej cnotą, lecz pożałowania godnym błędem.

Dziewczyna, rzecz zrozumiała, była zirytowana. Sam Coker również miał teraz wściekłą minę. Dziewczyna powiedziała:

– Wszystko to bardzo pięknie, ale umysł każdego człowieka pracuje na swój sposób. Mężczyźni znają się na maszynach i elektryczności. Kobiety z reguły się tymi sprawami nie interesują.

– Niech mi pani nie mydli oczu tą efektowną mitologią, bo

nie chcę tego słuchać – uciął Coker. – Wie pani doskonale, że kobiety potrafią, a raczej potrafiły obchodzić się z najbardziej skomplikowanymi i delikatnymi mechanizmami, jeżeli tylko zadały sobie trud zapoznania się z nimi. Ale na ogół biorąc, są zbyt leniwe, żeby zadać sobie ten trud, jeżeli nie są do tego zmuszone. Po co im takie kłopoty, skoro zgodnie z tradycją wzruszającą bezradność można przedstawić jako cnotę niewieścią, a całą pracę zwalić na kogoś innego? Zazwyczaj jest to poza, ale nikomu się nie chce nazwać rzeczy po imieniu. Powiem więcej, pielęgnuje się tę pozę. Mężczyźni popierają tradycyjną sytuację, naprawiając zepsuty odkurzacz kochanego biedactwa i sprawnie wymieniając przepalone korki. Cała ta zabawa odpowiada obu stronom. Praktyczne umiejętności mężczyzny stanowią uzupełnienie subtelności duchowej i czarującej zależności kobiety – toteż mężczyzna jest frajerem, który wykonuje brudną robotę.

Coker najwyraźniej zapalił się do tematu i rozprawiał dalej:

– Dotychczas mogliśmy sobie pozwolić na pobłażliwość wobec takiego lenistwa umysłowego i pasożytnictwa. Mimo trwającej od pokoleń gadaniny o równouprawnieniu płci zależność przyniosła kobietom zbyt wielkie korzyści, aby miały z niej zrezygnować. Poczyniły minimum niezbędnych ustępstw na rzecz zmienionych warunków życia, ale było to zawsze minimum, w dodatku czynione bardzo niechętnie. – Coker zrobił pauzę. – Nie zgadza się pani ze mną? Więc proszę wziąć pod uwagę, że zarówno kilkunastoletnia smarkula, jak i dojrzała intelektualistka, każda na swój sposób bardzo zręcznie wyzyskiwała rzekomo wyższą wrażliwość kobiecą, ale kiedy wybuchła wojna, niosąc ze sobą obowiązki społeczne i społeczną aprobatę, obydwie damy udało się wyszkolić na fachowych techników.

– Nie były dobrymi technikami – wtrąciła dziewczyna. – Wszyscy to mówią.

– Aha, mechanizm obronny zaczyna działać. Pozwoli pani zwrócić sobie uwagę, że takie gadanie leżało w interesie prawie wszystkich. Zresztą – przyznał – w jakiejś mierze odpowiadało to prawdzie. A dlaczego? Bo prawie wszystkie kobiety nie tylko musiały się uczyć w pośpiechu i bez właściwych podstaw, ale też wyzbyć się wpajanego im od wieków przekonania, że tego rodzaju zainteresowania są im obce i zbyt przyziemne dla ich subtelnej natury.

– Nie rozumiem, dlaczego akurat mnie pan atakuje – powiedziała dziewczyna. – Czy to ja jedna nie wprawiłam w ruch tego nieszczęsnego silnika? Jest nas tu więcej.

Coker uśmiechnął się nagle.

– Ma pani zupełną słuszność. Jestem niesprawiedliwy. Rozzłościło mnie po prostu, że znalazłem najzupełniej sprawny silnik, o którego uruchomieniu nikt w ogóle nie pomyślał. Zawsze mnie złości bezmyślna niezaradność.

– W takim razie powinien był pan powiedzieć to wszystko nie mnie, lecz pannie Durrant.

– Powiem, niech pani będzie spokojna. Ale to nie tylko jej sprawa. To także sprawa pani i wszystkich innych tutaj. Czasy zmieniły się bardzo radykalnie. Nie może pani już mówić: „Och, najdroższy, nie znam się na takich rzeczach" i czekać, aż mężczyzna coś za panią zrobi. Nikt już teraz nie będzie taki głupi, żeby nie odróżniać ignorancji od naiwności – chodzi o sprawy zbyt ważne. A ignorancja nie będzie już wzruszająca ani zabawna. Będzie niebezpieczna, bardzo niebezpieczna. Jeżeli czym prędzej nie weźmiemy się wszyscy w garść i nie nauczymy się mnóstwa rzeczy, którymi dotychczas się nie interesowaliśmy, to i z nami, i z tymi, którzy są od nas zależni, będzie bardzo krucho.

– Nie mam pojęcia, dlaczego wylewa pan swoją pogardę dla kobiet właśnie na mnie. A wszystko przez jakiś brudny stary silnik – powiedziała gniewnie.

Coker wzniósł oczy ku niebu.

— Wielki Boże! A ja tu tłumaczę, że kobiety obdarzone są wszelkimi zdolnościami i mogą robić wszystko, jeżeli tylko zadadzą sobie trud i użyją tych zdolności.

— Powiedział pan, że jesteśmy pasożytami. To bardzo nieładnie.

— Nie staram się prawić komplementów. A powiedziałem tylko, że w świecie, który przestał istnieć, odgrywanie roli pasożytów było dla kobiet z korzyścią.

— Wszystko to dlatego, że ja akurat nie znam się na jakimś cuchnącym, hałaśliwym silniku.

— A niech to! — zawołał Coker. — Proszę na chwilę zapomnieć o silniku, dobrze?

— Więc dlaczego?...

— Silnik po prostu jest przypadkowym symbolem. Chodzi o to, że musimy się nauczyć nie tylko tego, co nam się podoba, ale i wszystkiego, co możliwe, o organizacji i żywieniu takiej wspólnoty. Mężczyźni nie będą już mogli poprzestać na oddaniu głosu podczas wyborów, pozostawiając kłopoty z rządzeniem komuś innemu. Nie będzie się też uważało, że kobieta wypełniła swój obowiązek społeczny, jeśli uda się jej nakłonić jakiegoś mężczyznę, żeby ją utrzymywał i stworzył dla niej gniazdko, w którym będzie mogła nieodpowiedzialnie rodzić dzieci, pozostawiając komu innemu troskę o ich nauczanie.

— Doprawdy nie wiem, co to ma wspólnego z silnikami...

— Niech pani posłucha — powiedział cierpliwie Coker. — Jeżeli będzie pani miała syna, chce pani, żeby wyrósł na dzikusa czy na człowieka cywilizowanego?

— Na człowieka cywilizowanego, oczywiście.

— Musi więc pani sama zadbać o to, żeby miał kulturalne, cywilizowane otoczenie. Wszystkiego, czego się nauczy, nauczy się od nas. Powinniśmy wszyscy rozumieć możliwie jak najwięcej i żyć możliwie najrozumniej, żeby stworzyć mu jak najlepsze warunki. Oznacza to dla nas wszystkich bardzo ciężką pracę fizyczną i wielki wysiłek umysłowy. Radykalna zmiana sytuacji wymaga radykalnej zmiany poglądów.

Dziewczyna zgarnęła ze stołu robotę. Przez chwilę krytycznie wpatrywała się w Cokera.

– Z pańskimi poglądami będzie panu przypuszczalnie bardziej odpowiadała grupa pana Beadleya – oznajmiła. – My tutaj nie mamy zamiaru zmieniać poglądów ani rezygnować z naszych zasad. Dlatego się rozdzieliliśmy. Jeżeli rażą pana obyczaje uczciwych, przyzwoitych ludzi, powinien pan pojechać gdzie indziej. – Wydała dźwięk bardzo przypominający pogardliwe prychnięcie i opuściła pokój.

Coker odprowadził ją wzrokiem. Kiedy drzwi się za nią zamknęły, dał upust złości wiązanką, której nie powstydziłby się doker.

Roześmiałem się.

– Czego się spodziewałeś? – spytałem. – Wchodzisz tu nieproszony i mówisz do dziewczyny, jakbyś przemawiał do zgromadzenia zbrodniarzy, na dobitkę odpowiedzialnych za cały zachodni ustrój społeczny. A potem się dziwisz, że się obraziła.

– Powinna była zrozumieć, o co mi chodzi – mruknął.

– Dlaczego miałaby coś rozumieć? Większość ludzi nie rozumie, jesteśmy niewolnikami nawyków, nasze myśli biegną utartymi ścieżkami. Dziewczyna będzie się opierała wszelkim zmianom, rozsądnym czy nierozsądnym, sprzecznym z wpojonymi jej od dziecka pojęciami dobra i przyzwoitości, a w dodatku będzie święcie przekonana, że okazuje siłę charakteru. Ty się za bardzo śpieszysz. Pokaż Pola Elizejskie człowiekowi, który stracił właśnie dom, a wcale mu się nie spodobają; zostaw go tam na jakiś czas, a nabierze przekonania, że w domu żyło mu się bardzo podobnie, tyle że przytulniej. Dziewczyna z czasem się przystosuje, bo będzie musiała – ale nadal będzie się jej zdawało, że się nic nie zmieniła.

– Innymi słowy, mamy improwizować zależnie od okoliczności i nie układać żadnych planów. W ten sposób daleko nie zajedziemy.

– Tu właśnie potrzebny jest talent przywódcy. Przywódca planuje, ale jest dość mądry, żeby się z tym przed nikim nie zdradzać. Kiedy zmiany stają się konieczne, podsuwa je w postaci ustępstw, chwilowych oczywiście, na rzecz okoliczności, a jeżeli jest naprawdę zdolny, podkłada odpowiednie cegiełki, z których w swoim czasie wyrośnie zaplanowany przez niego gmach. Każdy plan napotyka sprzeciwy, ale jeżeli zachodzi konieczność, wszyscy zgadzają się na ustępstwa.

– Jakieś makiawelskie teorie. Ja lubię widzieć przed sobą cel i zmierzać wprost do niego.

– Większość ludzi wcale tego nie lubi, chociaż twierdzi, że jest przeciwnie. Ludzie wolą, żeby ich namawiać, nakłaniać albo nawet zmuszać. W ten sposób nie popełniają nigdy błędów: jeżeli jakieś posunięcie okaże się błędne, winien jest zawsze kto inny. Takie zmierzanie wprost do celu to pogląd mechanistyczny, a ludzie nie są przecież maszynami. Każdy ma swój rozum – przeważnie chłopski – i czuje się najlepiej w dobrze znanej koleinie.

– W takim razie sądzisz chyba, że Beadleyowi się nie powiedzie. Bo on ma wszystko bardzo dokładnie zaplanowane.

– Na pewno będzie miał kłopoty. Ale jego grupa dokonała wyboru. A tutejsza powstała wyłącznie na zasadzie negacji. Ci ludzie są tutaj tylko dlatego, że sprzeciwiają się jakimkolwiek planom. – Urwałem na chwilę, po czym dodałem: – Ta dziewczyna w jednym punkcie miała rację. Lepiej byś się czuł w grupie Michaela. Jej reakcja była próbką tego, co cię czeka, jeżeli spróbujesz stosować tutaj swoje metody. Prostą drogą nie zaprowadzisz owiec na targ, są jednak sposoby, żeby je tam zapędzić.

– Jesteś dziś w wyjątkowo cynicznym, a do tego metaforycznym nastroju – stwierdził Coker.

– Ależ skąd! – zaoponowałem. – W tym, że ktoś zaobserwował, jak pasterz postępuje z owcami, nie ma nic cynicznego.

– Pogląd, że ludzie nie różnią się od owiec, niektóre osoby mogłyby uważać za cyniczny.

– Jest to pogląd mniej cyniczny i znacznie bardziej użyteczny niż traktowanie ludzi jak mechanizmy podatne na zdalne kierowanie.

– Hm – mruknął Coker – będę musiał to sobie przemyśleć.

...i dalej

Ranek następnego dnia miałem dość urozmaicony. Rozglądałem się po majątku, pomagałem tu i ówdzie, a poza tym zadawałem mnóstwo pytań.

Noc była okropna. Dopóki się nie położyłem, nie zdawałem sobie w pełni sprawy, jak bardzo liczyłem na to, że znajdę w Tynsham Josellę. Mimo zmęczenia całodzienną podróżą nie mogłem zasnąć. Leżałem w ciemnościach zagubiony i bliski rozpaczy. Byłem tak pewien, że zastanę tutaj Josellę i grupę Beadleya, że nic ponad to nie planowałem. Teraz po raz pierwszy uświadomiłem sobie, że jeśli nawet odnajdę Beadleya i jego towarzyszy, jej może wśród nich nie być. Skoro opuściła rejon Westminsteru na krótko, zanim tam przybyłem, aby jej szukać, musi być z pewnością daleko w tyle za trzonem grupy. Powinienem więc przede wszystkim zasięgnąć jak najdokładniejszych informacji co do wszystkich osób, które przyjechały do Tynsham w ostatnich dwóch dniach.

Na razie muszę wychodzić z założenia, że tędy przejeżdżała, myślałem. To mój jedyny ślad. Tym samym muszę też zakładać, że wróciła do gmachu uniwersytetu i znalazła adres wypisany kredą – choć jest całkiem możliwe, że wcale tam nie wróciła, tylko mając wszystkiego dość, postarała się najkrótszą drogą wyjechać z piekielnego, dławiącego zaduchu przepełniającego Londyn.

Starałem się odepchnąć od siebie myśl, że Josella mogła się zarazić nieznaną chorobą, która zdziesiątkowała obydwie nasze grupy. Postanowiłem nie brać pod uwagę tej ewentualności, dopóki nie będę musiał.

Z jasnością, jaką daje nocna bezsenność, odkryłem, że moje pragnienie dołączenia do grupy Beadleya jest nieporównanie słabsze od pragnienia odnalezienia Joselli. Jeżeli odnajdę grupę Beadleya i okaże się, że jej tam nie ma... cóż, następne posunięcie będzie zależało od okoliczności, ale z pewnością nie zrezygnuję z poszukiwań...

Gdy się obudziłem, łóżko Cokera było już puste, postanowiłem więc poświęcić ranek na zbieranie informacji. Kłopot między innymi polegał na tym, że nikomu nie przyszło do głowy zanotować nazwisk tych, którzy uznali Tynsham za miejsce niezbyt zachęcające i pojechali dalej. Nazwisko Joselli nic nie mówiło nikomu prócz osób, które przypominały je sobie z dezaprobatą. Podawany przeze mnie opis nie budził żadnych skojarzeń. Ustaliłem, że pewno nie było tu żadnej dziewczyny w granatowym stroju sportowym, ale nie miałem najmniejszej pewności, czy Josella wciąż jest tak ubrana. W końcu zanudziłem wszystkich indagacjami, sam zaś byłem coraz bardziej sfrustrowany. Istniał cień możliwości, że dziewczyną, która przyjechała i odjechała w przeddzień naszego przyjazdu, była Josella, wydawało mi się jednak nieprawdopodobne, aby tak zupełnie nikt jej nie zapamiętał – nawet biorąc pod uwagę uprzedzenia i przesądy.

Coker zjawił się znowu przy południowym posiłku. Dokonał

starannej inspekcji całej posiadłości. Policzył żywy inwentarz i ustalił, ile sztuk jest ślepych. Zbadał wyposażenie gospodarcze i maszyny rolnicze. Zasięgnął dokładnej informacji co do źródeł wody pitnej. Zajrzał do spiżarni i do składów paszy dla bydła. Ustalił, ile dziewcząt dotkniętych było ślepotą przed katastrofą, i zorganizował kursy dla pozostałych niewidomych, aby tamte pierwsze szkoliły je w miarę swych możliwości.

Większość mężczyzn, jak stwierdził, była przygnębiona, gdyż proboszcz, w najlepszej intencji, zapewnił ich, że będą mieli pod dostatkiem pożytecznej pracy, jak na przykład... hm... wyplatanie koszyków i... hm... tkactwo. Coker postarał się podnieść ich na duchu, malując przed nimi znacznie bardziej obiecujące perspektywy. Następnie spotkał pannę Durrant i powiedział jej, że jeśli nie da się w jakiś sposób zrobić tak, żeby kobiety niewidome zdjęły część pracy z barków kobiet widzących, cała impreza zawali się w ciągu dziesięciu dni. Ponadto, jeśli modlitwa proboszcza o sprowadzenie tutaj większej liczby ślepców zostanie przypadkiem wysłuchana, zakład absolutnie nie zdoła się o nich zatroszczyć i wszystko pójdzie na marne. Mówił jej o konieczności niezwłocznego zgromadzenia większych zapasów żywności i obmyślenia pożytecznych zajęć dla ślepych mężczyzn, gdy panna Durrant przerwała mu ostro. Orientował się, że to wszystko martwi ją znacznie bardziej, niż się do tego przyznaje, ale z zawziętości, przez którą zerwała z grupą Beadleya, teraz również, zamiast okazać Cokerowi wdzięczność, wybuchnęła gniewem. Na zakończenie ognistej tyrady oświadczyła, że jak się orientuje, ani on, ani jego poglądy nie mogą być mile widziane w bogobojnej społeczności.

— Sęk w tym, że ta kobieta chce koniecznie rządzić — zakończył Coker. — To jej cecha wrodzona i zupełnie niezależna od szczytnych zasad.

– Cóż za oszczerstwo – odparłem. – Chcesz powiedzieć, że przy jej nieskalanych zasadach czuje się za wszystko odpowiedzialna i wobec tego poczytuje sobie za obowiązek przewodzić innym.

– Na jedno wychodzi – powiedział.

– Ale brzmi znacznie lepiej.

Coker się zastanowił.

– Jeżeli natychmiast nie zorganizuje gospodarki jak należy, wpędzi Tynsham w beznadziejne tarapaty. Rozejrzałeś się tutaj?

Pokręciłem głową. Opowiedziałem mu, jak spędziłem ranek.

– Wygląda na to, że niewiele wskórałeś. Więc co dalej?

– Jadę za grupą Beadleya – odparłem.

– A jeżeli jej tam nie ma?

– Na razie zakładam, że jest. Musi tam być. Gdzie mogłaby się podziać?

Zaczął coś mówić, ale urwał.

– Pojadę chyba z tobą – powiedział. - Zważywszy na okoliczności, wątpię, żebym miał tam być milej widziany niż tutaj, ale to się z czasem da naprawić. Widziałem już, jak jedno przedsięwzięcie rozpadło się w gruzy, i widzę, że z tym będzie podobnie, tyle że stanie się to wolniej, choć może w jeszcze okropniejszy sposób. Dziwne, co? Okazuje się, że najgroźniejsze są teraz szlachetne intencje. Wielka szkoda, bo Tynsham dałoby się poprowadzić jak należy mimo dużego odsetka ślepych. Wszystko, co tu może być potrzebne, jest przecież do wzięcia i będzie na zawołanie jeszcze przez jakiś czas. Brak tylko organizacji.

– I chęci poddania się organizacji – podpowiedziałem.

– To też – zgodził się Coker. – Wiesz, cała rzecz w tym, że mimo ogromu katastrofy ci ludzie jeszcze sobie jej nie uświadomili. Nie dotarło to do nich. Nie chcą zmienić sposobu myślenia – sprawa stałaby się wówczas ostateczna i nieodwołalna.

W głębi ducha wszyscy obijają się, grają na zwłokę i wciąż na coś czekają.

– To prawda – przyznałem – ale trudno się dziwić. Niemało musiało się zdarzyć, żeby nas przekonać, a oni nie widzieli tego, co my. W dodatku tutaj, na wsi, wszystko to wydaje się nie tak ostateczne i nie tak... bezpośrednie.

– Cóż, jeśli mają pozostać przy życiu, muszą zacząć sobie uświadamiać prawdę – orzekł Coker, rozglądając się znów po holu. – Żaden cud ich nie uratuje.

– Daj im trochę czasu. W końcu dojdą do tych samych wniosków, co my. Ty się zawsze tak śpieszysz. Pamiętaj, że czas to już nie pieniądz.

– Pieniądz nie ma już znaczenia, ale czas jest bardzo ważnym czynnikiem. Oni tutaj powinni już myśleć o żniwach, o budowie młyna do mielenia zboża, o zgromadzeniu zapasów paszy na zimę.

Potrząsnąłem głową.

– Wszystko to nie jest aż tak pilne. W miastach są olbrzymie zapasy mąki i bardzo niewielu ludzi, którzy by mogli z nich korzystać. Możemy jeszcze długo żyć z kapitału. Najpilniejszym zadaniem jest nauczyć ślepych pracować, zanim rzeczywiście będą musieli przystąpić do pracy.

– Ale te kobiety, które widzą, pracują tu ponad siły i jeśli się temu nie zaradzi, muszą się wkrótce załamać. Niech tylko zasłabnie jedna czy dwie osoby, a zapanuje absolutny chaos.

Musiałem mu przyznać rację.

Po południu udało mi się znaleźć pannę Durrant. Nikt inny nie wiedział ani nie troszczył się o to, dokąd się udał Michael Beadley ze swoją grupą, nie mogłem jednak uwierzyć, aby Beadley nie zostawił żadnych wskazówek dla tych, którzy mogliby przyjechać później. Panna Durrant była bardzo niezadowolona. Z początku myślałem nawet, że nie odpowie na moje pytanie.

Chodziło tu nie tylko o to, że wolę inną grupę – utrata choćby niezbyt sympatycznego, ale sprawnego mężczyzny była w tych warunkach rzeczą bardzo poważną. Jednak nie zdradziła się ze słabością i nie poprosiła, żebym został. W końcu powiedziała opryskliwie:

– Zamierzali udać się gdzieś w okolice Beaminster w Dorsetshire. Nic więcej nie mogę panu powiedzieć.

Powtórzyłem jej słowa Cokerowi. Rozejrzał się wkoło i pokiwał głową jakby z odrobiną żalu.

– Dobra – powiedział. – Jutro wychrzaniamy z tego bałaganu.

– Mówisz jak pionier – stwierdziłem. – A w każdym razie bardziej jak pionier niż Anglik.

Następnego dnia o dziewiątej rano mieliśmy już za sobą blisko dwanaście mil drogi. Jechaliśmy jak przedtem naszymi dwiema ciężarówkami. Zastanawialiśmy się, czy nie powinniśmy znaleźć innego środka lokomocji i zostawić ciężarówek z ładunkiem mieszkańcom Tynsham, nie miałem jednak ochoty porzucić swojej. Jej zawartość zgromadziłem sam, toteż wiedziałem, co w niej jest. Pomijając skrzynie z bronią przeciw tryfidom, które spotkały się z dezaprobatą Beadleya, przy ostatnim ładunku pozwoliłem sobie na pewne odstępstwa od instrukcji i dobrałem zestaw rzeczy trudnych do znalezienia poza większymi miastami, jak mały akumulatorowy zestaw oświetleniowy, kilka pomp, skrzynki dobrych narzędzi. Wiedziałem, że wszystko to później można będzie bez trudu zdobyć, ale brałem też pod uwagę, że wkrótce wypadnie trzymać się z dala nawet od najmniejszych miasteczek. Mieszkańcy Tynsham mogli na razie zaopatrywać się w miastach, w których nie było jeszcze żadnych oznak zarazy. Zawartość dwóch ciężarówek nie stanowiła dla nich specjalnej różnicy, w końcu więc odjechaliśmy tak, jak przyjechaliśmy.

Pogoda wciąż była dobra. Na położonych wyżej terenach powietrze wciąż jeszcze było czyste i świeże, chociaż w osiedlach i wioskach, przez które przejeżdżaliśmy, stało się już bardzo nieprzyjemne. Niekiedy widzieliśmy nieruchomą postać leżącą na polu albo przy drodze, przeważnie jednak, jak w Londynie, instynkt kazał pewnie ludziom szukać schronienia w zamkniętych pomieszczeniach. Na wiejskich dróżkach nie było żywej duszy, a w okolicy tak pusto, jakby cały rodzaj ludzki wraz ze zwierzętami domowymi zniknął z powierzchni ziemi. Tak było, dopóki nie przyjechaliśmy do Steeple Honey.

Zjeżdżając ze wzgórza, widzieliśmy przed sobą całe Steeple Honey jak na dłoni. Domy skupione były na końcu kamiennego mostu przerzuconego łukiem przez niewielką, roziskrzoną rzekę. Była to malutka, cicha wieś z sennym kościółkiem pośrodku, okolona kropkami bielonych domków. Zdawało się, że od stuleci nie zdarzyło się nic, co by zakłóciło spokojny bieg życia pod tymi strzechami. Ale tak samo jak w innych wioskach nic się tu nie poruszało, nie widać też było najmniejszej smugi dymu. Naraz, gdy już prawie zjechaliśmy ze wzgórza, dostrzegłem jakiś ruch.

Po drugiej stronie mostu, z lewej strony, jeden z domów stał pod kątem do szosy, frontem w naszą stronę. Na murze wisiał szyld oberży, a w oknie tuż nad szyldem powiewało coś białego. Gdy się zbliżyliśmy, dostrzegłem mężczyznę, który wychylał się z okna i gwałtownie wymachiwał ręcznikiem w naszą stronę. Domyśliłem się, że musi być ślepy, bo w przeciwnym razie wyszedłby na szosę, żeby nas zatrzymać. Ale był chyba zdrów, bo machał bardzo energicznie.

Dałem znak Cokerowi i przejechawszy przez most, zahamowałem pod oberżą.

Mężczyzna w oknie upuścił ręcznik. Krzyknął coś, czego nie usłyszałem zza warkotu silnika, i zniknął. Coker i ja wyłączyliśmy silniki. Zaległa taka cisza, że słychać było tupot nóg mężczyzny na drewnianych schodach wewnątrz domu. Otworzyły się drzwi i mężczyzna przekroczył próg, wyciągając przed siebie ręce. Jak błyskawica śmignęło coś zza żywopłotu i uderzyło go. Mężczyzna wydał wysoki okrzyk i padł na miejscu.

Chwyciłem strzelbę i wyskoczyłem z szoferki. Rozejrzałem się wkoło i dostrzegłem tryfida czającego się za krzakiem. Odstrzeliłem mu wierzchołek.

Coker też wysiadł z ciężarówki i stanął przy mnie. Spojrzał na leżącego mężczyznę, a potem na powalonego tryfida.

– Słuchaj... do diabła ciężkiego, on nie mógł chyba na niego czekać? – powiedział. – To musiał być przypadek... Tryfid nie mógł przecież wiedzieć, że ten człowiek wyjdzie z tych właśnie drzwi... No nie mógł, prawda?

– Czy ja wiem? To była bardzo zgrabna robota.

Coker spojrzał na mnie z przerażeniem.

– Cholernie zgrabna. Za bardzo. Nie wierzysz chyba...?

– Zdaje się, że panuje jakaś zmowa, by nie wierzyć w różne rzeczy dotyczące tryfidów – powiedziałem. – Może ich tu być więcej – dodałem.

Przeszukaliśmy uważnie potencjalne kryjówki, ale nic nie znaleźliśmy.

– Napiłbym się czegoś – powiedział Coker.

Gdyby nie warstwa kurzu na ladzie, mały bar w oberży wyglądałby zupełnie normalnie. Nalaliśmy sobie po szklaneczce whisky. Coker wypił swoją duszkiem. Widziałem, że jest bardzo zaniepokojony.

– Nie podoba mi się to. Wcale mi się nie podoba. Bill, ty powinieneś znać te straszydła lepiej niż większość ludzi. Tryfid nie mógł przecież... on znalazł się w tym miejscu przypadkiem, co?

– Myślę... – zacząłem. Naraz urwałem, słysząc dobiegające z zewnątrz szybkie terkotanie. Podszedłem do okna i otworzyłem je. Wpakowałem postrzelonemu już tryfidowi cały ładunek śrutu z drugiej lufy, tym razem tuż nad pniem. Terkotanie ustało.

– Jeśli chodzi o tryfidy – powiedziałem, gdy napełniliśmy szklaneczki po raz drugi – cała rzecz w tym, czego o nich nie wiemy.

Powtórzyłem Cokerowi kilka teorii Waltera. Wybałuszył oczy.

– Nie myślisz chyba na serio, że to ich grzechotanie jest jakąś „mową"?

– Wciąż nie jestem tego pewien – przyznałem. – Mogę tylko powiedzieć, że to jakiś rodzaj sygnalizacji. Ale Walter był zdania, że to prawdziwa „mowa", a on wiedział o tryfidach więcej niż ktokolwiek ze znanych mi ludzi.

Wyrzuciłem ze strzelby dwie puste łuski i nabiłem ją ponownie.

– I rzeczywiście wspominał o przewadze, jaką tryfid miałby nad ślepym człowiekiem?

– Owszem, ale to było sporo lat temu – zaznaczyłem.

– Mimo wszystko dziwny zbieg okoliczności.

– Jesteś jak zawsze impulsywny – powiedziałem. – Każde zrządzenie losu można przedstawić jako dziwny zbieg okoliczności, jeżeli człowiek bardzo się o to stara i dość długo czeka.

Wypiliśmy i mieliśmy już wyjść, gdy Coker wyjrzał przez okno. Chwycił mnie za ramię i wskazał palcem. Dwa tryfidy, kołysząc się, wychynęły zza rogu i sunęły do żywopłotu, za którym przedtem ukrył się pierwszy. Poczekałem, aż przystaną, a następnie odstrzeliłem obydwu wierzchołki. Wyszliśmy przez okno, które było poza zasięgiem jakichkolwiek ukrytych tryfidów, i rozglądając się uważnie, podeszliśmy do ciężarówek.

– Jeszcze jeden zbieg okoliczności? Czy też przyszły zobaczyć, co się stało z ich pobratymcem? – spytał Coker.

Opuściliśmy wieś i jechaliśmy dalej wąskimi bocznymi drogami. Miałem wrażenie, że w okolicy jest teraz więcej tryfidów, niż widzieliśmy poprzednio – a może po prostu byłem teraz bardziej świadomy ich obecności? Jechaliśmy dotychczas przeważnie głównymi szosami, może dlatego spotykaliśmy ich mniej. Wiedziałem z doświadczenia, że unikają twardej i szorstkiej nawierzchni, o którą zapewne ocierały swoje kończyny-korzenie. Teraz nabrałem przekonania, że istotnie widzimy ich więcej, zaświtała mi też myśl, że chyba reagują na naszą obecność. Nie byłem już wcale pewien, czy te, które od czasu do czasu widzieliśmy nadciągające przez pola, tylko przypadkiem zmierzały w naszą stronę.

Rozstrzygający incydent zdarzył się, kiedy jeden z tryfidów zaatakował mnie zza żywopłotu, który właśnie mijałem. Na szczęście nie miał wprawy w celowaniu do pojazdu w ruchu. Uderzył o ułamek za wcześnie, pozostawiając na przedniej szybie kropkowaną sieć trucizny. Przejechałem, zanim zdążył uderzyć raz jeszcze. Odtąd jednak, choć było gorąco, trzymałem boczne szyby zamknięte.

W ubiegłym tygodniu myślałem o tryfidach tylko wtedy, gdy je napotykałem. Te, które widziałem przy domu Joselli, napędziły mi strachu, podobnie jak te, które zaatakowały naszą grupę w Hampstead Heath, przeważnie jednak pochłaniały mnie inne, doraźne problemy. Ale teraz, przypominając sobie całą naszą podróż, stan rzeczy w Tynsham, zanim panna Durrant zabrała się energicznie do oczyszczenia terenu za pomocą śrutówek, oraz wygląd miasteczek, przez które przejeżdżaliśmy, zacząłem się zastanawiać, jaką też rolę mogą odgrywać tryfidy w zniknięciu mieszkańców.

Przez następną wieś jechałem wolno, rozglądając się uważnie.

W kilku frontowych ogródkach dostrzegłem ciała. Leżały tam najwidoczniej już od wielu dni, a prawie zawsze w pobliżu można było dojrzeć tryfida. Wyglądało na to, że tryfidy urządzają zasadzki tylko tam, gdzie jest miękka ziemia, żeby móc przez czas oczekiwania wkopywać się w nią korzeniami. Przy domach, których drzwi otwierały się na brukowaną ulicę, nigdy nie widziałem ani trupów, ani tryfidów.

Można się było domyślić, co się stało w większości wsi – mieszkańcy wychodzący na poszukiwanie żywności poruszali się względnie bezpiecznie, dopóki byli na brukowanych odcinkach, ale z chwilą, gdy z nich zbaczali lub tylko przechodzili pod jakimś murem lub parkanem ogrodu, mogli się znaleźć w zasięgu śmiercionośnych wici. Niektórzy spośród trafionych wydawali zapewne krzyk bólu, a gdy nie wracali, ci, którzy czekali w domach, coraz bardziej bali się wyjść. Od czasu do czasu jednak głód wypędzał kogoś z ukrycia. Nieliczni mieli może dość szczęścia, żeby dobrnąć z powrotem, większość jednak gubiła drogę i błąkała się, dopóki nie padła z wyczerpania lub nie natrafiła na czyhającego tryfida. Pozostali przypuszczalnie się domyślali, co się dzieje. Jeżeli przy domu był ogród, słyszeli zapewne świst wici i wiedzieli, że mają do wyboru śmierć głodową w domu albo to, co spotkało tych, którzy z niego wyszli. Wielu zatem trwało w murach, żywiąc się tym, co jeszcze było w spiżarni, i czekając na ratunek, który nigdy nie miał nadejść. W podobnej opresji był zapewne mężczyzna z oberży w Steeple Honey.

Myśl, że w innych wsiach i miasteczkach, przez które przejeżdżaliśmy, mogą w niektórych domach chronić się jeszcze odizolowane grupy ludzi, nie była przyjemna. Zarysowywał się znów ten sam dylemat, z którym musieliśmy się zmagać w Londynie – poczucie, że według wszelkich zasad obowiązujących człowieka cywilizowanego należałoby ich odnaleźć i jakoś im pomóc, a zarazem obezwładniająca świadomość, że każda taka próba nieuchronnie zakończy się klęską, jak to już było przedtem.

Ten sam dylemat. Co można zrobić nawet przy najlepszej woli? Nic, można tylko przedłużyć męki skazanych. Uspokoić na krótki czas swe sumienie, a potem patrzeć bezradnie na zerowe rezultaty zmarnowanych wysiłków.

Na nic się nie zda, musiałem powiedzieć sobie stanowczo, wkraczanie na teren ogarnięty trzęsieniem ziemi, kiedy domy jeszcze się walą – ratunek i pomoc należy nieść wtedy, kiedy drgania już ustaną. Ale głos rozsądku nie rozpraszał przygnębienia. Stary doktor miał wielką słuszność, mówiąc o tym, jak trudno się przestawić na nowy sposób myślenia...

Tryfidy stanowiły nieprzewidzianą i olbrzymią komplikację. Było oczywiście bardzo dużo szkółek poza plantacjami naszej firmy. Ogrodnicy hodowali tryfidy dla nas, dla prywatnych nabywców lub na sprzedaż rozlicznym pomniejszym odnogom przemysłu przetwórczego, a większość szkółek z uwagi na klimat znajdowała się na południu. W każdym razie z tego, co dotychczas widzieliśmy, należało wnosić, że tryfidów, które wyrwały się na wolność, musi być znacznie więcej, niż jeszcze niedawno przypuszczałem. Myśl o tym, że z każdym dniem coraz więcej ich dojrzewa, a przyciętym okazom wciąż odrastają śmiercionośne wici, nie napawała optymizmem...

Zatrzymaliśmy się jeszcze tylko dwukrotnie – raz, żeby coś zjeść, a drugi raz, żeby nabrać paliwa – toteż znaleźliśmy się w Beaminster dość wcześnie: około pół do piątej po południu. Wjechaliśmy w sam środek miasta, lecz nie dostrzegliśmy żadnego znaku, który wskazywałby na obecność grupy Beadleya.

Na pierwszy rzut oka miasteczko było równie wyludnione jak wszystkie inne widziane tego dnia. Główna ulica handlowa była naga i pusta, jeśli nie liczyć dwóch ciężarówek stojących po jednej stronie. Ujechałem może dwadzieścia jardów, gdy zza jednej z nich wyszedł mężczyzna i podniósł do ramienia karabin. Oddał strzał rozmyślnie ponad moją głową, a potem wycelował prosto we mnie.

Impas

Nie mam zwyczaju dyskutować, kiedy dostaję tego rodzaju ostrzeżenie. Zatrzymałem wóz.

Mężczyzna był duży i jasnowłosy. Widać było, że ma wprawę we władaniu bronią palną. Wciąż we mnie celując, dwukrotnie skinął głową w bok. Uznałem, że to znak, abym wysiadł. Wykonałem milczące polecenie i pokazałem, że nie mam nic w dłoniach. Kiedy się zbliżyłem do stojącej ciężarówki, wyłonił się zza niej inny mężczyzna. Była z nim młoda kobieta. Za plecami usłyszałem głos Cokera:

– Lepiej opuść karabin, bracie. Trzymam was wszystkich na muszce.

Jasnowłosy mężczyzna obejrzał się, żeby poszukać wzrokiem Cokera. Gdybym chciał, mógłbym w tej chwili na niego skoczyć, ale powiedziałem tylko:

– On ma rację. Poza tym jesteśmy pokojowo usposobieni.

Mężczyzna opuścił broń, niezupełnie jednak przekonany. Coker wyszedł zza mojej ciężarówki, dzięki której mógł niepostrzeżenie opuścić swoją.

– Co to za pomysły? Jakieś wilcze prawo? – zapytał.

– Jest was tylko dwóch? – odezwał się drugi mężczyzna.

Coker spojrzał na niego.

– A czego się spodziewaliście? Walnego zgromadzenia? Tak, tylko dwóch.

Cała trójka wyraźnie się uspokoiła. Jasnowłosy wyjaśnił:

– Myśleliśmy, że to jakaś banda z większego miasta. Spodziewamy się, że będą urządzali tu wypady po żywność.

– Ach tak – odparł Coker. – Chyba już dawno nie byliście w żadnym mieście. Skoro tylko tego się obawiacie, możecie się nie martwić. Jeśli istnieją jakieś bandy, to działają zupełnie inaczej, przynajmniej na razie. To znaczy, że robią – jeśli wolno mi się tak wyrazić – to samo, co wy.

– Myślisz, że nikt nie przyjedzie?

– Jestem tego pewien. – Coker przyjrzał się trojgu nieznajomym. – Należycie do grupy Beadleya? – spytał.

Odpowiedzią były zdziwione spojrzenia.

– Szkoda – powiedział Coker. – Pierwszy raz uśmiechnęłoby się do nas szczęście.

– Co to jest grupa Beadleya? – zapytał jasnowłosy.

Po kilku godzinach jazdy w słońcu byłem już bardzo zmęczony i kompletnie zaschło mi w gardle. Zaproponowałem, żebyśmy przenieśli dyskusję ze środka ulicy w jakieś przytulniejsze miejsce. Okrążyliśmy ich furgony, brnąc wśród dobrze już znanych stosów skrzyń z biszkoptami i herbatą, całych bekonów, worków cukru i soli oraz tym podobnych rzeczy. W pobliskim małym barze przy kuflach piwa pokrótce opowiedzieliśmy z Cokerem, co robimy i co wiemy. Potem przyszła kolej na nieznajomych.

Stanowili, jak się okazało, aktywniejszą połowę sześcioosobowej grupy – pozostałe dwie kobiety i mężczyzna pilnowali domu, który obrali sobie za siedzibę.

We wtorek siódmego maja około południa jasnowłosy mężczyzna i towarzysząca mu dziewczyna jechali jego samochodem w kierunku zachodnim. Zamierzali spędzić dwutygodniowy urlop w Kornwalii i rozwijali przyzwoitą szybkość aż do chwili, kiedy gdzieś w pobliżu Crewkerne zza zakrętu wyłonił się piętrowy autobus. Doszło do kraksy i ostatnią rzeczą, jaką jasnowłosy zapamiętał, był widok olbrzymiego pojazdu walącego się na niego i jego towarzyszkę.

Ocknął się w łóżku i podobnie jak ja zdał sobie sprawę, że dokoła panuje niezrozumiała cisza. Poza potłuczeniem, kilkoma ranami ciętymi i piekielnym bólem głowy nic poważnego mu nie dolegało. Kiedy, jak mówił, przez dłuższy czas wciąż nikt nie przychodził, wyszedł się rozejrzeć i stwierdził, że jest w małym wiejskim szpitaliku. W jednej sali zastał swoją dziewczynę i dwie inne kobiety, z których jedna była przytomna, ale unieruchomiona, miała bowiem nogę i ramię w gipsie. W drugiej sali leżało dwóch mężczyzn – jednym z nich był jego obecny towarzysz, drugi miał złamaną nogę, również w gipsie. Ogółem w szpitalu znajdowało się jedenaście osób, z których ośmioro nie straciło wzroku. Spośród ociemniałych dwoje było ciężko chorych, nie mogli wstać. Cały personel zniknął bez śladu. Jasnowłosy był na początku jeszcze bardziej zdezorientowany ode mnie. Oboje pozostali w szpitaliku, troszczyli się, jak umieli, o leżących chorych, głowili się nad tym, co się właściwie dzieje, i spodziewali się, że ktoś się wreszcie zjawi, aby udzielić im pomocy. Nie mieli pojęcia, co jest dwojgu ślepym pacjentom ani jak ich leczyć. Nic nie mogli zrobić, dawali im tylko jeść i starali się ulżyć w cierpieniach. Oboje umarli następnego dnia. Jeden mężczyzna znikł, chociaż nikt nie widział, jak wychodził. Wszyscy pacjenci, którzy znaleźli się w szpitalu z powodu ran odniesionych w wypadku autobusowym, byli okolicznymi mieszkańcami. Kiedy poczuli się trochę lepiej, wyruszyli na poszukiwanie krewnych. Grupa skurczyła się do sześciu osób, z których dwie miały złamania kończyn.

W tym czasie rozumieli już, że katastrofa była poważna i że przynajmniej jakiś czas muszą sobie radzić sami, wciąż jednak nie zdawali sobie sprawy z jej rozmiarów. Postanowili opuścić szpital i znaleźć jakieś dogodniejsze lokum, sądzili bowiem, że w miastach jest znacznie więcej ludzi z nieuszkodzonym wzrokiem, a wskutek zamętu po kataklizmie do władzy dojdzie motłoch. Dzień w dzień spodziewali się najazdów band po wyczerpaniu zapasów żywności w miastach i wyobrażali sobie, że ruszą one przez kraj niczym szarańcza. Główną troską grupy było więc gromadzenie zapasów i przygotowania do obrony.

Gdy ich zapewniliśmy, że taki rozwój wypadków jest mało prawdopodobny, spojrzeli po sobie dość posępnie.

Była to trójka osobliwie niedobrana. Jasnowłosy młody człowiek nazywał się Stephen Brennell i był, jak się okazało, maklerem giełdowym. Jego towarzyszka była ładną i zgrabną dziewczyną, która niekiedy lubiła się dąsać, nie dziwiła się jednak niczemu, czym próbowało ją zaskoczyć życie. Aż do katastrofy pędziła dość typową nieustabilizowaną egzystencję: pracowała dorywczo w domach mody jako modelka lub sprzedawczyni, statystowała w filmach, wciąż czekając na szansę wyjazdu do Hollywood, była hostessą w podejrzanych nocnych klubach i dorabiała sobie na wszelkie sposoby – jednym z nich był najwidoczniej planowany urlop w Kornwalii. Żywiła niezachwiane przeświadczenie, że Stanom Zjednoczonym nie może się stać nic złego i że należy tylko przetrwać, bo Amerykanie w końcu tu przyjdą i zrobią ze wszystkim porządek. Od katastrofy nie spotkałem bardziej beztroskiej osoby. Czasem tylko tęskniła za światłami wielkiego miasta, miała jednak nadzieję, że Amerykanie szybko znów je zapalą.

Trzeci członek grupki, smagły ciemnowłosy radiotechnik, żywił urazę do całego świata. Przez szereg lat ciężko pracował i odkładał każdego pensa, żeby otworzyć mały sklep z odbiornikami radiowymi i telewizorami, miał przy tym wysokie aspiracje.

– Weźcie takiego Forda – mówił – albo lorda Nuffielda*, który zaczął od sklepu z rowerami nie większego niż mój sklep radiowy, a widzicie, jak wysoko zaszedł! Dokonałbym tego samego. A teraz spójrzcie, co się dzieje! To niesprawiedliwość!

Los – radiotechnik to rozumiał – przestał się interesować Fordami czy Nuffieldami, ale niedoszły milioner nie zamierzał się poddać. Uważał, że to tylko przejściowy kryzys zesłany mu jako ciężka próba. Ale przyjdzie dzień, kiedy on, radiotechnik, wróci do swego sklepiku i mocno postawi nogę na pierwszym szczeblu do upragnionego celu.

Największym zawodem dla mnie było to, że nikt z tej trójki nic nie wiedział o Beadleyu i jego ludziach. Przez cały ten czas spotkali jedną tylko grupę, w wiosce tuż za granicą Devonshire, gdzie dwóch mężczyzn uzbrojonych w śrutówki poradziło im, żeby więcej tamtędy nie jeździli. Mężczyźni podobno byli rdzennymi mieszkańcami wioski. Coker oświadczył, że musi to być jakaś mała grupa.

– Gdyby należeli do dużej, toby się tak nie bali i bardziej by się wami zainteresowali – twierdził. – Ale jeżeli paczka Beadleya jest gdzieś w okolicy, chyba uda nam się ją odnaleźć. – Zwrócił się do Brennella: – A może byśmy tak pojechali z wami? Obaj umiemy pracować, a kiedy znajdziemy tamtych, będzie nam wszystkim znacznie lżej.

---

* William Richard Morris, lord Nuffield (1877–1963) – założyciel Morris Motor Company.

Wszyscy troje spojrzeli na siebie pytająco, po czym skinęli głowami.

– Dobra. Pomóżcie nam załadować ciężarówki i ruszamy – zgodził się Brennell.

Wyglądało na to, że Charcott Old House był niegdyś dworem obronnym. Obecnie fortyfikowano go na nowo. Okalająca go fosa dawno już została osuszona, Stephen jednak twierdził, że udało mu się popsuć drenaż i stopniowo znów się wypełni. Miał zamiar wysadzić w powietrze zasypane fragmenty, aby woda otaczała dom na całym obwodzie. Kiedy dowiedział się od nas, że wszystkie te środki ostrożności przypuszczalnie są zbędne, był trochę zawiedziony. Mury domu były bardzo grube. Z trzech okien sterczały karabiny maszynowe, prócz tego Stephen pokazał nam jeszcze dwa na dachu. Tuż za drzwiami frontowymi znajdował się niewielki arsenał moździerzy i pocisków do nich, ponadto Brennell z dumą zaprezentował nam kilka miotaczy ognia.

– Znaleźliśmy skład broni – wyjaśnił – i poświęciliśmy trochę czasu, żeby to wszystko skompletować.

Oglądając tę kolekcję, po raz pierwszy sobie uświadomiłem, że rozmiary i powszechność kataklizmu w pewnej mierze zapobiegły okropnościom, jakie działyby się bez wątpienia po nieco mniejszej katastrofie. Gdyby dziesięć lub piętnaście procent ludności ocalało, małe grupki jak ta musiałyby prawdopodobnie w obronie swego życia odpierać ataki wygłodniałych band. W tym stanie rzeczy jednak Stephen na próżno chyba poczynił swoje wojenne przygotowania. Jeden rodzaj broni mógł jednak być dla nas pożyteczny. Wskazałem na miotacze ognia.

– Mogą się przydać na tryfidy – powiedziałem.

Roześmiał się.

– Masz rację. Są bardzo skuteczne. Tylko do tego ich używamy. Nawiasem mówiąc, to jedyna znana mi broń, która naprawdę zmusza tryfida do ucieczki. Można je podziurawić kulami i śrutem jak sito, a nie ruszą się z miejsca. Przypuszczam, że nie wiedzą, skąd pochodzi niebezpieczeństwo. Ale wystarczy jedno liźnięcie płomienia z miotacza, by uciekały co sił w tych swoich kikutach.

– Macie tu z nimi dużo kłopotu?

Okazało się, że nie. Od czasu do czasu zbliżał się jeden, niekiedy dwa lub trzy, ale zaraz uciekały poparzone. Podczas wypraw po zapasy Stephen i jego towarzysze kilka razy o mało nie padli ofiarą ich trujących smagnięć, na ogół jednak wysiadali z ciężarówek tylko w zabudowanych i brukowanych dzielnicach, gdzie prawdopodobieństwo napotkania tryfida było niewielkie.

Po zmroku poszliśmy wszyscy na dach. Księżyc jeszcze nie wzeszedł. Wokół była tylko ciemność. Wytężaliśmy oczy, nikt z nas jednak nie zauważył choćby najmniejszego błysku światła. Nikt też z grupy Brennella nie przypominał sobie, żeby widział za dnia choćby ślad dymu. Kiedy wróciliśmy do oświetlonego lampą naftową pokoju, ogarnęło mnie przygnębienie.

– Jest na to tylko jedna rada – powiedział Coker. – Musimy podzielić okolicę na sektory i dokładnie każdy zbadać.

Powiedział to jednak bez przekonania. Przypuszczał zapewne, podobnie jak ja, że grupa Beadleya dawałaby sygnały świetlne w nocy, a jakieś inne – przypuszczalnie dymne – w dzień.

Nikt jednak nie miał lepszej propozycji. Zabraliśmy się więc do dzielenia mapy na sekcje, starając się, aby w każdej było jakieś wzgórze, z którego można by się rozejrzeć dokoła.

Następnego dnia pojechaliśmy ciężarówką do miasta, a stamtąd samochodami osobowymi ruszyliśmy każdy w inną stronę na poszukiwania.

Był to niewątpliwie najsmutniejszy dzień, jaki spędziłem od czasu, kiedy wędrowałem po Westminsterze, szukając tam śladów Joselli.

Z początku nie było jeszcze tak źle. Szeroka droga w słońcu, świeża zieleń wczesnego lata. Znaki wskazujące drogę do Exeter oraz do innych miejscowości jakby pulsowały normalnym życiem. Niekiedy, choć rzadko, widywałem ptaki. No i kwiaty na łąkach wyglądały tak jak zawsze.

Ale pod innymi względami obraz nie przedstawiał się zbyt idyllicznie. Były pastwiska, na których bydło leżało martwe lub błąkało się ociemniałe, a niedojone krowy ryczały z bólu; gdzie otępiałe owce stały bez ruchu, zrezygnowane, gotowe raczej paść, niż wyrwać się z jeżyn czy ogrodzenia z drutu kolczastego, inne zaś chaotycznie skubały trawę lub leżały osłabione głodem z wyrzutem w oślepłych oczach.

Przed farmami strach było przejeżdżać. Ze względów bezpieczeństwa zostawiłem szybę tylko na cal opuszczoną dla wentylacji, gdy jednak widziałem przed sobą przydrożną farmę, szczelnie zamykałem okno.

Tryfidy miały tu całkowitą swobodę. Niekiedy widziałem je sunące przez pola albo dostrzegałem tkwiące nieruchomo przy żywopłotach. W wielu gospodarstwach upodobały sobie kupy obornika i siadały na nich, czekając, aż martwe sztuki bydła należycie się rozłożą. Patrzałem na nie teraz z odrazą, jakiej nigdy we mnie dawniej nie budziły. Ohydne potwory, które kilku z nas, ludzi, powołało do życia i które inni ludzie, wiedzeni bezmyślną chciwością, rozmnożyli po całym świecie. Nie można było nawet mieć o nie pretensji do natury. Wyhodowano je po prostu – tak samo jak hodowaliśmy piękne kwiaty lub groteskowe parodie psów... Zacząłem teraz nienawidzić tryfidów nie tylko za ich upodobanie do padliny – one i tylko one potrafiły wyzyskać nasze nieszczęście, tuczyły się na naszej klęsce...

Z upływem dnia czułem się coraz bardziej osamotniony. Na każdym wzgórzu lub wzniesieniu zatrzymywałem wóz i przepatrywałem okolicę tak daleko, jak pozwalały na to szkła polowej lornety. Raz ujrzałem dym. Pojechałem do jego źródła i znalazłem pociąg kolejki wąskotorowej dopalający się na torze – do dziś nie mam pojęcia, jak powstał ten pożar, bo nikogo nie było w pobliżu. Innym razem ściągnęła mnie do pewnego domu flaga na maszcie. W domu jednak, chociaż nie był pusty, panowała cisza. Kiedy indziej zauważyłem coś białego na odległym wzgórzu, gdy jednak wyostrzyłem szkła, okazało się, że to kilka owiec krążących w panice, a przy nich tryfid, który ustawicznie walił wicią, choć bez skutku, po ich okrytych wełną grzbietach. Nigdzie nie dostrzegłem śladu żywej ludzkiej istoty.

Kiedy się zatrzymałem na posiłek, nie bawiłem dłużej, niż to było konieczne. Zjadłem go szybko, wsłuchując się w ciszę, która zaczynała już mi działać na nerwy. Pragnąłem czym prędzej ruszyć w dalszą drogę, żeby mieć przynajmniej towarzystwo warczącego silnika.

Zacząłem mieć przywidzenia. Raz dostrzegłem ramię dające znaki z okna, ale gdy podjechałem, była to tylko kołysząca się przed oknem gałąź. Zobaczyłem mężczyznę, który zatrzymał się pośrodku pola i odwrócił się, żeby na mnie spojrzeć, lecz lornetka pokazała mi, że nie mógł ani się zatrzymać, ani odwrócić – był to strach na wróble. Słyszałem wołające mnie głosy, ledwie dające się rozróżnić poprzez dźwięk silnika; zatrzymałem się i wyłączyłem go. Nie było żadnych głosów, nie było nic, ale bardzo daleko rozbrzmiewała skarga niewydojonej krowy.

Przyszło mi do głowy, że tu i ówdzie, rozsiani po kraju, muszą żyć mężczyźni i kobiety, którzy sądzą, że są najzupełniej samotni, że nikt prócz nich nie pozostał przy życiu. Współczułem im, jak wszystkim innym ludziom, w tym nieszczęściu.

Przez całe popołudnie, coraz bardziej zgnębiony i prawie już straciwszy nadzieję, przemierzałem uparcie swój sektor, nie miałem bowiem odwagi spojrzeć prawdzie w oczy. Wreszcie jednak nabrałem absolutnego przekonania, że jeśli w tej okolicy jest jakaś większa grupa, to musi rozmyślnie się ukrywać. Nie mogłem oczywiście przejechać każdej bocznej drogi i ścieżki, ale gotów byłem przysiąc, że dźwięk mojego wcale gromkiego klaksonu słychać było na każdym hektarze wyznaczonego mi terenu. Zawróciłem i posępny jak jeszcze nigdy w życiu pojechałem tam, gdzie zaparkowaliśmy ciężarówkę. Nikt z pozostałych jeszcze nie wrócił, aby więc zabić czas i roztopić lód mrożący mi mózg, poszedłem do pobliskiego baru i szczodrze nalałem sobie koniaku.

Następny wrócił Stephen. Wyprawa musiała wywrzeć na nim nie mniejsze wrażenie niż na mnie, bo w odpowiedzi na moje pytające spojrzenie tylko potrząsnął głową i ruszył wprost ku otwartej przeze mnie butelce. Po dziesięciu minutach przyłączył się do nas radiotechnik. Przywiózł ze sobą rozczochranego młodzieńca o błędnym spojrzeniu, który wyglądał tak, jakby się nie mył ani nie golił od kilku tygodni. Osobnik ten był włóczęgą bez żadnego zawodu. Pewnego wieczoru – nie mógł powiedzieć na pewno, kiedy to było – znalazł bardzo wygodną stodołę, w której można było spędzić noc. Ponieważ przeszedł tego dnia więcej niż zwykle, zasnął natychmiast, ledwie się położył. Następnego dnia obudził się w świecie niczym z najgorszych koszmarów i dotychczas nie był pewien, czy to świat, czy on sam zwariował. Według nas rzeczywiście był niespełna rozumu, wiedział jednak doskonale, do czego służy piwo.

Upłynęło jeszcze pół godziny i przyjechał Coker. Towarzyszył mu szczeniak, owczarek alzacki, i zupełnie niewiarygodna stara dama. Ubrana była w swoją niewątpliwie najlepszą suknię. Jej schludność i elegancja rzucały się w oczy tak samo jak brak tych cech u naszego drugiego rekruta. Z wykwintnym wahaniem zatrzymała się na progu baru. Coker dokonał prezentacji.

– Panowie pozwolą, pani Forcett, właścicielka domu towarowego w miejscowości składającej się z dziesięciu domków, dwóch barów i kościoła, a znanej jako Chippington Durney. W dodatku pani Forcett umie gotować. Ludzie, jak ta kobieta gotuje!

Pani Forcett ukłoniła się nam z godnością, podeszła pewnym krokiem, usiadła wyprostowana na krześle i dała się namówić na kieliszek porto, a potem na drugi kieliszek porto.

W odpowiedzi na nasze pytania wyznała, że owego fatalnego popołudnia i nocy, która po nim nastąpiła, spała niezwykle mocno. Nie wdawała się w wyjaśnienia dokładnych przyczyn tego stanu rzeczy, my zaś jej nie pytaliśmy. Kiedy się nazajutrz obudziła, czuła się niezbyt dobrze, nie próbowała więc wstawać aż do późnego popołudnia. Wydało się jej dziwną, lecz zarazem opatrznościową okolicznością, że nikt tego dnia nie przyszedł do sklepu. Kiedy wreszcie wstała i podeszła do drzwi, ujrzała w swoim ogrodzie jedno z tych „ohydnych tryfidziszcz", na ścieżce zaś, tuż przy bramie, leżącego mężczyznę – w każdym razie widziała jego nogi. Miała już do niego wyjść, kiedy zobaczyła, że tryfid się poruszył, i w sam czas zatrzasnęła drzwi. Musiała to być dla niej okropna chwila, bo na jej wspomnienie nalała sobie spiesznie trzeci kieliszek porto.

Po tym zdarzeniu postanowiła czekać, aż ktoś przyjdzie zabrać zarówno tryfida, jak i mężczyznę. Trwało to dziwnie długo, ale pani Forcett miała w sklepie wszystko, czego jej było potrzeba. Wciąż jeszcze czekała – wyjaśniła, nalewając sobie w przemiłym roztargnieniu czwarty kieliszek porto – kiedy

Coker, zwabiony przez dym wydobywający się z jej komina, odstrzelił tryfidowi wierzchołek i wszedł do domu, żeby zbadać sprawę.

Poczęstowała Cokera obiadem, on zaś w zamian udzielił jej rad. Niełatwo było jej wytłumaczyć, jak się przedstawia sytuacja na świecie. W końcu więc zaproponował, aby pani Forcett przeszła się po wsi, uważając na tryfidy, on zaś wróci do piątej, żeby się dowiedzieć, do jakich doszła wniosków. Kiedy wrócił, pani Forcett była już ubrana, spakowana i gotowa do wyjazdu.

Tego wieczoru w Charcott Old House znów zebraliśmy się wokół mapy. Coker zaczął wyznaczać nowe tereny poszukiwań. Patrzyliśmy na to bez entuzjazmu. W końcu Stephen powiedział to, co wszyscy, nie wyłączając mnie i samego Cokera, myśleli w duchu:

– Słuchajcie, sprawdziliśmy teren w promieniu około piętnastu mil. Albo macie błędne informacje, albo ci ludzie postanowili nie zatrzymywać się tutaj i ruszyli dalej. Moim zdaniem dalsze poszukiwania są tylko stratą czasu.

Coker położył kompas, którego używał przy wyznaczaniu sektorów.

– Więc co proponujesz?

– Myślę, że znacznie prędzej i dokładniej moglibyśmy badać teren z powietrza. Założę się, o co chcesz, że każdy, kto usłyszy warkot samolotu, wybiegnie i da jakiś znak.

Coker pokiwał głową.

– Że też nie pomyśleliśmy o tym wcześniej. Powinien to być oczywiście helikopter – ale gdzie go znajdziemy i kto go będzie pilotował?

– O, ja sobie z tym poradzę – oświadczył z całym przekonaniem radiotechnik.

Coś jednak uderzyło nas w jego tonie.

– Latałeś już? – spytał Coker.

– Nie – wyznał radiotechnik – ale wątpię, czy to takie trudne. Byleby się zorientować, jak działa mechanizm.

– Hm – mruknął Coker, patrząc na niego z niejaką rezerwą.

Stephen przypomniał sobie, że niezbyt daleko są dwa lotniska RAF, a w Yeovil aż do katastrofy działało przedsiębiorstwo wynajmu powietrznych taksówek.

Mimo naszych wątpliwości radiotechnik, jak się okazało, nie rzucał słów na wiatr. Miał całkowitą pewność, że nie zawiedzie go instynktowna orientacja we wszelkiego rodzaju maszyneriach. Poćwiczył pół godziny, a potem wzniósł się helikopterem w powietrze i przyleciał nim do Charcott.

Przez cztery dni śmigłowiec krążył po okolicy, zataczając coraz szersze koła. Przez dwa dni obserwatorem był Coker, przez pozostałe dwa dni ja zajmowałem jego miejsce. Ogółem odkryliśmy dziesięć małych grup. Żadna z nich nie wiedziała nic o grupie Beadleya i w żadnej z nich nie było Joselli. Ilekroć znaleźliśmy jakichś ludzi, lądowaliśmy. Przeważnie były to dwie lub trzy osoby. Największa grupa była siedmioosobowa. Ludzie witali nas z radością i nadzieją, gdy się jednak dowiadywali, że tworzymy tylko podobną do nich gromadkę i nie jesteśmy czołówką ekspedycji ratunkowej na wielką skalę, zainteresowanie gasło. Nie mogliśmy im ofiarować nic ponad to, co już mieli. Niektórzy z rozczarowania wpadali w irracjonalną wściekłość i obrzucali nas wyzwiskami, większość jednak po prostu wracała do stanu apatii. Z reguły nie chcieli się przyłączać do innych grup, skłonni raczej korzystać z tego, co mieli pod ręką, i budować sobie możliwie wygodne schronienia, aby czekać na przybycie Amerykanów, którzy muszą w końcu obmyślić, jak uratować świat. Co do tego istniało powszechne i wręcz maniakalne przeświadczenie. Nasze argumenty, że pozostali przy życiu Amerykanie bez wątpienia mają pełne ręce roboty w swoim kraju, uważano za głupie krakanie. Amerykanie, jak nas zapewniano, nigdy by nie pozwolili, żeby coś podobnego stało się u nich w kraju. Jednak mimo niezłomnej wiary wszystkich tych ludzi w amerykańskie dobre wróżki zostawialiśmy im szkic z zaznaczonym w przybliżeniu rozmieszczeniem odkrytych przez nas grup, na wypadek gdyby zmienili zdanie i chcieli do nich dołączyć.

Loty nie były niczym przyjemnym, wolałem je wszakże od samotnego przeszukiwania terenu. Ale po czterech dniach bezpłodnych poszukiwań zaniechaliśmy ich.

Postanowienie powzięła reszta mojej paczki, ja jednak byłem innego zdania. Rzecz jasna cała ta sprawa obchodziła mnie osobiście, ich zaś nie. Ludzie, których by prędzej czy później znaleźli, byli im obcy. Dla mnie zaś szukanie grupy Beadleya nie było celem samym w sobie, lecz środkiem prowadzącym do celu. Gdybym ich znalazł i przekonał się, że Joselli z nimi nie ma, szukałbym dalej. Ale nie mogłem wymagać, aby reszta moich towarzyszy poświęcała bez końca czas na poszukiwania wyłącznie przez wzgląd na mnie.

Zdziwiony zdałem sobie sprawę, że wśród całego tego zamętu nie spotkałem nikogo więcej, kto by szukał innej osoby. Przy tym każdy ze spotkanych, z wyjątkiem Stephena i jego towarzyszki, został odcięty od przyjaciół i krewnych, ogniwa łączącego ich z przeszłością, i zaczynał nowe życie z zupełnie nieznanymi ludźmi. Tylko ja, o ile mogłem się zorientować, zadzierzgnąłem nową więź – ale trwała ona tak krótko, że na razie nie byłem do końca pewien, jaką dla mnie przedstawia wagę...

Gdy zapadła decyzja o zaprzestaniu poszukiwań, Coker powiedział:

— Dobra. Teraz musimy się zastanowić, co zrobimy dla siebie.

— Zgromadzimy zapasy na zimę i będziemy żyli jak dotychczas. Co innego możemy zrobić? – spytał Stephen.

— Właśnie o tym myślałem – odparł Coker. – Na jakiś czas może to wystarczy, ale co dalej?

— Jeżeli nam zabraknie zapasów, no to przecież naokoło jest ich pod dostatkiem – wtrącił radiotechnik.

— Amerykanie będą tu przed Bożym Narodzeniem – oświadczyła przyjaciółka Stephena.

— Słuchaj – zwrócił się do niej cierpliwie Coker – włóż swoich Amerykanów między bajki i zawieś ich razem z gruszkami na wierzbie, dobrze? Postaraj się wyobrazić sobie świat, w którym nie ma w ogóle Amerykanów. Możesz się na to zdobyć?

Dziewczyna spojrzała na niego zdumiona.

— Amerykanie muszą być – powiedziała.

Coker westchnął smętnie. Dał jej spokój i zwrócił się do radiotechnika:

— Te sklepy i składy nie będą istniały wiecznie. Według mnie mamy znakomity start w zupełnie nowym świecie. Otrzymaliśmy na początek pokaźny kapitał, ale to wszystko długo nie potrwa. Nie możemy zjeść wszystkiego, co leży do wzięcia, nie moglibyśmy tego zjeść przez całe pokolenia – gdyby pozostało nadal w dobrym stanie. Ale nie pozostanie. Mnóstwo rzeczy popsuje się bardzo szybko. I nie tylko jedzenie. Wszystko inne również, może wolniej, ale nieuchronnie rozpadnie się w proch. Jeżeli na przyszły rok będziemy chcieli mieć świeżą żywność, musimy ją sami wyprodukować. W tej chwili wydaje się, że to jeszcze nieprędko, ale przyjdzie czas, kiedy wszystko będziemy musieli uprawiać i hodować sami. Przyjdzie też czas, kiedy traktory się zużyją albo przerdzewieją, zresztą nie będzie już wtedy do nich paliwa, a my powrócimy do natury i będziemy błogosławili konie – jeżeli uda nam się je zdobyć.

— Obecny czas — mówił dalej Coker — to pauza, w której możemy się otrząsnąć z szoku i postarać się wziąć w garść, ale to tylko pauza. Później będziemy musieli orać, jeszcze później będziemy musieli się nauczyć wykuwać lemiesze, jeszcze później będziemy musieli nauczyć się wytapiać żelazo, żeby wykuwać lemiesze. Wkroczyliśmy na drogę, która będzie nas prowadziła coraz dalej wstecz, póki nie nauczymy się — jeżeli w ogóle zdołamy — odtwarzać wszystko, co zużywamy. Dopiero wtedy będziemy mogli zatrzymać się na szlaku prowadzącym w dół aż do całkowitego zdziczenia. Ale gdy się zdołamy zatrzymać, może zaczniemy powoli piąć się znów w górę. — Rozejrzał się po otaczających go twarzach, żeby się przekonać, czy go słuchamy. — Może to nam się uda — jeżeli tylko zechcemy. Główną i bezcenną podstawą naszego dobrego startu jest wiedza. Ona daje nam przewagę nad naszymi pierwotnymi przodkami. Mamy wszystko w książkach, musimy tylko zadać sobie trud znalezienia potrzebnych informacji.

Wszyscy patrzyli na Cokera z zaciekawieniem. Po raz pierwszy dał się im poznać jako mówca.

— Otóż, jak mi wiadomo z moich studiów historycznych — mówił dalej — aby należycie zużytkować wiedzę, trzeba mieć wolny czas. Tam gdzie wszyscy muszą ciężko pracować i nie ma czasu na myślenie, wiedza upada, a z nią ludzie. Myśleć muszą przede wszystkim ludzie na pozór nieproduktywni, którzy zdawałoby się żyją wyłącznie z pracy innych, lecz w gruncie rzeczy stanowią długoterminową inwestycję. Nauka kwitła zawsze w miastach i na wielkich uniwersytetach, a uczonych utrzymywała praca rolników. Zgadzacie się z tym?

Stephen zmarszczył brwi.

— Mniej więcej, ale nie rozumiem, do czego zmierzasz.

— Chodzi mi o rozmiary gospodarki. Grupa takich rozmiarów jak nasza nie może liczyć na nic innego prócz wegetacji, a następnie schyłku i upadku. Jeżeli pozostaniemy tutaj, tak jak jesteśmy, w dziesięcioro, czeka nas powolna degrengolada. Jeżeli przyjdą dzieci, będziemy mogli wykroić z pracy tylko tyle czasu, żeby dać im namiastkę wykształcenia; jeszcze jedno pokolenie i będziemy mieli dzikusów lub matołów. Żeby się utrzymać na dawnym poziomie, żeby zużytkować całą wiedzę skupioną w bibliotekach, musimy mieć nauczyciela, lekarza i przywódcę, musimy też móc ich wyżywić, gdy pracują na naszą korzyść.

– No więc? – zapytał po chwili Stephen.

– Myślę wciąż o dworze Tynsham, gdzie Bill i ja byliśmy przez parę dni. Opowiadaliśmy wam o nim. Kobiecie, która nim zarządza, potrzeba pomocy, i to pilnie. Ma pod opieką około sześćdziesięciu osób, z czego tylko dwanaście widzi. Tak nie da sobie rady. Wie o tym, ale nie chciała się nam do tego przyznać. Nie chciała zaciągać u nas długu wdzięczności, prosząc, żebyśmy zostali. Ale byłaby szczerze zadowolona, gdybyśmy tam wrócili i poprosili o przyjęcie do wspólnoty.

– Wielki Boże! – zawołałem. – Nie sądzisz chyba, że rozmyślnie wysłała nas w złym kierunku?

– Nie wiem. Może ją krzywdzę, ale to bardzo dziwne, że nie natrafiliśmy na żaden ślad grupy Beadleya, prawda? W każdym razie, rozmyślnie czy nie, na jedno wychodzi, bo postanowiłem tam wrócić. Jeżeli chcesz znać powody, którymi się kieruję, proszę bardzo: oto dwa główne. Po pierwsze, jeżeli się tam nie zaprowadzi ładu, całe przedsięwzięcie pójdzie w diabły, a szkoda zmarnowanych wysiłków i ludzi, którzy się tam znajdują. Po drugie, Tynsham jest znacznie lepiej położony niż ten dom. Ma gospodarstwo rolne, które bez trudu można doprowadzić do porządku, jest prawie samowystarczalny, a teren w razie potrzeby można rozszerzyć. Natomiast doprowadzenie tej posiadłości do użytecznego stanu wymagałoby znacznie więcej pracy.

Co ważniejsze, tamtejsza wspólnota jest dość duża, aby można było wydzielić czas na naukę – na kształcenie ociemniałych i nauczanie normalnych dzieci, które z czasem przyjdą na świat. Sądzę, że to możliwe, i zrobię wszystko, co w mojej mocy, żeby tego dokonać, a jeżeli się wyniosłej pannie Durrant nie spodoba, niech się każe wypchać.

Wniosek jest następujący – zakonkludował Coker. – Sądzę, że poradzę sobie z tym zadaniem, ale wiem na pewno, że jeżeli wszyscy tam pojedziemy, zreorganizujemy całe przedsięwzięcie i zaprowadzimy ład w ciągu dwóch lub trzech tygodni. Będziemy wówczas żyli w społeczności, która ma wszelkie szanse rozwoju i utrzymania odpowiedniego poziomu kulturalnego. Alternatywą jest pozostanie w małej grupie, która z czasem zacznie się chylić ku upadkowi i coraz bardziej odczuwać straszliwe osamotnienie. Więc co wy na to?

Rozpoczęła się dyskusja, wypytywanie o szczegóły, nikt się jednak właściwie nie wahał. Ci spośród nas, którzy brali udział w poszukiwaniach, poznali już smak okropnej samotności, która każdego może czekać. Nikt też nie był specjalnie przywiązany do naszej obecnej siedziby. Wybrano ją przede wszystkim dla jej zalet obronnych i nic poza tym nie przemawiało na jej korzyść. Większości obecnych zaczęła już doskwierać izolacja od reszty świata. Myśl o większym i bardziej urozmaiconym towarzystwie pociągała każdego. Po godzinie rozprawiano już tylko o sprawach transportu i szczegółach przeprowadzki, a decyzja o przyjęciu propozycji Cokera zapadła sama przez się. Wątpliwości miała jedynie przyjaciółka Stephena.

– Czy ten Tynsham... to bardzo zapadły kąt? – spytała niepewnie.

– Nic się nie martw – uspokoił ją Coker. – Figuruje na wszystkich najlepszych amerykańskich mapach.

Nad ranem, po bezsennej nocy, uświadomiłem sobie, że nie pojadę do Tynsham z resztą grupy. Może dołączę do nich później, ale jeszcze nie teraz…

Pierwszym moim odruchem było towarzyszyć im, choćby po to, żeby wydusić z panny Durrant, dokąd udał się Beadley ze swoją grupą. Musiałem jednak znów przyznać się przed sobą, że wcale nie wiem, czy Josella jest z nimi, i że właściwie wszystkie informacje, jakie zdołałem dotychczas zebrać, wskazują na coś przeciwnego. Z pewnością nie przejeżdżała przez Tynsham. Ale jeżeli nie pojechała szukać Beadleya i jego towarzyszy, dokąd mogła się udać? Było mało prawdopodobne, aby w gmachu uniwersytetu znajdował się gdzieś na ścianie jeszcze jeden adres, który przeoczyłem…

Nagle, jak w świetle błyskawicy, przypomniałem sobie rozmowę w zajętym przez nas mieszkaniu. Ujrzałem Josellę – siedziała w niebieskiej sukni balowej, a płomyki świec dobywały iskry z brylantowej kolii… „A może by tak Sussex Downs? Znam na północnym zboczu śliczny stary dom, dawną farmę…" Już wiedziałem, co powinienem zrobić…

Rano powiedziałem o tym Cokerowi. Wysłuchał mnie życzliwie, ale najwyraźniej starał się nie budzić we mnie zbyt wielkich nadziei.

– Dobra. Rób to, co według ciebie jest słuszne – zgodził się. – Oby ci się… no, w każdym razie wiesz, gdzie będziemy; możecie oboje przyjechać do Tynsham i pomóc mi wytresować tę babę, żeby nabrała trochę rozumu.

Pogoda się tego ranka popsuła. Kiedy znów wsiadłem do tak dobrze już znanej ciężarówki, deszcz lał jak z cebra. Mimo to czułem się podniesiony na duchu i pełen nadziei. Mogłoby lać dziesięć razy gorzej, a nie uległbym depresji ani nie zmienił planu. Coker odprowadził mnie do ciężarówki. Wiedziałem, dlaczego tak mnie żegna – miał wyrzuty sumienia z powodu swego pierwszego nieprzemyślanego przedsięwzięcia i jego konsekwencji. Stał przy szoferce, włosy miał zupełnie mokre, woda spływała mu za kołnierz. Uniósł rękę.

– Jedź ostrożnie, Bill. Na karetki pogotowia ostatnio trudno liczyć, a ona wolałaby na pewno dostać cię w całości. Powodzenia – i przeproś za wszystko twoją panią, kiedy ją znajdziesz.

Powiedział: „kiedy", ale w podtekście było „jeżeli".

Ze swej strony życzyłem im szczęścia w Tynsham. Potem wcisnąłem sprzęgło i ruszyłem naprzód, rozpryskując błoto.

Podróż pod znakiem nadziei

Poranek najeżony był drobnymi niepowodzeniami. Najpierw woda dostała się do gaźnika. Potem przejechałem kilkanaście mil na północ, sądząc, że jadę na wschód, a zanim naprawiłem ten błąd, miałem kłopoty z zapłonem, w dodatku na ponurej drodze pod górę Bóg wie jak daleko od miasta. Te niemiłe przygody w znacznej mierze popsuły radosny humor, w jakim wyruszyłem. Zanim uporałem się ze wszystkimi kłopotami, była już pierwsza po południu i zaczęło się wypogadzać.

Słońce wyjrzało zza chmur. Wszystko wokół poweselało, ale nawet pogoda i to, że przez następne dwadzieścia mil wszystko szło mi gładko, nie rozproszyły ogarniającego mnie przygnębienia. Teraz, kiedy zostałem naprawdę sam, nie mogłem się uwolnić od poczucia osamotnienia. Zaatakowało mnie znowu jak owego dnia, kiedy się rozdzieliliśmy, żeby szukać Beadleya – tym razem jednak ze zdwojoną siłą… Dotychczas myślałem zawsze o samotności jako o czymś negatywnym – nazwijmy to nieobecnością innych osób – no i zupełnie chwilowym. Tego dnia stwierdziłem, że samotność jest czymś znacznie większym. Jest to coś, co może uciskać i dławić, zniekształcać normalne zjawiska i płatać figle zmysłom. Wroga samotność czaiła się wkoło, napinając mi nerwy i szarpiąc je fałszywymi alarmami, nie pozwalała mi ani na moment zapomnieć, że nie ma nikogo, kto by mi udzielił pomocy, nikogo, komu by choć odrobinę na mnie zależało. Dawała mi odczuć, że jestem atomem dryfującym w nieogarnionej przestrzeni, i wciąż czyhała na sposobność, żeby mnie przestraszyć, i to w sposób najokrutniejszy. Oto, co usiłowała zrobić ze mną samotność, i oto, na co nie mogłem jej pozwolić...

Pozbawić stadną istotę towarzystwa podobnych jej istot oznacza okaleczenie jej, zadanie gwałtu jej naturze. Więzień i zakonnik wiedzą, że stado istnieje poza obrębem ich miejsca odosobnienia; są częścią stada. Ale kiedy stado przestaje istnieć, stadna istota przestaje być jednostką. Nie jest już częścią całości, jest wybrykiem natury, bez miejsca, bez przydziału. Jeśli człowiek w tej sytuacji nie zdoła zachować równowagi umysłowej, jest zgubiony, stracony bezpowrotnie, staje się zaledwie nieuchwytnym drgnieniem kończyny trupa.

Potrzeba mi było teraz znacznie więcej odporności niż poprzednim razem. Tylko siła nadziei, że u kresu wędrówki znajdę Josellę, powstrzymywała mnie od tego, żeby zawrócić i znaleźć wsparcie u Cokera i innych.

To, co widziałem po drodze, niewiele miało wspólnego z moim stanem. Niektóre widoki były wręcz potworne, ale zdążyłem się już na nie uodpornić. Ich potworność nie budziła już we mnie przerażenia, tak jak z czasem przestają budzić przerażenie historyczne pola bitew. Ponadto nie patrzyłem już na to wszystko niczym na gigantyczną tragedię. Toczyłem teraz osobistą walkę z instynktami mojego gatunku. Była to ustawiczna akcja defensywna bez możliwości zwycięstwa. W głębi ducha czułem, że nie zniosę długo samotności.

Żeby zająć czymś myśli, jechałem prędzej, niż należało. W jakimś miasteczku, którego nazwy nie pamiętam, wziąłem zakręt i wyrżnąłem w furgon na całej szerokości blokujący ulicę. Moja ciężarówka na szczęście nie doznała większej szkody prócz kilku zadrapań, ale oba wozy sczepiły się tak perfidnie, że rozdzielenie ich w pojedynkę i w ciasnej przestrzeni było bardzo skomplikowanym zadaniem. Rozwiązanie tego problemu zabrało całą godzinę i dobrze mi zrobiło, bo zwróciło myśli ku sprawom konkretnym i praktycznym.

Jechałem już potem ostrożniej, wyjąwszy kilka minut wkrótce po wjeździe do New Forest. Nad konarami drzew bowiem mignął mi helikopter lecący na niewielkiej wysokości. Oceniłem, że przeleci nad szosą kilkaset jardów przede mną. Pech chciał, że w tym miejscu tuż przy drodze rosły drzewa, które przypuszczalnie zasłaniały od góry mój samochód. Dociskałem pedał gazu do podłogi, zanim jednak wyjechałem na otwartą przestrzeń, śmigłowiec był już tylko miniaturową kropką odlatującą na północ. Ale sam jego widok dodał mi otuchy.

Kilka mil dalej wjechałem do małej wioski symetrycznie otaczającej trójkątne pastwisko. Na pierwszy rzut oka ze swymi strzechami i czerwonymi dachówkami, ogródkami pełnymi kwiatów wyglądała uroczo, jak wyjęta z książki z obrazkami. Ale przejeżdżając, nie przyglądałem się zbyt uważnie ogródkom, w zbyt wielu bowiem można było dostrzec groźne zarysy tryfida górującego nad barwnymi kwiatami. Byłem już na końcu wsi, kiedy z jednej z ostatnich furtek ogrodowych wyskoczyła drobna figurka i wymachując obiema rękami, pobiegła drogą w moim kierunku. Zahamowałem, odruchowo rozejrzałem się, czy w pobliżu nie ma tryfidów, wziąłem strzelbę i wysiadłem.

Miała na sobie niebieską bawełnianą sukienkę, białe skarpetki i sandałki. Mogła mieć dziewięć lub dziesięć lat. Ładna dziewczynka – mimo że ciemne loki miała nieuczesane, a twarz brudną i mokrą od rozmazanych łez. Pociągnęła mnie za rękaw.

– Proszę pana, bardzo pana proszę – powiedziała gorączkowo – niech pan pójdzie i zobaczy, co się stało Tommy'emu.

Przez chwilę patrzyłem na nią bez słowa. Straszliwa samotność rozwiała się bez śladu. Mój umysł wyrwał się z więzienia, które sam mu wybudowałem. Miałem ochotę podnieść dziewczynkę i przycisnąć ją do piersi. Łzy wezbrały mi pod powiekami. Wyciągnąłem rękę, dziewczynka ją ujęła. Razem podeszliśmy do furtki, przez którą wybiegła.

– Tommy jest tam – pokazała.

Mały chłopczyk, mniej więcej czteroletni, leżał na miniaturowym trawniku między grządkami kwiatów. Wystarczyło jedno spojrzenie, żeby zrozumieć, dlaczego tak leży.

– To coś go uderzyło – wyjaśniła dziewczynka. – Uderzyło go i upadł. I mnie też chciało uderzyć, kiedy próbowałam mu pomóc. Wstrętne obrzydlistwo!

Podniosłem oczy i zobaczyłem czubek tryfida nad ogrodzeniem okalającym ogródek.

– Zatkaj uszy – powiedziałem. – Muszę narobić trochę hałasu.

Wykonała polecenie, a ja odstrzeliłem tryfidowi czubek.

– Wstrętne obrzydlistwo! – powtórzyła dziewczynka. – Czy już nie żyje?

Miałem ją właśnie zapewnić, że tak, kiedy tryfid zaczął bębnić pałeczkami o łodygę, zupełnie jak tamten w Steeple Honey. Więc również tak jak wtedy wpakowałem mu nabój z drugiej lufy, żeby go uciszyć.

– Tak – potwierdziłem. – Teraz już nie żyje.

Podeszliśmy do chłopczyka. Szkarłatna pręga rysowała się wyraźnie na bladym policzku. Musiało się to stać kilka godzin temu. Dziewczynka uklękła przy nim.

– To na nic – powiedziałem najłagodniej, jak potrafiłem.

Uniosła główkę, w oczach znów miała łzy.

– Tommy też nie żyje?

Usiadłem przy niej w kucki i skinąłem głową.

– Niestety tak.

Po chwili powiedziała:

– Biedny Tommy! Czy pochowamy go… jak szczeniaki?

– Tak – odparłem. Odkąd spadł na nas ten niewiarygodny kataklizm, był to jedyny grób, jaki wykopałem, w dodatku bardzo mały. Dziewczynka zebrała bukiecik kwiatów i położyła go na grobie. Potem odjechaliśmy.

Na imię miała Susan. Już dawno temu, jak się jej zdawało, coś złego stało się z jej ojcem i matką, bo przestali widzieć. Ojciec wyszedł, żeby poszukać gdzieś pomocy, i nie wrócił. Mama wyszła później, nakazawszy dzieciom, żeby pod żadnym pozorem nie wychodziły z domu. Wróciła z płaczem. Następnego dnia wyszła znowu: tym razem nie wróciła. Dzieci zjadły wszystko, co znalazły w domu, potem zaczął im dokuczać głód. W końcu Susan była już tak głodna, że mimo zakazu mamy poszła do sklepu pani Walton poprosić ją o pomoc. Sklep był otwarty, ale pani Walton w nim nie było. Na wołanie Susan nikt nie nadszedł, postanowiła więc, że weźmie trochę herbatników, biszkoptów, cukierków, a później powie o tym pani Walton.

W drodze powrotnej widziała kilka obrzydlistw. Jedno z nich chciało ją uderzyć, ale nie zorientowało się widocznie, że jest taka mała, i wić przeszła nad jej głową. Susan się przestraszyła i resztę drogi do domu już biegła. Potem bardzo uważała na obrzydlistwa i nauczyła Tommy'ego, żeby był ostrożny. Ale Tommy był malutki, nie zobaczył tego, co schowało się w sąsiednim ogrodzie, kiedy rano wyszedł się pobawić. Susan z dziesięć razy usiłowała się do niego podkraść, ale za każdym razem, choć była bardzo ostrożna, widziała, że czubek tryfida zaczyna drgać i kołysać się lekko...

Po jakiejś godzinie uznałem, że czas się zatrzymać na nocleg. Zostawiłem małą w szoferce, sam zaś obejrzałem kilka domków, aż wreszcie znalazłem odpowiedni. Zabraliśmy się do przyrządzania kolacji. Niewiele dotychczas miałem do czynienia z małymi dziewczynkami, ale ta, jak się okazało, potrafiła pochłonąć zdumiewające ilości jedzenia. Przeżuwając, wyznała, że dieta składająca się niemal wyłącznie z biszkoptów, herbatników i cukierków okazała się nie tak bardzo smaczna, jak można by się spodziewać. Po kolacji wspólnymi siłami wyszorowaliśmy Susan, następnie przez dłuższą chwilę zgodnie ze wskazówkami operowałem szczotką do włosów. Wynik tych wysiłków sprawił mi prawdziwą przyjemność. Susan zaś jakby zapomniała o wszystkim, co zaszło, szczęśliwa, że może wreszcie z kimś porozmawiać.

Doskonale ją rozumiałem. Odczuwałem to samo.

Ale wkrótce potem, kiedy ułożyłem ją do snu i zszedłem na dół, usłyszałem szlochanie. Wróciłem na górę.

– Nie płacz, Susan – powiedziałem – nie płacz. Tommy'ego nic nie bolało... to się stało bardzo szybko.

Usiadłem przy niej na łóżku i wziąłem ją za rączkę. Przestała płakać.

– Nie chodzi tylko o Tommy'ego... – wyjąkała. – To było już po Tommym... kiedy nie było nikogo, całkiem nikogo. Byłam taka przerażona...

– Wiem – powiedziałem jej. – Wiem bardzo dobrze. Ja też byłem przerażony.

Podniosła na mnie oczy.

– A teraz już się nie boisz?

– Nie. I ty też się nie boisz. Więc widzisz, musimy po prostu trzymać się razem, to się nie będziemy bali.

– Tak – przyznała z namysłem i powagą. – Myślę, że tak będzie najlepiej...

Zaczęliśmy rozmawiać o różnych rzeczach, aż wreszcie usnęła.

– Dokąd jedziemy? – spytała Susan, kiedy wyruszyliśmy rano.

Powiedziałem, że szukamy pewnej pani.

– A gdzie ona jest? – była ciekawa.

Musiałem przyznać, że nie wiem dokładnie.

– Kiedy ją znajdziemy? – dociekała dziewczynka.

Na to też nie mogłem udzielić konkretnej odpowiedzi.

– Jest ładna? – spytała Susan.

– Tak – odparłem, rad, że tym razem mogę odpowiedzieć bez wahania.

Informacja ta z niewiadomego powodu ucieszyła Susan.

– To dobrze – stwierdziła zadowolona, po czym przeszliśmy na inne tematy.

Ze względu na Susan starałem się omijać większe miasta, ale na wsi też niepodobna było uniknąć wielu okropnych widoków. Po pewnym czasie przestałem udawać, że te widoki nie istnieją. Susan jednak patrzyła na nie z tym samym bezosobowym zainteresowaniem, z jakim spoglądała na normalny krajobraz. Nie budziły w niej przerażenia, lecz tylko zastanawiały i pobudzały do coraz to nowych pytań. Pomyślałem sobie, że w świecie, w którym wypadnie jej dorastać, nie będzie miejsca na superdelikatność i oględne omówienia, do których przyuczono mnie w dzieciństwie, toteż zacząłem w miarę możności mówić zarówno o potwornościach, jak i osobliwościach w ten sam obiektywny sposób. Jak się okazało, mnie też bardzo dobrze to zrobiło.

Około południa zebrały się chmury i znów zaczęło padać. Kiedy o piątej po południu zatrzymaliśmy się na szosie tuż przed Pulborough, wciąż lało jak z cebra.

– Dokąd teraz pojedziemy? – chciała wiedzieć Susan.

– Sam dobrze nie wiem – wyznałem. – To musi być gdzieś tutaj. – Wskazałem w stronę południa, na mglistą linię wzgórz.

Usiłowałem wciąż odtworzyć w pamięci, co jeszcze Josella mówiła o tym miejscu, ale nie mogłem sobie przypomnieć nic ponad to, że dom stoi na północnym zboczu, miałem też wrażenie, że zwrócony jest frontem do bagnistej niziny dzielącej wzgórza od Pulborough. Teraz, gdy już zajechałem tak daleko, wskazówki te okazały się wręcz nikłe – wzgórza ciągnęły się na wiele mil na wschód i zachód.

– Przede wszystkim musimy chyba zobaczyć, czy gdzieś widać dym – powiedziałem.

– W tym deszczu w ogóle okropnie trudno cokolwiek zobaczyć – stwierdziła Susan rzeczowo i najzupełniej słusznie.

Po półgodzinie deszcz się zlitował i na chwilę odpuścił. Wyszliśmy z szoferki i usiedliśmy obok siebie na jakimś murku. Przez chwilę uważnie przypatrywaliśmy się niższym zboczom wzgórz, ale ani bystre oko Susan, ani moja lornetka polowa nie zdołały odkryć choćby śladu dymu czy oznak ludzkiej działalności. Potem znów zaczęło lać.

– Głodna jestem – oświadczyła Susan.

Jedzenie w tej chwili mogło dla mnie nie istnieć. Teraz, kiedy byłem już tak blisko, chciałem się tylko upewnić, czy moje domysły są słuszne, i przesłaniało mi to wszystko inne. Susan zabrała się więc do jedzenia, a ja tymczasem, chcąc mieć rozleglejszy widok, podjechałem ciężarówką nieco wyżej na wzgórze wznoszące się za naszymi plecami. Pomiędzy jedną ulewą a drugą i przy coraz gorszym świetle przepatrzyliśmy przeciwległą stronę doliny, znów bez rezultatu. W całej dolinie nie było widać znaku życia, jeśli nie brać pod uwagę kilku sztuk bydła rogatego, kilku owiec oraz tu i ówdzie kusztykającego przez pola tryfida.

Przyszła mi do głowy pewna myśl i postanowiłem zjechać do pobliskiej wioski. Niechętnie brałem ze sobą Susan, wiedziałem bowiem, że nie będzie tam przyjemnie, nie mogłem jednak zostawić jej na drodze. Kiedy dotarliśmy do wioski, przekonałem się, że koszmarne widoki mniej działają na nią niż na mnie; dzieci inaczej reagują na okropności, póki się ich nie nauczy, czego się mają bać. Przygnębienie ogarnęło więc tylko mnie, w Susan natomiast zaciekawienie brało górę nad odrazą. Zresztą wszelkie przykre odczucia wyparła radość z czerwonego jedwabnego płaszcza nieprzemakalnego, który gdzieś znalazła i natychmiast włożyła, mimo że był na nią o kilka numerów za długi. Moje poszukiwania również się powiodły. Wróciłem do ciężarówki ze sporym reflektorem, który zdemontowałem z okazałego rolls-royce'a.

Osadziłem ten skarb przy oknie szoferki na obrotowym wsporniku i przygotowałem do włączenia. Nie pozostało mi nic innego, jak czekać na zapadnięcie zmroku i marzyć o tym, aby przestał padać deszcz.

Zanim zupełnie się ściemniło, deszcz przeszedł w mżawkę. Włączyłem reflektor i skierowałem w mrok wspaniałą smugę światła. Przesuwałem ją wolno to w jedną stronę, to w drugą, trzymając na poziomie przeciwległych wzgórz, i wypatrywałem światła w odpowiedzi. Z piętnaście razy przejechałem reflektorem po linii wzgórz. Po każdym takim przebiegu wyłączałem go na kilka sekund i szukałem jakiegoś błysku w ciemności. Ale na wzgórzach wciąż zalegał nieprzejrzany mrok. Potem deszcz znów przybrał na sile. Skierowałem smugę światła prosto przed siebie i czekałem, wsłuchując się w bębnienie kropel o dach ciężarówki, gdy tymczasem Susan zasnęła, przytulona do mojego ramienia. Upłynęła godzina, nim bębnienie przeszło w lekki stukot, aż wreszcie ustało zupełnie. Zacząłem znów obracać reflektor w prawo i w lewo. Obudziło to Susan. Po szóstym razie zawołała nagle:

– Patrz, Bill! Jest! Jest światło!

Wskazywała coś kilka stopni na lewo od nas. Zgasiłem reflektor i przeniosłem wzrok tam, gdzie skierowała palec. Trudno było mieć pewność. Jeśli nawet oczy nas nie myliły, światełko było nikłe jak widziany z daleka robaczek świętojański. Na domiar złego, gdy się tak wpatrywaliśmy, deszcz znów lunął strumieniami. Zanim zdążyłem chwycić i wyostrzyć lornetkę, już nic nie było widać. Bałem się podjechać w tę stronę. Światło – jeśli to w ogóle było światło – z mniejszej wysokości mogło nie być widoczne.

Skierowałem reflektor ponownie wprost na zbocze i czekałem, starając się zdobyć na cierpliwość. Upłynęła jeszcze godzina, zanim deszcz znów ustał. Natychmiast zgasiłem lampę.

– Jest! – krzyknęła Susan. – Patrz! Patrz!

Było, rzeczywiście. W dodatku teraz już dość jasne, żeby rozproszyć wszelkie wątpliwości, chociaż nawet przez lornetkę nie mogłem dojrzeć żadnych szczegółów.

Znowu włączyłem reflektor i nadałem alfabetem Morse'a „V", znak zwycięstwa – musiał wystarczyć, gdyż poza „SOS" innych znaków nie znałem. W odpowiedzi tamto światło zamigotało, a następnie wysłało serię kresek i kropek, które niestety nic dla mnie nie oznaczały. Na wszelki wypadek nadałem jeszcze dwa razy „V", wykreśliłem na naszej mapie przybliżoną linię dalekiego światła i włączyłem światła drogowe.

– Czy to ta pani? – spytała Susan.

– To musi być ona – odparłem. – Musi.

Jazda była okropna. Aby przebyć bagnistą nizinę, trzeba było skręcić na zachód, a potem wrócić na wschód drogą okalającą podnóże wzgórz. Nie ujechaliśmy jeszcze pół mili, gdy coś zupełnie przesłoniło nam tamto światło, na dodatek zaś znowu lunął deszcz, utrudniając jazdę po ciemnych polnych drogach. Ponieważ nikt nie dbał już o kanały odpływowe, większość pól była zatopiona i miejscami woda płynęła potokami w poprzek drogi. Musiałem jechać bardzo ostrożnie, mimo że całym sobą pragnąłem wdeptać pedał gazu w podłogę.

Gdy wreszcie znaleźliśmy się po przeciwległej stronie doliny, przestało nam grozić zatopienie, nie mogłem jednak przyspieszyć, gdyż polna droga wiła się tu przedziwnie. Całą uwagę musiałem poświęcić prowadzeniu, Susan zaś w skupieniu obserwowała mijane wzgórza, wypatrując światła. Dotarliśmy do punktu, w którym linia na mojej mapie krzyżowała się z drogą, którą jechaliśmy, ale światła wciąż nie było widać. Straciliśmy blisko pół godziny, żeby wrócić na poprzednią drogę z kamieniołomów kredowych, do których nas ów zakręt zaprowadził.

Ruszyliśmy dalej niższą drogą. Naraz Susan dostrzegła błysk wśród gałęzi na prawo od nas. Następny zakręt był łaskawszy. Zaprowadził nas stromą ścieżyną w górę i wreszcie pół mili dalej na zboczu ujrzeliśmy mały, jaskrawo oświetlony prostokąt okna.

Nawet wtedy, mimo pomocy mapy, niełatwo było znaleźć do niego drogę. Przechylonym na bok wozem wspinaliśmy się wciąż na pierwszym biegu, jednak za każdym razem, gdy udawało się nam zobaczyć okno, było ono nieco bliżej. Droga z pewnością nie była przeznaczona dla ciężkich pojazdów. W węższych miejscach musieliśmy się przedzierać przez kolczaste zarośla, które czepiały się burt ciężarówki, jakby chciały nas zatrzymać.

Ale oto na drodze przed nami ukazała się latarnia. Posunęła się naprzód, rozkołysanym światłem wskazując nam, którędy dotrzeć do bramy. Potem została postawiona na ziemi. Podjechałem na odległość jarda i zahamowałem. Kiedy otworzyłem drzwi, oślepiła mnie nagle latarka elektryczna. Za kręgiem blasku mignęła postać w lśniącym od deszczu płaszczu nieprzemakalnym.

Głos, który miał brzmieć niezmącenie spokojnie, lecz załamał się lekko, powiedział:

– Halo, Bill. Niezbyt się śpieszyłeś.

Wyskoczyłem z szoferki.

– Och, Bill... Nie potrafię... Kochany, tak na ciebie czekałam... Och, Bill... – powtarzała Josella.

Kompletnie zapomniałem o Susan, aż usłyszałem z góry jej głosik:

– Głuptasie, zmokniesz do nitki. Dlaczego nie całujesz jej w samochodzie?

Shirning

Uczucie, z jakim przyjechałem na farmę Shirning – że większość kłopotów i trosk mam już poza sobą – może być interesujące tylko jako dowód, jak mylne bywają uczucia i przeświadczenia. Z chwyceniem Joselli w ramiona poszło mi wcale nieźle, następna jednak część planu, czyli niezwłoczny wyjazd z Josellą do Tynsham, nie dała się zrealizować, i to z kilku powodów.

Odkąd się domyśliłem, gdzie mogę znaleźć Josellę, wyobrażałem ją sobie na sposób filmowy: samotna kobieta zmagająca się dzielnie z żywiołami itd., itp. W pewnej mierze tak też było, jednak całe tło bardzo odbiegało od moich wyobrażeń. Myślałem, że powiem po prostu: „Wsiadaj, jedziemy do Cokera i jego paczki", ale zaraz po przyjeździe okazało się, że muszę z tego zrezygnować. Powinienem był wiedzieć, że w życiu nic nie bywa proste – z drugiej strony jednak jest zdumiewające, jak często coś, co w pierwszej chwili wydaje się gorsze, w końcu obraca się na lepsze…

Wprawdzie od początku wolałem Shirning od Tynsham, lecz

przyłączenie się do większej grupy było posunięciem znacznie rozsądniejszym. Farma Shirning była jednak urocza. Słowo „farma" stanowiło zresztą tylko tytuł grzecznościowy. Posiadłość przed dwudziestu pięciu laty była farmą i dotychczas wyglądała jak farma, w rzeczywistości jednak stała się wiejską rezydencją. Hrabstwo Sussex i sąsiednie hrabstwa usiane były takimi domami, które znużeni londyńczycy przystosowali do swoich potrzeb. Wnętrze domu w Shirning zmodernizowano i przebudowano tak gruntownie, że poprzedni mieszkańcy nie poznaliby zapewne ani jednego pokoju. Na zewnątrz zapanował wzorowy ład. Podwórza i zabudowania gospodarcze świeciły czystością raczej podmiejską niż wiejską i od lat nie znały bardziej prostackiego inwentarza od kilku koni i kucyków pod wierzch. Główny dziedziniec nie prezentował utylitarnych widoków i nie rozsiewał wiejskich odorów; pokryty był szczelnie darniną, gładką i zieloną jak stół bilardowy. Pola, na które spoglądały okna domu krytego piękną starą dachówką, od dawna już uprawiali rolnicy z innych okolicznych farm, znacznie mniej wykwintnych. Ale stodoła i wszystkie inne budynki gospodarcze wciąż były w doskonałym stanie.

Przyjaciele Joselli, obecni właściciele Shirning, mieli pewne ukryte aspiracje: zamierzali z czasem przywrócić farmie jej dawny charakter i zająć się tu gospodarstwem wiejskim na niezbyt dużą skalę. Zgodnie z tym zamiarem odrzucali kuszące oferty zgłaszających się stale nabywców, mając nadzieję, że kiedyś, na razie nie wiadomo jak, zdobędą dość pieniędzy, aby zacząć odkupywać ziemię, która niegdyś należała do posiadłości.

Shirning, z własną studnią i elektrownią, miało wiele zalet jako stała siedziba – gdy jednak wszystko zwiedziłem, zrozumiałem, jak mądre były słowa Cokera o znaczeniu zbiorowego wysiłku. Nie miałem pojęcia o rolnictwie, ale czułem przez skórę, że gdybyśmy mieli tu zostać, wyżywienie sześciu osób wymagałoby nie lada pracy.

Kiedy przyjechała Josella, pozostali troje już się tu znajdowali. Byli to państwo Brent, Dennis i Mary, oraz Joyce Taylor. Dennis był właścicielem Shirning. Joyce przybyła tu w swoim czasie na dłuższy pobyt. Miała dotrzymywać Mary towarzystwa, a potem pomagać w prowadzeniu domu, kiedy Mary już urodzi dziecko, którego się spodziewała.

W wieczór zielonych błysków – czy też deszczu szczątków komety, jak mogliby powiedzieć ci, którzy wciąż w to wierzą – w Shirning było jeszcze dwoje gości, Joan i Ted Danton, małżeństwo, które przyjechało spędzić tu tydzień urlopu. Wszyscy pięcioro wyszli do ogrodu, żeby podziwiać niezwykłe widowisko. Rano obudzili się w świecie spowitym mrokiem. Próbowali najpierw telefonować, co spełzło na niczym, czekali więc już tylko na przychodzącą codziennie gosposię. Gdy się nie zjawiła, Ted postanowił wyjść i dowiedzieć się, co się stało. Dennis chciał mu towarzyszyć, ale jego żona, Mary, wpadła w stan bliski histerii. Ted wobec tego wyruszył sam. Nie wrócił. Po kilku godzinach, nie mówiąc nikomu ani słowa, Joan wymknęła się z domu, zapewne na poszukiwanie męża. Ona również przepadła bez śladu.

Dennis orientował się w upływie czasu, dotykając palcami wskazówek zegara ściennego. Późnym popołudniem doszedł do wniosku, że niepodobna dłużej siedzieć bezczynnie. Chciał przynajmniej dotrzeć do pobliskiej wsi. Obydwie kobiety zaprotestowały gwałtownie. Ustąpił przez wzgląd na stan Mary, a próby postanowiła dokonać Joyce. Podeszła do drzwi i zaczęła wysuniętą laską badać drogę. Zaledwie przekroczyła próg, gdy coś spadło ze świstem na jej lewą rękę, paląc niczym rozżarzony drut. Odskoczyła z krzykiem i upadła w holu, gdzie znalazł ją Dennis. Na szczęście była przytomna i pojękując, zdołała powiedzieć o straszliwym bólu ręki. Dennis namacał olbrzymią pręgę i domyślił się, co ona oznacza. Mimo ślepoty zdołali jakoś zastosować gorące okłady. Mary grzała wodę, gdy tymczasem Dennis założył na ramię Joyce opaskę uciskową i postarał się jak najdokładniej wyssać truciznę. Potem musieli zanieść ją do łóżka, w którym pozostała przez kilka dni, dopóki nie ustąpiły skutki zatrucia.

Dennis rozpoczął zaraz systematyczne próby, najpierw od frontu domu, potem przy tylnym wejściu. Uchylał nieco drzwi i ostrożnie wysuwał szczotkę na poziomie swojej głowy. Za każdym razem słyszał świst i czuł, że kij szczotki lekko drga mu w ręku. Przy jednym z okien do ogrodu zdarzyło się to samo, inne sprawiały wrażenie wolnych od tryfidów. Byłby spróbował wyjść przez jedno z tych okien, gdyby nie rozpaczliwy opór Mary. Była pewna, że skoro wokół domu są tryfidy, inne też muszą czaić się gdzieś nieopodal, za nic więc nie chciała mu pozwolić, żeby tak ryzykował.

Na szczęście mieli w domu zapasy żywności wystarczające na jakiś czas, chociaż gotowanie nastręczało olbrzymich trudności. Ponadto Joyce, jak się okazało, mimo wysokiej gorączki wyszła zwycięsko ze zmagań z trucizną, toteż wyprawa do wsi nie była tak pilna. Prawie cały następny dzień Dennis poświęcił na sporządzenie czegoś w rodzaju hełmu. Miał do dyspozycji tylko żelazną siatkę o dużych okach, musiał więc zrobić go z kilku nałożonych na siebie i powiązanych warstw. Zabrało mu to sporo czasu, ale przed wieczorem, w owym hełmie i parze grubych rękawic z długimi mankietami, mógł już wyruszyć do wioski. Nim oddalił się o trzy kroki od domu, zaatakował go tryfid. Dennis tak długo szukał po omacku, aż go wreszcie znalazł i ukręcił mu łodygę. Po chwili chlasnęła go po hełmie inna wić. Tego tryfida Dennisowi nie udało się dopaść, mimo że smagał go wicią kilkanaście razy, nim w końcu dał za wygraną.

Dennis dotarł do szopki z narzędziami i stamtąd wydostał się na polną drogę. Niósł teraz trzy wielkie kłębki szpagatu używanego do robót ogrodowych i idąc, rozwijał go, żeby potem trafić z powrotem.

Jeszcze kilka razy po drodze słyszał i czuł uderzenia trujących wici. Przebycie mili dzielącej go od wsi trwało nieprawdopodobnie długo, na dobitkę zaś, nim tam dotarł, skończył się szpagat. Dennis szedł przy tym i potykał się przez cały czas w ciszy tak głuchej, że ogarniało go coraz większe przerażenie. Raz po raz przystawał i nawoływał, ale znikąd nie było odpowiedzi. Kilkakrotnie zdawało mu się, że zabłądził, kiedy jednak poczuł pod nogami asfalt, zorientował się, gdzie jest, a po chwili uspokoił się zupełnie, namacał bowiem drogowskaz. Brnął tedy dalej.

Po przebyciu następnego – olbrzymiego, jak mu się zdawało – odcinka drogi uświadomił sobie, że odgłos jego kroków brzmi nieco inaczej: odbija się leciutkim echem. Skręcił w bok i wymacał stopą ścieżkę, a potem mur. Nieco dalej odkrył skrzynkę pocztową wiszącą na ścianie, miał więc już pewność, że wreszcie jest we wsi. Zaczął znów wołać. Odpowiedział mu jakiś kobiecy głos, ale że dolatywał ze sporej odległości, Dennis nie zdołał rozróżnić słów. Zawołał znowu i ruszył w tamtym kierunku. Odpowiedź urwała się nagle, przechodząc w przeraźliwy krzyk. Potem znów zaległa cisza. Dopiero wtedy, wciąż jeszcze z niedowierzaniem, Dennis zrozumiał, że sytuacja we wsi nie jest wcale lepsza niż w jego domu. Usiadł na porośniętym trawą poboczu ścieżki, żeby się zastanowić, co dalej.

Ochłodzenie powietrza podpowiedziało mu, że musiał już zapaść wieczór. Upłynęły co najmniej cztery godziny, odkąd wyszedł z domu – a nie pozostawało mu nic innego, jak tam wrócić. Mimo wszystko jednak nie było powodu, aby wracać z pustymi rękami... Posuwał się naprzód, opukując laską mur, aż usłyszał blaszany oddźwięk szyldu zdobiącego wiejski sklepik.

Przez ostatnie pięćdziesiąt czy sześćdziesiąt jardów trzy razy czuł na hełmie uderzenie wici. Jeszcze jedna chlasnęła w hełm, gdy Dennis otworzył furtkę i potknął się o ciało leżące na ścieżce. Było to ciało mężczyzny, zupełnie już zimne.

Miał wrażenie, że inni ludzie musieli już przed nim być w sklepie. Mimo to znalazł pokaźny połeć bekonu. Wrzucił go wraz z paczkami masła czy margaryny, biszkoptów i cukru do worka, dodał również sporo puszek z półki, na której, o ile dobrze pamiętał, trzymano zawsze żywność – puszki sardynek w każdym razie można było nieomylnie rozpoznać dotykiem. Potem poszukał i znalazł kilkanaście kłębków sznura, dźwignął worek na plecy i ruszył do domu.

Zbłądził raz i z wielkim trudem opanował paraliżujący lęk, nim wrócił na poprzednie miejsce i postarał się odnaleźć właściwy kierunek. W końcu jednak poznał, że jest znów na dobrze znanej polnej drodze. Obmacując ręką ziemię, odnalazł szpagat i związał go ze sznurkiem. Odtąd reszta wędrówki była już stosunkowo łatwa.

W ciągu następnego tygodnia jeszcze dwukrotnie odbył wyprawę do sklepu i za każdym razem zdawało mu się, że tryfidów wokół domu i przy drodze jest coraz więcej. Osamotnionym trojgu ludziom nie pozostawało nic innego, jak czekać na cud. I naraz cud się wydarzył – przyjechała Josella.

Od pierwszej chwili było dla mnie jasne, że o niezwłocznej przeprowadzce do Tynsham nie może być mowy. Przede wszystkim Joyce Taylor wciąż jeszcze była straszliwie osłabiona – kiedy ją zobaczyłem, zdumiałem się, że w ogóle żyje. Szybka pomoc Dennisa uratowała jej życie, ale to, że Brentowie przez następny tydzień nie mogli dać jej odpowiednich środków wzmacniających ani nawet właściwego pożywienia, opóźniło powrót kobiety do zdrowia. Szaleństwem byłoby wieźć ją gdzieś wcześniej niż za jakieś dwa tygodnie. Poza tym zbliżał się czas rozwiązania, wszelkie podróże były dla Mary niewskazane, musieliśmy więc pozostać na miejscu aż do chwili, gdy wszystkie perturbacje miną.

Moim zadaniem znowu stały się rabunek i plądrowanie. Tym razem musiałem rozwinąć działalność na większą skalę, gdyż trzeba było zdobyć nie tylko żywność, ale i benzynę do instalacji oświetleniowej, kury nioski, dwie niedawno wycielone krowy (pozostałe przy życiu mimo sterczących żeber), materiały opatrunkowe dla Mary oraz zdumiewająco dużo przeróżnych drobiazgów wyszczególnionych na specjalnej liście.

Na przyległych terenach spotykało się więcej tryfidów, niż gdziekolwiek dotąd widziałem. Prawie co rano odkrywaliśmy parę nowych, zaczajonych w pobliżu domu, i pierwszym zadaniem każdego poranka było odstrzelenie im czubków, aż wreszcie zrobiłem ogrodzenie z żelaznej siatki, żeby nie mogły się przedostać do ogrodu. Ale i potem podchodziły tuż do ogrodzenie i tkwiły tam groźnie, dopóki się z nimi nie rozprawiliśmy.

Otworzyłem kilka skrzyń strzelb na tryfidy i nauczyłem Susan, jak się z taką bronią obchodzić. W bardzo krótkim czasie nabrała wyjątkowej wprawy w unieszkodliwianiu „obrzydlistw", jak je wciąż nazywała. Odtąd codzienna zemsta na stworach stała się jej wyłączną domeną.

Josella opowiedziała mi, co się z nią działo po fałszywym alarmie w gmachu uniwersytetu.

Wyekspediowano ją z przydzieloną grupą tak samo jak mnie, ona jednak nie namyślała się długo, jak załatwić sprawę dwóch kobiet, z którymi ją związano. Postawiła ultimatum: albo ją uwolnią od wszelkiego przymusu, a wówczas będzie w miarę sił i możliwości im pomagać, albo też, jeśli nadal będą ją więzić, nadejdzie chwila, gdy okaże się, że za jej sprawą piją kwas pruski i jedzą cyjanek potasu. Mogą wybierać. Wybrały zgodnie z rozsądkiem.

Nasze opowiadania o okresie, który potem nastąpił, niewiele się od siebie różniły. Kiedy grupa Joselli w końcu się rozpadła, jej tok rozumowania był podobny do mojego. Wzięła samochód i pojechała do Hampstead, żeby mnie szukać. Nie spotkała nikogo, kto by pozostał przy życiu z mojej grupy, nie natrafiła też na oddział dowodzony przez rudowłosego młodzieńca, skorego do korzystania z pistoletu. Krążyła po Hampstead prawie do zachodu słońca, a następnie postanowiła pojechać do gmachu uniwersytetu. Nie wiedząc, czego się tam można spodziewać, przezornie zostawiła samochód o kilka ulic dalej i ruszyła pieszo. Kiedy była jeszcze w pewnej odległości od bramy, usłyszała strzał. Niepewna, co ten strzał oznacza, ukryła się w ogrodzie, w którym przedtem znajdowaliśmy schronienie. Ze swej kryjówki dostrzegła Cokera. On również zbliżał się bardzo ostrożnie. Nie wiedząc, że to ja strzeliłem do tryfida i że właśnie odgłos strzału kazał Cokerowi mieć się na baczności, zlękła się możliwej pułapki. Za nic nie chcąc dać się schwytać po raz drugi, wróciła do samochodu. Nie miała pojęcia, dokąd pojechała reszta grupy Beadleya i czy w ogóle dokądś pojechała. Jedynym schronieniem, o jakim ja mogłem cokolwiek wiedzieć, było to miejsce, o którym niemal przelotnie mi wspomniała. Postanowiła udać się tam w nadziei, że przypomnę sobie tamtą rozmowę i postaram się to miejsce znaleźć.

– Kiedy wyjechałam poza granice Londynu, zatrzymałam się, zwinęłam w kłębek na tylnym siedzeniu i zasnęłam – opowiadała Josella. – Wczesnym rankiem byłam już tutaj. Na odgłos samochodu Dennis wychylił się z okna na piętrze i ostrzegł mnie przed tryfidami. Zobaczyłam wtedy, że jest ich wokół domu około tuzina. Wyglądały tak, jakby czekały, aż ktoś wyjdzie. Dennis i ja przez chwilę krzyczeliśmy do siebie. Tryfidy poruszyły się i jeden z nich zaczął sunąć do mnie, wróciłam więc szybko do samochodu. Tryfid dalej się zbliżał. Włączyłam silnik, ruszyłam i rozgniotłam go na miazgę. Ale tamte pozostały, a ja nie miałam żadnej innej broni prócz noża. Wyjście z tej trudnej sytuacji znalazł Dennis.

— Jeżeli masz na zbyciu bańkę benzyny — powiedział — chluśnij w ich stronę i rzuć kawałek płonącej szmaty. To je powinno odstraszyć

— Miał słuszność. Potem już używałam opryskiwacza ogrodowego. Dziw, że nie podpaliłam domu — zakończyła Josella.

Korzystając z książki kucharskiej, Josella zaczęła gotować jakie takie posiłki i zabrała się do porządków w domu. Pracowała, uczyła się, improwizowała i nie miała już czasu wybiegać myślą w przyszłość poza najbliższe tygodnie. Przez te dni nie widziała nikogo, pewna jednak, że gdzieś muszą przecież być jacyś ludzie, codziennie lustrowała wzrokiem całą dolinę, za dnia wypatrując dymu, wieczorem zaś światła. Nie dostrzegła ani śladu dymu, a pierwszy błysk światła ujrzała tego wieczoru, kiedy przyjechałem.

Z całej trójki, którą tu Josella zastała, najbardziej cierpiał z powodu swego kalectwa Dennis. Joyce wciąż była bardzo osłabiona i prawie nie wstawała z łóżka. Mary przeważnie zamykała się w sobie, a rozmyślania o rychłym macierzyństwie stanowiły dla niej zapewne dostateczną pociechę i rekompensatę, ale Dennis najwyraźniej czuł się jak zwierzę w potrzasku. Nie klął głupio i bezradnie, jak robiło na początku w Londynie wielu ludzi, lecz traktował kalectwo z zacietrzewieniem i goryczą, jakby zapędziło go ono do klatki, w której nie zamierzał pozostać. Zanim jeszcze przyjechałem, uprosił Josellę, żeby mu znalazła w encyklopedii alfabet Braille'a i sporządziła wypukłą kopię, z której mógłby się uczyć. Spędzał codziennie długie godziny na robieniu notatek tym alfabetem i na próbach ich odczytywania. Przez resztę czasu gryzł się okrutnie tym, że jest bezużyteczny, choć rzadko coś na ten temat wspominał. Wciąż usiłował robić to czy owo z tak wielką determinacją i wytrwałością, że serce mi się krajało, kiedy na niego patrzyłem. Musiałem się powstrzymywać od oferowania mu pomocy – pełen goryczy wybuch, jakim zareagował pewnego razu na moją nieproszoną propozycję, wystarczył mi raz na zawsze. Zresztą liczba czynności, których się z takim trudem nauczył, zaczęła budzić we mnie podziw i zdumienie, chociaż nadal najbardziej imponowało mi to, że już dzień po utracie wzroku potrafił zrobić z żelaznej siatki tak skuteczny hełm ochronny.

Żeby go rozerwać, zabierałem go niekiedy na moje wyprawy zaopatrzeniowe i sprawiało mu to wyraźną przyjemność, gdy mógł mi pomagać przy przenoszeniu lub przesuwaniu ciężkich skrzyń. Zależało mu ogromnie na zdobyciu książek drukowanych brajlem, uznaliśmy jednak wspólnie, że z tym wypadnie poczekać do czasu, kiedy będzie można się po nie wybrać do większego miasta, nie narażając się na zakażenie tajemniczą chorobą.

Dni popłynęły szybko, zwłaszcza dla nas trojga widzących. Josellę przeważnie pochłaniały prace domowe, Susan uczyła się jej pomagać. Na mnie też czekało mnóstwo robót. Joyce było już o tyle lepiej, że po raz pierwszy chwiejnym krokiem zeszła na dół, a od tej chwili zaczęła szybko wracać do zdrowia. Wkrótce potem Mary poczuła pierwsze bóle.

Zła to była noc dla nas wszystkich. Najgorsza pewnie dla Dennisa, bo zdawał sobie sprawę, że wszystko zależy od zabiegów dwóch pełnych najlepszych chęci, ale niedoświadczonych kobiet. Jednak budził we mnie podziw swoim opanowaniem.

Gdzieś nad ranem Josella zeszła do nas. Widać było, że jest bardzo zmęczona.

– Dziewczynka – powiedziała. – Obydwie czują się dobrze.

Dennis od razu poszedł z nią na górę.

Josella wróciła po chwili i wzięła kieliszek, który dla niej napełniłem.

– Chwała Bogu, wszystko poszło gładko – powiedziała. – Biedna Mary bała się okropnie, że dziecko też będzie ślepe, ale już się uspokoiła. Teraz zapłakuje się, bo nie może małej zobaczyć.

Wypiliśmy.

– Dziwne – powiedziałem – jak życie mimo wszystko bierze górę. Jak ziarnko... pomarszczone, niepozorne, zdawałoby się, że martwe, a przecież kiełkuje. No i teraz w tej sytuacji narodziła się nowa istota...

Josella zasłoniła twarz rękami.

– Boże! Bill... czy tak już musi zostać? Na zawsze, na zawsze, na zawsze...?

I ona również wybuchnęła rozpaczliwym łkaniem.

Trzy tygodnie później pojechałem do Tynsham, żeby się zobaczyć z Cokerem i omówić szczegóły naszej przeprowadzki. Wziąłem samochód osobowy, żeby odbyć podróż tam i z powrotem w jeden dzień. Kiedy wróciłem, Josella wyszła do mnie do holu. Wystarczyło jej jedno spojrzenie.

– Co się stało? – spytała.

– Tylko to, że tam nie pojedziemy – odparłem. – Już po Tynsham.

Wciąż patrzyła mi w oczy.

– Ale co tam zaszło?

– Nie jestem pewien. Wygląda na to, że dotarła tam zaraza.

Opisałem pokrótce, co widziałem. Nie potrzeba było szczegółowych oględzin. Kiedy przyjechałem, bramy były otwarte, a na widok tryfidów kuśtykających po parku domyśliłem się od razu, czego się mogę spodziewać. Smród, który poczułem, wysiadając z samochodu, potwierdził moje najgorsze przypuszczenia. Zmusiłem się do tego, żeby wejść do domu. Sądząc z wyglądu, opuszczono go przed dwoma tygodniami albo i dawniej. Zajrzałem do dwóch pokoi. To mi wystarczyło. Zawołałem głośno, a mój głos odbił się echem w pustce. Nie poszedłem dalej.

Na drzwiach frontowych musiała być przybita jakaś kartka, ale pozostał po niej tylko niezapisany rożek. Długo szukałem reszty, porwanej zapewne przez wiatr. Nie znalazłem. Dziedziniec za domem był pusty, ciężarówki i samochody osobowe widocznie odjechały z większością zgromadzonych zapasów, ale dokąd – nie miałem pojęcia. Trudna rada, wsiadłem do samochodu i ruszyłem w powrotną drogę.

– I teraz co? – spytała Josella, kiedy skończyłem.

– Teraz, kochanie, zostajemy tutaj. Musimy się nauczyć sami sobie radzić. I będziemy sami sobie radzili, chyba że nadejdzie ratunek. Może gdzieś działa jakaś organizacja...

Josella potrząsnęła głową.

– Lepiej wybijmy sobie z głowy myśli o ratunku. Miliony ludzi czekały na ratunek, który nie nadszedł.

– Coś w końcu przecież będzie – powiedziałem. – Po Europie... po całym świecie muszą być rozsiane tysiące takich grupek jak nasza. Niektóre w końcu się połączą. Zaczną odbudowywać świat.

– Jak długo to potrwa? – spytała Josella. – Pokolenie? Prawdopodobnie my już tego nie dożyjemy. Nie, świat się skończył, a my zostaliśmy... Musimy sami sobie zbudować życie. Musimy je zaplanować tak, jakby ratunek nigdy nie miał nadejść... – Urwała. Jej twarz przybrała dziwny, pusty wyraz, jakiego nigdy dotychczas nie widziałem. I nagle się ściągnęła.

– Kochanie... – powiedziałem.

– Och, Bill, najdroższy, nie jestem stworzona do takiego życia. Gdyby ciebie tu nie było, ja...

– Cicho, złotko – powiedziałem łagodnie. – Cicho. – Pogłaskałem ją po głowie.

Po krótkiej chwili odzyskała równowagę.

– Przepraszam cię, Bill. Takie użalanie się nad sobą… ohyda. Nigdy więcej.

Na moment przyłożyła do oczu chusteczkę i pociągnęła nosem.

– Więc będę żoną rolnika. Cóż, bardzo mi przyjemnie mieć cię za męża, Bill… mimo że nie jest to takie prawdziwe, autentyczne małżeństwo. – Nagle parsknęła śmiechem, którego już dawno nie słyszałem.

– Co cię tak bawi?

– Pomyślałam tylko, jak okropnie się bałam swego ślubu.

– Bardzo chwalebna postawa, która pięknie świadczy o twej dziewiczej wstydliwości… choć dla mnie jest może nieco zaskakująca – odparłem.

– Mój kochany, nie na tym przecież polegała sprawa. Chodziło mi o moich wydawców, o reporterów, o filmowców. Ile by oni wszyscy mieli uciechy! Zrobiliby nowe wydanie mojej idiotycznej książki, pewnie znów zaczęliby wyświetlać film, a na dobitkę te zdjęcia we wszystkich pismach! Wątpię, czy byłbyś zachwycony.

– Przypomina mi się pewna rzecz, którą wcale nie byłbym zachwycony – powiedziałem. – Pamiętasz, tamtego wieczoru przy księżycu postawiłaś mi pewien warunek?

Josella spojrzała na mnie z uśmiechem.

– Cóż, może niektóre sprawy nie ułożyły się tak znów najgorzej – przyznała.

Świat się kurczy

Od tego czasu zacząłem prowadzić dziennik. Jest to skrzyżowanie pamiętnika z księgą inwentarzową i zwykłym notesem. Są tu zapiski o miejscowościach, które odwiedziłem podczas swoich wypraw; szczegóły dotyczące zdobytych przedmiotów; szacunkowa ocena ilości bądź liczby artykułów będących jeszcze do zdobycia; obserwacje na temat stanu magazynów zawierających te artykuły oraz uwagi podkreślające, co należy wywieźć w pierwszej kolejności, żeby uchronić zdobycz od zepsucia. Żywność, paliwo i nasiona stanowiły ustawiczny, choć bynajmniej nie jedyny cel moich poszukiwań. W dzienniku roi się od pozycji wyszczególniających partie odzieży, narzędzi, bielizny pościelowej, uprzęży, naczyń kuchennych, palików, drutu, drutu i jeszcze raz drutu, a także książek.

Widzę z tych notatek, że nie minął jeszcze tydzień od mojego powrotu z Tynsham, gdy zacząłem wznosić ogrodzenie z drutu mające bronić dostępu tryfidom. Mieliśmy już płoty chroniące przed nimi ogród i bezpośrednie sąsiedztwo domu. Teraz przystąpiłem do ambitniejszego zadania: chodziło mianowicie o to, by uwolnić od nich około stu akrów ziemi. Musiałem zbudować mocne ogrodzenie z grubego drutu, wykorzystując wszelkie naturalne zapory stworzone przez przyrodę, wewnątrz zaś lżejsze ogrodzenie, żeby uchronić nas samych i żywy inwentarz od przypadkowego wkroczenia w zasięg trujących wici. Ta ciężka i żmudna praca zabrała mi dobrych kilka miesięcy.

Równocześnie starałem się nauczyć elementarnych podstaw rolnictwa. Nie jest to nauka, którą łatwo przyswoić sobie z książek. Przede wszystkim nikomu z piszących na ten temat nie przyszło nigdy do głowy, że potencjalny rolnik może zaczynać od zera. Przekonałem się więc, że wszystkie podręczniki zaczynają się nie od początku, lecz jakby od środka, zakładają bowiem znajomość terminologii i podstaw, których mi brakowało. Moja specjalistyczna wiedza biologiczna była wobec problemów praktycznych prawie bezużyteczna. Większość teoretyków nawoływała do używania materiałów i przedmiotów, których albo nie mogłem zdobyć, albo w ogóle bym nie rozpoznał, gdybym je nawet znalazł. Zorientowałem się szybko, że gdy wykreślę z podręczników i informatorów to, co wkrótce stanie się nieosiągalne, jak na przykład nawozy sztuczne, importowane pasze i wszelkie maszyny rolnicze prócz najprostszych, wypadnie mi się dobrze napocić, rezultaty zaś będą nader problematyczne.

Zaczerpnięta z książek wiedza o hodowli koni, pielęgnacji krów i o rzeźnictwie również nie daje podstaw do uprawiania wszystkich tych sztuk w praktyce. Tyle jest wypadków, kiedy nie można przerwać pracy, żeby zajrzeć do odpowiedniego rozdziału podręcznika. Ponadto rzeczywistość ustawicznie stwarza zaskakujące komplikacje, najzupełniej różne od rozbrajającej prostoty drukowanych opisów.

Na szczęście miałem dość czasu, aby popełniać błędy i się na nich uczyć. Świadomość, że upłynie jeszcze kilka lat, zanim będziemy zdani tylko na siebie, ratowała nas przed rozpaczą z powodu częstych rozczarowań. Pewnym pokrzepieniem była też myśl, że spożywając zapasy, nie pozwalamy się im zmarnować.

Ze względów bezpieczeństwa czekałem cały rok, nim znów pojechałem do Londynu. Ten najbardziej złotodajny teren moich wypraw był zarazem najbardziej przygnębiający. Miasto wciąż wyglądało tak, jakby za dotknięciem różdżki czarodziejskiej mogło w każdej chwili znowu powrócić do życia, chociaż wiele samochodów na ulicy okryło się już rdzą. Rok później zmiana była jeszcze wyraźniejsza. Wielkie płaty tynku opadające z fasad domów zaczęły tarasować chodniki. Na ulicach poniewierały się oderwane dachówki i kominy. Trawa i chwasty porastające ścieki broniły dostępu spływającej wodzie deszczowej. Liście zatkały rynny, wskutek czego również trawa, a nawet niewielkie krzewy wyrosły w zamulonych rowkach okalających dachy. Prawie każdy budynek nosił teraz zieloną perukę, pod którą gniły stropy. Przez wiele okien widać było zawalone sufity, zwoje oderwanych tapet, ściany lśniące od wilgoci. Zieleń parków i skwerów stanowiła istną dżunglę wylewającą się na okoliczne ulice. Roślinność wciskała się wszędzie, zapuszczając korzenie w szczelinach między płytami chodników, strzelając z pęknięć w asfalcie, gnieżdżąc się nawet na siedzeniach porzuconych samochodów. Atakowała ze wszystkich stron, starając się odzyskać jałowe tereny stworzone przez człowieka. Ale rzecz ciekawa, w miarę jak te rośliny opanowywały miasto, wrażenie stawało się coraz mniej przykre. Londyn znajdował się już poza zasięgiem jakichkolwiek czarodziejskich różdżek, toteż wszelkie widma i duchy zaczęły go opuszczać, odchodząc z wolna w pomrokę dziejów.

Pewnego razu – nie tego roku ani następnego, lecz jeszcze później – stałem znów na Piccadilly Circus, wodząc spojrzeniem po ruinach i usiłując odtworzyć w myśli tłumy, od których niegdyś się tu roiło. Nie potrafiłem już ich sobie wyobrazić. Nawet w mojej pamięci utraciły realność, spłowiały, wyblakły. Stały się takim samym tłem historycznym jak gromady widzów w rzymskim Koloseum lub nieprzebrane szeregi asyryjskiego wojska, przy tym równie oddalonym w czasie. Tęsknota, która w Shirning ogarniała mnie niekiedy w rzadkich chwilach bezczynności i wypoczynku, budziła we mnie znacznie silniejszy ból niż ten widok umarłego miasta. Kiedy byłem sam na polu, przypominałem sobie uroki dawnego życia – wśród odrapanych, rozpadających się z wolna budynków przypominał mi się tylko zamęt, frustracja, bezcelowy pęd naprzód, ustawiczny i wszechobecny brzęk pustych blaszanek, aż w końcu nie byłem pewien, czy tak dużo znów straciliśmy...

Pierwszą próbną jazdę do Londynu odbyłem sam i wróciłem ze skrzyniami pocisków przeciwtryfidowych, papierem, częściami do silników, z książkami drukowanymi brajlem i brajlowską maszyną do pisania, rzeczami tak upragnionymi przez Dennisa, z trunkami, słodyczami, płytami gramofonowymi i sporą partią książek dla nas pozostałych. W tydzień później pojechała ze mną Josella na bardziej praktyczną wyprawę po odzież, zresztą nie tylko dla nas, dorosłych, ale głównie dla niemowlęcia Brentów i dziecka, którego sama się teraz spodziewała. Ale widok Londynu wprawił ją w takie przygnębienie, że więcej już mi nie towarzyszyła.

Ja wciąż tam od czasu do czasu jeździłem na poszukiwanie niezbędnych rzeczy trudnych do zdobycia w naszej okolicy, korzystałem też zwykle ze sposobności, aby przywieźć trochę przedmiotów i artykułów będących w naszych warunkach zbytkiem. Nie widziałem w Londynie ani razu żadnej żywej istoty prócz nielicznych wróbli i z rzadka jakiegoś tryfida. Czasem wprawdzie znajdowałem ślady świadczące o tym, że nie tylko ja wciąż mam zwyczaj szperać tu, uzupełniając zapasy, nigdy jednak tej osoby czy osób nie spotkałem.

Pod koniec czwartego roku odbyłem ostatnią podróż do Londynu, przekonałem się bowiem, że czyhają tu na mnie niebezpieczeństwa, na które nie wolno mi się narażać. Pierwszym zwiastunem nowej sytuacji był grzmiący łoskot, który rozległ się nagle za moimi plecami. Zatrzymałem ciężarówkę i obejrzałem się. Ze stosu gruzów leżących w poprzek ulicy wznosiły się kłęby kurzu. Widocznie i tak już ledwie stojący dom zawalił się od wstrząsów wywołanych przez moją ciężarówkę. Tego dnia nie obaliłem już więcej budynków, ale spędziłem go w ustawicznym strachu przed lawiną cegieł i tynku. Odtąd poprzestałem na wyprawach do mniejszych miast i wybierałem się na nie zazwyczaj pieszo.

Brighton, które powinno było być naszym największym i najdogodniejszym źródłem zaopatrzenia, omijałem z daleka. Zanim uznałem, że mogę się tam udać, opanowali je inni ludzie. Kto zacz i ilu ich było, nie wiedziałem. Natknąłem się po prostu na prymitywny kamienny mur wzniesiony w poprzek drogi z wymalowaną na nim informacją:

WJAZD WZBRONIONY!

Wskazówkę tę poparł trzask wystrzału karabinowego i obłoczek kurzu, który rozprysnął się tuż przede mną. W polu widzenia nie było nikogo, z kim mógłbym się wdać w dyskusję, a zresztą powitanie bynajmniej do dyskusji nie zachęcało.

Zawróciłem ciężarówkę i odjechałem głęboko zamyślony. Nękało mnie pytanie, czy nie nadejdzie czas, kiedy przygotowania obronne Stephena mogą się okazać wcale nie tak znów bezsensowne. Na wszelki wypadek zaopatrzyłem się w kilka karabinów maszynowych i moździerzy z magazynu, który dostarczył nam przedtem miotaczy ognia używanych na tryfidy.

W listopadzie tego – drugiego – roku przyszło na świat nasze pierwsze dziecko, syn. Daliśmy mu na imię David. Moją radość przyćmiewał czasami niepokój o stan świata, w którym z naszej winy będzie musiał dorastać. Ale Josella przejmowała się tym znacznie mniej ode mnie. Ubóstwiała synka. Stanowił dla niej rekompensatę niemal za wszystko, co utraciła, i rzecz paradoksalna, martwiła się teraz o czekające nas trudności znacznie mniej niż dotychczas. Zresztą David tryskał siłą i zdrowiem, wyglądało na to, że w przyszłości da sobie radę, stłumiłem więc swoje obawy, zdwoiłem natomiast pracę nad uprawą ziemi, która z czasem miała nas wszystkich żywić.

Chyba niezbyt długo potem Josella skłoniła mnie, abym zwrócił baczniejszą uwagę na tryfidy. Od wielu lat byłem przyzwyczajony do zachowywania ostrożności przy pracy, toteż to, że tryfidy stały się nieodłączną częścią krajobrazu, znacznie mniej rzucało się w oczy mnie niż innym. Przyzwyczajony byłem też do noszenia maski i rękawic, kiedy miałem z nimi do czynienia, nie było więc dla mnie żadną nowością, że muszę wkładać te akcesoria, ilekroć wyjeżdżam z domu. Ściśle biorąc, zwracałem na nie akurat tyle uwagi, ile człowiek mieszkający w okręgu malarycznym zwraca na komary. Ale pewnego wieczoru, kiedy już leżeliśmy w łóżku i jedynym słyszalnym odgłosem było dolatujące z daleka i z przerwami terkotanie twardych pałeczek o łodygi, Josella powiedziała:

– Ostatnio znacznie więcej tego słychać.

Nie zrozumiałem w pierwszej chwili, o czym mówi. Odgłos ten przez tyle lat był stałym tłem wszystkich miejsc, w których mieszkałem i pracowałem, że musiałem specjalnie wytężyć uszy, aby go w ogóle usłyszeć. Nasłuchiwałem chwilę.

– Wydaje mi się takie samo jak zawsze – stwierdziłem.

– Nie chodzi o to, czy jest inne. Po prostu więcej tego terkotania słychać, bo w okolicy jest znacznie więcej tryfidów niż przedtem.

– Nie zauważyłem – odparłem obojętnie.

Kiedy już zrobiłem ogrodzenie, moje zainteresowania przeniosły się na leżące w jego obrębie grunty i nie troszczyłem się o to, co się dzieje poza nim. Podczas wycieczek miałem wrażenie, że spotykam tyle samo tryfidów, ile dawniej. Przypomniałem sobie, że nagromadzenie ich wokół domu zwróciło moją uwagę, kiedy po raz pierwszy przyjechałem do Shirning. Doszedłem wówczas do wniosku, że w okolicy musiało być kilka wielkich szkółek hodowlanych.

– Z pewnością jest ich więcej. Przyjrzyj się jutro – powiedziała Josella.

Przypomniawszy sobie o tym rano, wyjrzałem przez okno gdy się ubierałem. Zrozumiałem, że Josella ma słuszność. Można było naliczyć ponad setkę tryfidów za małym odcinkiem ogrodzenia widocznym z okna. Wspomniałem o tym przy śniadaniu. Susan spojrzała na mnie zdumiona.

– Ależ jest ich dzień w dzień coraz więcej. Nie zauważyłeś?

– Mam dość innych problemów – powiedziałem nieco zirytowany jej tonem. – Zresztą ile ich jest za ogrodzeniem, nie ma znaczenia. Dopóki pamiętamy o tym, żeby wyrywać wszystkie nasiona kiełkujące tutaj, za ogrodzeniem mogą robić, co im się żywnie podoba.

– Mimo wszystko – wtrąciła nieco zaniepokojona Josella – czy jest jakiś powód, dla którego właśnie tutaj gromadzą się w takiej liczbie? Bo jestem pewna, że się tu gromadzą, i chciałabym wiedzieć dlaczego.

Twarz Susan znów przybrała irytujący wyraz zdumienia.

– Ależ to on je tu sprowadza – powiedziała.

– Nie pokazuj palcem – napomniała ją odruchowo Josella. – Co chcesz przez to powiedzieć? Bill z pewnością ich nie sprowadza.

– Ależ tak. Bill wciąż hałasuje i one po prostu przychodzą.

– Słuchaj no – powiedziałem – co ty wygadujesz? Może gwiżdżę na nie przez sen albo coś w tym rodzaju?

Susan naburmuszyła się.

– Dobrze. Jeżeli mi nie wierzysz, pokażę ci po śniadaniu – oznajmiła, po czym do końca posiłku milczała obrażona.

Po śniadaniu wymknęła się od stołu i wróciła z moją dwunastką i lornetką polową. Wyszliśmy na trawnik. Susan przebiegała wzrokiem okoliczny teren, aż wreszcie dostrzegła tryfida sunącego dość daleko od naszego ogrodzenia. Podała mi lornetkę. Obserwowałem, jak tryfid kuśtyka wolno przez jakieś pole. Znajdował się przeszło milę od nas i zmierzał na wschód.

– Teraz patrz uważnie – powiedziała. Uniosła broń i wystrzeliła w powietrze.

W parę sekund później tryfid wyraźnie skręcił na południe.

– Widzisz? – spytała, pocierając ramię.

– Rzeczywiście, to wyglądało, jakby... Jesteś pewna? Wystrzel jeszcze raz – poprosiłem.

Susan pokręciła głową.

– To nic nie da. Wszystkie tryfidy, które słyszały strzał, idą już w tej chwili w tę stronę. Za jakieś dziesięć minut przystaną i zaczną nasłuchiwać. Jeżeli będą wtedy dość blisko, żeby usłyszeć terkotanie tych przy ogrodzeniu, przyjdą tutaj. Albo jeżeli będą za daleko, ale my wtedy wystrzelimy jeszcze raz, to też przyjdą. Jeżeli jednak nic nie usłyszą, to poczekają chwilę, a potem ruszą tam, dokąd szły przedtem.

Przyznaję, że zaskoczyła mnie ta informacja.

– Hm... – mruknąłem. – Musiałaś je chyba bardzo pilnie obserwować?

– Ja je wciąż obserwuję. Nienawidzę ich – odparła, jakby to było dostatecznym wyjaśnieniem.

Gdy tak staliśmy, przyłączył się do nas Dennis.

– Zgadzam się z tobą, Susan – powiedział. – Nie podoba mi się to. Od dłuższego czasu już mi się nie podoba. Te przeklęte straszydła mają nad nami przewagę.

– Ojej, daj spokój... – zacząłem.

– A ja ci mówię, że są znacznie sprytniejsze, niż nam się zdaje. Skąd wiedziały? Zaczęły się wydostawać na wolność, kiedy nie było już nikogo, kto by je powstrzymał. Już następnego dnia otoczyły ten dom. Jak to wytłumaczysz?

– To dla nich nie nowina – odrzekłem. – W dżungli zawsze czaiły się przy ścieżkach. Bardzo często otaczały małą wioskę i opanowywały ją, jeżeli ich nie odparto. W wielu okolicach były istną plagą.

– Ale nie w naszym klimacie, o to mi właśnie chodzi. Tutaj nie mogły być agresywne, dopóki nie umożliwiła tego zmiana warunków. Nie próbowały nawet żadnych zbiorowych działań. Ale gdy tylko to się stało możliwe, zaatakowały natychmiast, jakby wiedziały, że już mogą.

– Daj spokój, Dennis, bądź rozsądny. Pomyśl tylko, co mówisz – zacząłem mu perswadować.

– Dobrze wiem, co mówię. Nie mam żadnej sprecyzowanej teorii, ale wiem jedno: tryfidy zdumiewająco szybko skorzystały z naszej niefortunnej sytuacji. Powiadam też, że w ich postępowaniu jest obecnie coś, co wyraźnie przypomina metodę. Jesteś tak pochłonięty pracą, że nie zauważyłeś, jak się gromadzą i czekają za ogrodzeniem, ale Susan zauważyła – słyszałem, że o tym wspominała. A jak sądzisz, na co one czekają?

Nie próbowałem na razie odpowiedzieć. Spytałem tylko:

– Myślisz, że lepiej, żebym przestał używać dwunastki, która je przyciąga, i używał zamiast niej strzelby pneumatycznej przeciw tryfidom?

– Nie chodzi tylko o strzelbę. Chodzi o wszystkie hałasy – odparła Susan. – Najgorszy jest traktor, bo jest głośny i pracuje bez przerwy przez dłuższy czas, więc one bez trudu się orientują, skąd dochodzą te dźwięki. Ale silnik generatora też słyszą z bardzo dużej odległości. Widziałam, jak skręcają w tę stronę, kiedy wprawiasz go w ruch.

– Wolałbym, żebyś nie mówiła wciąż „one słyszą" – przerwałem jej podrażniony – jak gdyby to były zwierzęta. To nie są zwierzęta i nie mogą nic słyszeć. To tylko rośliny.

– A jednak w jakiś sposób słyszą – upierała się Susan,

– No… w każdym razie znajdziemy na nie radę – obiecałem.

Zaczęliśmy działać. Pierwszą pułapką był sklecony byle jak wiatrak, który obracał się z donośnym stukotem. Ustawiliśmy go w odległości pół mili. Działał. Ściągnął wszystkie tryfidy spod naszego ogrodzenia i zapewne z całej okolicy. Kiedy stłoczyło się ich tam około tysiąca, Susan i ja podjechaliśmy i skierowaliśmy na nie miotacze ognia. Pułapka nieźle spełniła swoje zadanie jeszcze po raz drugi – ale potem już bardzo niewiele tryfidów w ogóle zwracało na nią uwagę. Wówczas zrobiliśmy mocną zagrodę wewnątrz głównego ogrodzenia i zdjęliśmy tam zewnętrzne ogrodzenie, zastępując je bramą. Wybraliśmy miejsce, skąd słychać było generator prądotwórczy, po czym zostawiliśmy bramę otwartą. Po dwóch dniach zamknęliśmy bramę i rozprawiliśmy się z dwoma setkami tryfidów, które weszły do zagrody. To posunięcie również z początku było dość udatne, ale gdy próbowaliśmy tej sztuczki dwa razy w tym samym miejscu, a nawet w innych miejscach, liczba pojmanych tryfidów raptownie spadała.

Obchód granic z miotaczem ognia, dokonywany co kilka dni, mógłby poważnie zmniejszyć liczbę tryfidów, ale takie zabiegi wymagałyby znacznej straty czasu, a na dodatek wyczerpałyby wkrótce nasze zapasy paliwa. Miotacz ognia zużywa dużo specjalnego paliwa, którego zapasy w magazynie broni były niewielkie. Po ich wyczerpaniu nasze nieocenione miotacze ognia stałyby się po prostu bezużytecznymi gratami, nie znałem bowiem składu właściwego paliwa ani sposobu jego produkcji.

Dwa czy trzy razy próbowaliśmy strzelać do skupiska tryfidów z moździerzy, ale rezultaty były nikłe. Tryfidy podobnie jak drzewa wytrzymują poważne okaleczenia, nie tracąc zdolności do życia i dalszego rozwoju.

Z biegiem czasu liczba tryfidów gromadzących się przy ogrodzeniu wzrastała mimo naszych pułapek i periodycznie urządzanej masakry. Zresztą nie próbowały nic robić. Po prostu sadowiły się, wkręcały korzenie w glebę i sterczały bez ruchu. Z dużej odległości sprawiały wrażenie zwykłego żywopłotu i gdyby nie rozlegające się raz po raz bębnienie pałeczek, można by o nich w ogóle zapomnieć. Ale gdyby ktoś wątpił w ich czujność, wystarczyło przejechać samochodem drogą za domem. Dostawało się wtenczas taką chłostę wściekle smagającymi wiciami, że na szosie trzeba było zatrzymać wóz i zetrzeć trujący płyn z przedniej szyby.

Raz po raz ktoś z nas wpadał na nowy pomysł odstraszania tryfidów – na przykład opryskiwanie terenu za ogrodzeniem mocnym roztworem arszeniku. Ale udawało nam się zmusić je do odwrotu tylko na krótki czas.

Przeszło rok próbowaliśmy rozmaitych sposobów, aż pewnego dnia wczesnym rankiem Susan przybiegła do naszego pokoju, wołając, że obrzydlistwa wyłamały ogrodzenie i otoczyły dom. Jak zwykle wstała o brzasku, żeby wydoić krowy. Niebo za jej oknem na piętrze już szarzało, gdy jednak zeszła na parter, było ciemno jak w nocy.

Zorientowała się, że coś jest nie tak, i zapaliła światło. Kiedy ujrzała skórzaste zielone liście przyciśnięte do szyb, domyśliła się, co się stało.

Przeszedłem na palcach przez pokój i błyskawicznym ruchem zamknąłem okno. W tej samej chwili z dołu śmignęła wić, uderzając o szybę. Patrzyliśmy z góry na gęstwę tryfidów stojących pod murem w dziesięciu czy dwunastu rzędach. Miotacze ognia znajdowały się w jednej z szop. Zanim po nie wyruszyłem, przedsięwziąłem wszelkie środki ostrożności. W grubym ubraniu i rękawicach, w skórzanym hełmie i goglach pod maską ochronną z siatki przebijałem się przez gąszcz tryfidów, operując największym nożem rzeźnickim, jaki zdołałem znaleźć. Wici chlastały o drucianą siatkę tak często, że ją zmoczyły i trucizna mikroskopijnymi kropelkami zaczęła się dostawać do środka. Zasnuła mgłą szkła gogli, toteż gdy wreszcie dobrnąłem do szopy, przede wszystkim zmyłem ją z twarzy. W powrotnej drodze, obawiając się podpalenia drzwi i ram okiennych, odważyłem się dla oczyszczenia przejścia puścić z jednego tylko miotacza krótką, nisko wycelowaną strugę ognia, ta jednak wystarczyła, żeby mnie już nie napastowały.

Josella i Susan stały obok z gaśnicami, gdy wyglądając nadal jak coś pośredniego między nurkiem głębinowym a Marsjaninem, wychylałem się ze wszystkich okien na piętrze po kolei i kierowałem strumienie ognia na oblegający nas tłum potworów. Nie potrzeba było wiele czasu, aby część ich podpalić, resztę zaś zmusić do wycofania się. Susan, która przywdziała już ubranie ochronne, chwyciła drugi miotacz i pognała za nimi na miłe jej sercu polowanie, ja natomiast poszedłem szukać wyłomu w ogrodzeniu. Znalazłem go bez trudu. Już z pierwszego wzniesienia terenu dostrzegłem miejsce, w którym tryfidy w dalszym ciągu sunęły do środka, tworząc istny potok rozkołysanych łodyg i powiewających liści. Po wewnętrznej stronie ogrodzenia zataczały jak gdyby półkole, wszystkie jednak zmierzały w stronę domu. Pozbycie się ich nie nastręczało trudności. Jedna struga ognia na przednie szeregi kazała im stanąć, po jednej strudze z obu boków wystarczyło, aby zawróciły tam, skąd przyszły. Krótkie opryski ogniem z góry przyspieszyły ich odwrót, a także powstrzymały te, które dopiero się zbliżały. W odległości jakichś dwudziestu jardów część ogrodzenia leżała na płask, kołki były połamane. Podniosłem siatkę i prowizorycznie ją podparłem, po czym znów strumieniem ognia z miotacza przejechałem tam i z powrotem po tryfidach, aby zapobiec nowym kłopotom przynajmniej na kilka godzin.

Josella, Susan i ja przez resztę dnia reperowaliśmy wyłom. Jeszcze dwa dni minęły, zanim Susan i ja zyskaliśmy pewność, że każdy zakątek ogrodzonego terenu został przeszukany i ostatni intruz unieszkodliwiony. Następnie obeszliśmy ogrodzenie na całej jego długości i umocniliśmy wszystkie wątpliwe odcinki. Cztery miesiące później tryfidy wdarły się znowu...

Tym razem w otworze leżało sporo zmiażdżonych intruzów. Mieliśmy wrażenie, że zgniótł je tłum napierających na ogrodzenie, a kiedy upadły wraz z siatką, stratowała je waląca naprzód reszta.

Stało się jasne, że musimy przedsięwziąć nowe środki obrony. Żadna część naszego ogrodzenia nie była mocniejsza od tej, która ustąpiła pod naporem stłoczonych tryfidów. Najpewniejszym sposobem utrzymania ich w bezpiecznej odległości wydawało się ogrodzenie pod napięciem. Jako źródło prądu wykorzystałem wojskowy generator zamontowany na przyczepie i przyholowałem go do domu. Susan i ja zabraliśmy się do instalowania przewodów. Zanim skończyliśmy pracę, potwory wyłamały ogrodzenie w innym miejscu.

Sądzę, że obrany przez nas system byłby całkowicie skuteczny, gdybyśmy mogli trzymać siatkę pod prądem przez cały czas – albo przynajmniej przez większą część doby. Niestety wymagałoby to nadmiernego zużycia paliwa. Benzyna była naszym najcenniejszym skarbem. Mogliśmy zawsze mieć nadzieję, że uprawiając rolę i hodując bydło, zdołamy się jakoś wyżywić, gdyby jednak zabrakło benzyny i ropy, oznaczałoby to koniec nie tylko wygód, lecz czegoś znacznie ważniejszego. Skończyłyby się wyprawy samochodem, nie moglibyśmy już więc uzupełniać zapasów. Zaczęlibyśmy żyć w naprawdę prymitywnych warunkach. Toteż ze względów oszczędnościowych włączaliśmy instalację tylko na kilka minut dwa lub trzy razy dziennie. Tryfidy musiały się wówczas cofnąć o kilka jardów i w związku z tym nie mogły napierać na ogrodzenie. Zastosowaliśmy ponadto dodatkowy środek ostrożności, przeciągając wzdłuż wewnętrznego ogrodzenia przewód alarmowy, aby móc reagować na każdy wyłom, zanim sprawy przybiorą poważniejszy obrót.

Słabość systemu tkwiła w tym, że tryfidy najwyraźniej obdarzone były zdolnością uczenia się z doświadczeń, przynajmniej w pewnej mierze. Przekonaliśmy się na przykład, że przyzwyczaiły się do stosowanego przez nas włączania prądu co rano i co wieczór. Zwróciło naszą uwagę, że trzymają się z dala od ogrodzenia w porze, w której zwykle włączamy generator, zaczynają się natomiast zbliżać zaraz po jego wyłączeniu. Wtedy jeszcze trudno było stwierdzić na pewno, czy kojarzą niebezpieczeństwo porażenia prądem z warkotem silnika, z czasem jednak nie mieliśmy już co do tego wątpliwości.

Można było oczywiście włączać prąd o różnych nieprzewidzianych porach, ale Susan, dla której tryfidy stanowiły ustawiczny przedmiot bacznej i nieżyczliwej obserwacji, zaczęła wkrótce utrzymywać, że okres, przez który wskutek wstrząsu trzymają się z dala od ogrodzenia, stałe się zmniejsza. Tak czy owak, naelektryzowany drut i periodyczne ataki na ich największe skupiska zapewniły nam spokój na rok z górą, gdy zaś wyłomy znów się później zdarzały, szybko sobie z nimi radziliśmy dzięki sygnalizacji alarmowej.

W dobrze strzeżonych granicach naszego wydzielonego terytorium zgłębialiśmy nadal tajniki gospodarki rolno-handlowej i życie stopniowo zaczęło płynąć ustalonym trybem.

Latem szóstego roku wybraliśmy się z Josellą na wybrzeże. Pojechaliśmy dżipem, którego zazwyczaj teraz używałem, drogi bowiem stawały się coraz gorsze. Miała to być wycieczka dla Joselli, która już od wielu miesięcy nie była poza ogrodzeniem. Przykuta do domu z troski o gospodarstwo domowe i dzieci, mogła sobie jedynie pozwolić na bardzo rzadkie wypady, obecnie jednak wkroczyliśmy w stadium, kiedy ze spokojem można było od czasu do czasu powierzyć wszystko opiece Susan, toteż z uczuciem wyzwolenia, jadąc wciąż pod górę, przebyliśmy łańcuch wzgórz i znaleźliśmy się po drugiej jego stronie. Na niższych południowych zboczach zatrzymaliśmy wóz, żeby chwilę posiedzieć w ciszy. Był cudowny dzień czerwcowy, po czystym błękicie nieba płynęło zaledwie kilka lekkich obłoków. Słońce oświetlało plaże i morze za nimi równie jaskrawo jak w czasach, gdy na plażach roiło się od ludzi w kostiumach kąpielowych, a woda usiana było kajakami i żaglówkami. Patrzyliśmy w milczeniu przez kilka minut. Wreszcie Josella przerwała milczenie.

— Bill, czy wciąż nie wydaje ci się czasem, że gdybyś zamknął na chwilę oczy, a potem je otworzył, to wszystko byłoby jak dawniej? Bo ja mam niekiedy takie uczucie.

– Teraz już rzadko mi się to zdarza – odparłem. – Musiałem się przecież tyle wszystkiego napatrzeć, więcej niż ty. Ale mimo wszystko, czasami…

– A spójrz na mewy: jest ich tyle co dawniej.

– Tak, w tym roku ptaków jest dużo więcej – zgodziłem się. – Cieszy mnie to.

Miasteczko, oglądane impresjonistycznie z daleka, stanowiło wciąż to samo różnorodne skupisko krytych czerwoną dachówką piętrowych i parterowych domków zamieszkanych głównie przez średnio zamożnych kupców i biznesmenów, którzy na starość wycofali się z interesów – ale wystarczyło przyjrzeć się uważniej, aby to wrażenie prysło. Wprawdzie dachy wciąż jeszcze jaśniały czerwienią, lecz ścian prawie nie było już widać. Schludne ogródki zniknęły w powodzi zalewającej wszystko zieleni, upstrzonej tu i ówdzie barwnymi plamami potomków tak niegdyś starannie pielęgnowanych kwiatów. Nawet uliczki z tej odległości wyglądały jak wąskie pasma zielonego dywanu. Wiedzieliśmy jednak, że gdy się na nich znajdziemy, ich aksamitna miękkość okaże się złudzeniem, bo porośnięte są twardymi, sztywnymi chwastami.

– Jeszcze tak niedawno – powiedziała z namysłem Josella – ludzie narzekali, że te domki psują krajobraz. A teraz spójrz na nie.

– Krajobraz bierze odwet, to prawda – rzekłem. – Wtedy zdawało się, że już koniec z przyrodą… „któż by przypuszczał, że ten starzec ma w żyłach tyle krwi”?

– Mnie to przeraża. Jakby przyroda wyrwała się na wolność. Jakby się cieszyła, że z nami koniec i może robić, co chce. Zastanawiam się… Może od czasu katastrofy żyjemy tylko złudzeniami? Myślisz, że naprawdę już po nas?

Podczas moich wypraw miałem na takie rozmyślania znacznie więcej czasu niż Josella.

– Gdybyś nie była sobą, kochanie, odpowiedziałbym ci może zgodnie z heroicznym szablonem, nakarmiłbym cię pobożnymi życzeniami, które tak często uchodzą za niezłomną wiarę i determinację.

– Ale że jestem sobą?

– Odpowiem ci szczerze: jeszcze niezupełnie. A póki życia, póty nadziei.

Przez kilka sekund patrzyliśmy w milczeniu na roztaczający się przed nami widok.

– Przypuszczam – dodałem – ale tylko przypuszczam... że mamy niewielką szansę, tak niewielką, że potrzeba będzie bardzo długiego czasu, aby wrócić do dawnego poziomu. Gdyby nie tryfidy, powiedziałbym, że nasze szanse są bardzo duże, choć i tak musiałoby to potrwać. Ale tryfidy to czynnik bardzo istotny. Żadna rozwijająca się cywilizacja nie miała dotychczas czegoś podobnego do zwalczenia. Czy odbiorą nam w końcu świat, czy też zdołamy je wytępić? Najważniejszy problem to znaleźć na nie jakiś prosty sposób. Z nami nie jest jeszcze tak źle – radzimy sobie, nie dopuszczając ich za blisko. Ale nasze wnuki? Jak one sobie będą radzić? Czy będą musiały pędzić życie w rezerwatach, wolnych od tryfidów tylko dzięki nieustannym ciężkim wysiłkom? Jestem pewien, że istnieje jakiś prosty sposób. Rzecz w tym, że proste sposoby są zwykle wynikiem bardzo skomplikowanych, żmudnych badań. A na to nie mamy środków.

– Ależ mamy wszystkie środki na świecie. Po prostu do wzięcia – wtrąciła Josella.

– Materialne, owszem. Brak nam jednak możliwości umysłowych. Potrzeba tu zespołu ekspertów, których zadaniem byłoby wytępienie tryfidów raz na zawsze. Coś można by wymyślić, jestem pewien. Może coś w rodzaju selektywnego herbicydu. Gdybyśmy zdołali wyprodukować właściwe hormony, szkodzące tylko tryfidom, a obojętne dla reszty świata roślinnego i zwierzęcego... To musi być możliwe – gdyby tylko zajęła się tym dostateczna liczba mózgów...

– Jeżeli tak myślisz, czemu sam nie spróbujesz? – spytała Josella.

– Z bardzo wielu powodów. Po pierwsze, brak mi przygotowania. Mierny ze mnie biochemik, a w dodatku jestem sam. Trzeba mieć laboratorium i odpowiednie wyposażenie. Co więcej, potrzebny jest czas, a ja i tak już mam za dużo zajęć, których nie wolno mi zaniedbać. A gdyby nawet udało mi się coś wynaleźć, musielibyśmy mieć możliwość wytwarzania syntetycznych hormonów w olbrzymich ilościach. To zadanie dla dużej fabryki. Ale przede wszystkim musi powstać zespół badaczy.

– Ludzi można wyszkolić.

– Owszem, kiedy dostateczną ich liczbę można będzie uwolnić od niekończącej się harówki koniecznej do utrzymania się przy życiu. Zebrałem mnóstwo książek z zakresu biochemii, w nadziei, że kiedyś może ludzie zdołają zrobić z nich użytek. Nauczę Davida wszystkiego, co sam wiem, a on będzie musiał przekazywać te wiadomości następnemu pokoleniu. Ale dopóki nie wygospodarujemy wolnego czasu na pracę nad tym zagadnieniem, nie widzę w przyszłości nic prócz rezerwatów.

Josella, marszcząc brwi, obserwowała cztery tryfidy kuśtykające przez leżące niżej pole.

– Dawniej mówiło się, że najgroźniejszymi rywalami człowieka są owady – odezwała się. – Otóż tryfidy mają chyba coś wspólnego z pewnymi gatunkami owadów. Tak, tak, wiem, że to rośliny. Chodzi mi o co innego – tryfidy nie troszczą się o pojedyncze okazy swego gatunku, a pojedyncze okazy nie troszczą się o siebie. Każdy tryfid z osobna ma coś, co w pewnej mierze przypomina inteligencję, ale w zbiorowości ta cecha jest znacznie wyraźniejsza. Tryfidy dążą wspólnie do określonego celu, podobnie jak mrówki albo pszczoły, można jednak zaryzykować twierdzenie, że żaden z nich nie zdaje sobie sprawy z istnienia planu, mimo że bierze w nim udział. Wszystko to jest bardzo dziwne i być może w ogóle przekracza naszą zdolność rozumienia. Tryfidy, pszczoły, mrówki są dla nas czymś tak odmiennym, tak obcym. Wszystkie ich cechy są sprzeczne z naszymi pojęciami o cechach dziedzicznych. Czy pszczoła albo tryfid mają geny organizacji społecznej, czy mrówka ma geny architektury? A jeżeli je mają, czemu my przez tyle milionów lat nie wyrobiliśmy w sobie genu mowy lub sztuki kulinarnej? W każdym razie, jakkolwiek to nazwać, tryfidy mają pewne cechy wrodzone. Może nawet żaden poszczególny tryfid nie wie, po co tkwi koło naszego ogrodzenia, ale wszystkie razem wiedzą, że chodzi im o to, żeby nas pożreć – i że prędzej czy później osiągną ten cel.

– Różne rzeczy mogą się jeszcze zdarzyć i temu zapobiec – powiedziałem. – Wcale nie miałem zamiaru wprawiać cię w takie przygnębienie.

– Nie odczuwam przygnębienia... chyba że czasem, kiedy jestem bardzo zmęczona. Zazwyczaj jestem zbyt zajęta, żeby się martwić o to, co się może zdarzyć w przyszłości. Nie, czasami tylko ogarnia mnie lekki smutek – powiedzmy łagodna melancholia, którą osiemnasty wiek miał w takiej estymie. Robię się sentymentalna, kiedy puszczasz płyty. Jest coś przerażającego w tym, że wielka, nieistniejąca już orkiestra wciąż gra dla garstki ludzi zamkniętych w ciasnej przestrzeni i stopniowo powracających do stanu pierwotnego. Muzyka przenosi mnie w przeszłość i robi mi się smutno na myśl o wszystkim, czego już nigdy nie odzyskamy... bez względu na to, jak nam się teraz powodzi. Nie masz nigdy takiego wrażenia?

– Hm, owszem – przyznałem się. – Ale zauważyłem, że z czasem łatwiej godzę się z rzeczywistością. Gdyby jakaś dobra wróżka oświadczyła, że spełni moje życzenie, prosiłbym o powrót dawnego świata – ale pod pewnym warunkiem. Bo widzisz, mimo wszystko tak naprawdę jestem szczęśliwszy niż kiedykolwiek przedtem. Wiesz chyba o tym, Josie?

Położyła dłoń na mojej ręce.

– Ja też. I smuci mnie nie tyle myśl o tym, co utraciliśmy, ile o tym, że dzieci nigdy już nie będą tego znały.

– Niełatwo będzie tak je wychowywać, żeby zaszczepić im nadzieję i ambicję – powiedziałem. – My jesteśmy wpatrzeni w przeszłość, na to nie ma rady. Ale im nie wolno wciąż się oglądać wstecz. Mit raju utraconego i przodków czarodziejów wywarłby na nie fatalny wpływ. Tradycje chwalebnej przeszłości nieraz już wpędzały całe narody w tego rodzaju kompleks niższości, który stawał się powodem indolencji i upadku. Ale jak mamy temu zapobiec?

– Gdybym była teraz dzieckiem – odezwała się po namyśle Josella – pewnie chciałabym znać przyczynę obecnego stanu rzeczy. Gdyby mi jej nie podano… to znaczy gdyby pozwolono mi sądzić, że urodziłam się w świecie, który został zniszczony w sposób najzupełniej bezsensowny, doszłabym do wniosku, że życie też nie ma sensu i celu. Okropnie trudna sprawa, bo przecież chyba tak właśnie się stało… – Po chwili dodała: – Myślisz, że wolno nam… że powinniśmy stworzyć jakiś mit, żeby ratować dzieci? Bajkę o świecie, który był cudowny i wspaniały, ale tak zły, że musiał zostać zburzony… albo sam przypadkiem ściągnął na siebie zniszczenie? Coś jak nowy biblijny potop. Uniknęłyby kompleksu niższości, przeciwnie, taka legenda stałaby się bodźcem do zbudowania tym razem czegoś lepszego.

– Tak… – odparłem, zastanawiając się nad tym. – Tak. Najczęściej dobrze jest mówić dzieciom prawdę. Ułatwia im to później życie. Tylko po co udawać, że to mit?

Josella żachnęła się.

– Co masz na myśli? Tryfidy rzeczywiście były czyimś błędem albo pomyłką, zgadzam się. Ale reszta? ...

– Nie wiem, czy powinniśmy mieć komuś za złe tryfidy. Oleje, których dostarczały, były w tamtych warunkach bardzo cenne. Nigdy nie można przewidzieć, do czego doprowadzi jakieś znaczniejsze odkrycie – czy to będzie nowy rodzaj silnika, czy tryfid. Zresztą w normalnych warunkach radziliśmy sobie z nimi doskonale. Były dla nas dobrodziejstwem, dopóki warunki układały się dla nich niekorzystnie.

– Cóż, nie nasza wina, że warunki się zmieniły – powiedziała. – To była po prostu katastrofa, jak trzęsienie ziemi albo huragan, siła wyższa, wedle określenia towarzystw ubezpieczeniowych. Może to właśnie był jakiś wyrok nieziemskich sił. Przecież z pewnością nie sprowadziliśmy nad Ziemię tej komety.

– Nie? Jesteś tego pewna, Josello?

Obróciła głowę, żeby na mnie spojrzeć.

– Co chcesz powiedzieć, Bill? Jak mogliśmy ją sprowadzić?

– Moja kochana, chcę tylko zapytać, skąd ta pewność, że to w ogóle była kometa? Widzisz, zabobonny lęk przed kometami zawsze był mocno w ludziach zakorzeniony. Oczywiście byliśmy dość nowocześni, aby nie klękać na ulicach i nie zanosić do nich modłów, mimo wszystko jednak niechęć do komet ma za sobą wielowiekową tradycję. Zawsze uważano je za zwiastuny i symbole gniewu bożego, za ostrzeżenie, że zbliża się koniec świata, wymieniano je w niezliczonych bajkach i proroctwach. Gdy mamy więc do czynienia z jakimś zdumiewającym zjawiskiem, cóż prostszego, jak przypisać je komecie? Sprostowanie tej powszechnej opinii wymagałoby czasu, a czasu już nie było. Kiedy zaś nastąpiła katastrofa, utwierdziło to wszystkich w przekonaniu, że to musiała być kometa.

Josella wpatrywała się we mnie uważnie.

– Bill, czy usiłujesz mi powiedzieć, że według ciebie to wcale nie była kometa?

– Tak, właśnie to usiłuję ci powiedzieć.

– Ale... nie rozumiem. Cóż to mogło być innego?

Otworzyłem hermetyczną puszkę papierosów i zapaliłem po jednym dla niej i dla siebie.

– Pamiętasz, co Michael Beadley mówił o napiętej linie, po której stąpaliśmy od lat?

– Owszem, ale...

– Otóż moim zdaniem w tamtym katastrofalnym dniu potknęliśmy się i spadliśmy z liny, a tylko niewielu spośród nas po tym upadku ocalało.

Zaciągnąłem się, spoglądając na morze i bezkres nieba nad nim.

– Tam w górze – mówiłem dalej – krążyła i może wciąż krąży nieznana liczba uzbrojonych satelitów. Uśpione pociski czekające, aż ktoś lub coś pobudzi je do działania. Co w nich było? Tego nie wiemy, ani ty, ani ja. Tajemnica wojskowa. Docierały do nas tylko domysły: materiały rozszczepialne, pył radioaktywny, bakterie, wirusy... Przypuśćmy teraz, że jeden typ pocisków wypełniono substancją promieniotwórczą, której promieniowania nasze oczy nie mogą znieść... czymś, co wypala nerw oczny albo powoduje jego trwałe uszkodzenie...

Josella chwyciła mnie za rękę.

– Nie, Bill, to niemożliwe!... Byłoby to coś... szatańskiego... Nie mogę w to uwierzyć... Bill, proszę cię!

– Skarbie, wszystkie te rzeczy tam w górze były czymś szatańskim... Przypuśćmy dalej, że ktoś się pomylił albo zdarzył się wypadek, może taki jak autentyczne spotkanie z odłamkami komety, jeżeli tak chcesz to tłumaczyć. No i niektóre pociski zaczęły wybuchać... Ktoś zaczął mówić o kometach. Przeczenie takim pogłoskom mogło być z wielu względów niepolityczne...

a potem okazało się, że jest za mało czasu... Oczywiście wszystkie te diabelskie konstrukcje miały wybuchać blisko ziemi, żeby ograniczyć zasięg ich działania. Ale zaczęły wybuchać w przestrzeni kosmicznej albo przy zetknięciu z atmosferą, w każdym razie tak wysoko, że oddziałują na ludzi na całym świecie... Co się w rzeczywistości stało, możemy teraz tylko się domyślać. Ale jednego jestem zupełnie pewien: to my sami zgotowaliśmy sobie ten los. A do tego jeszcze ta zaraza – sama wiesz, że to nie był tyfus...

Otóż mój wniosek jest taki: byłby to zbyt wielki zbieg okoliczności, żeby po tylu tysiącach lat, w ciągu których mogła przybyć niszczycielska kometa, miała ona przybyć akurat kilkanaście lat po tym, jak udało nam się wprowadzić na orbitę okołoziemską uzbrojone satelity. Prawda, że trudno w to uwierzyć? Nie, myślę, że stąpaliśmy po napiętej linie całkiem długo, zważywszy na różne rzeczy, które mogły się zdarzyć, ale prędzej czy później musiała się nam powinąć noga.

– Kiedy tak mi to wszystko przedstawiasz, nie jestem już pewna... – szepnęła Josella.

Na dłuższą chwilę pogrążyła się w rozmyślaniach. W końcu powiedziała:

– Taka hipoteza powinna być chyba bardziej przerażająca niż myśl, że to przyroda wymierzyła nam cios na oślep. Ale tak nie jest. Wszystko staje się przynajmniej zrozumiałe, a przez to mniej beznadziejne. Jeżeli rzeczywiście było tak, jak mówisz, to można się przynajmniej starać, żeby nic podobnego już się nie powtórzyło – słowem jest to jeszcze jeden błąd, którego nasze praprawnuki będą musiały unikać. A przecież tyle popełniono błędów! W każdym razie możemy ostrzec naszych potomków.

– Hm... może... Zresztą kiedy pokonają tryfidy i wygrzebią się z całej tej kabały, będą mogli popełniać własne, zupełnie nowe błędy.

– Biedaki – powiedziała Josella, jakby patrzyła na coraz dalsze szeregi prawnuków. – Niewiele im mamy do ofiarowania, prawda?

– Jak to mawiamy: „człowiek jest kowalem własnego losu".

– Ta maksyma, mój kochany, jest kompletną bred... no, nie chcę być niegrzeczna. Mój wuj Ted często ją powtarzał, dopóki ktoś nie zrzucił bomby, która urwała mu obie nogi. Wtedy zmienił zdanie. A ja niczym nie zasłużyłam na to, że teraz żyję. – Odrzuciła niedopałek papierosa. – Bill, co takiego zrobiliśmy, że przypadło nam w udziale to szczęście? Czasem, kiedy nie czuję się przepracowana i zła na cały świat, myślę o tym, jakie mieliśmy szczęście, i bierze mnie ochota podziękować za to komuś albo czemuś. I zaraz przychodzi mi do głowy, że gdyby istniał ktoś, komu należałoby się to podziękowanie, wybrałby na pewno osobę bardziej godną takiego losu. Dla prostej, niezbyt rozgarniętej kobiety sprawa jest okropnie zagmatwana...

– A mnie się zdaje – odrzekłem – że gdyby od samego początku ktoś był przy sterze, bardzo wiele rzeczy w dziejach świata nie mogłoby się wydarzyć. Ale nie martwię się tym nadmiernie. Mieliśmy szczęście, najdroższa. Jeżeli jutro szczęście się odmieni, to trudno. Cokolwiek się zdarzy, nic już nam nie odbierze czasu, który wspólnie przeżyliśmy. To więcej, niż zasłużyłem, i więcej, niż ktokolwiek zaznał przez całe życie.

Posiedzieliśmy jeszcze chwilę, patrząc na puste morze, a potem pojechaliśmy w dół do miasteczka.

Gdy zdobyliśmy większość rzeczy z naszej listy, zeszliśmy na brzeg morza i urządziliśmy sobie piknik w słońcu – mając za plecami szeroki pas żwiru, aby żaden tryfid nie mógł się zbliżyć bezszelestnie.

– Musimy częściej wyjeżdżać, dopóki to możliwe – odezwała się Josella. – Teraz, kiedy Susan dorasta, mogę się czasem wyrwać.

– Tak, należy ci się trochę odpoczynku, i to bardziej niż komukolwiek innemu – zgodziłem się. – Zasłużyłaś na odpoczynek.

Powiedziałem to, myśląc, że chciałbym, abyśmy pojechali razem pożegnać się na zawsze ze znanymi zakątkami, póki to jeszcze możliwe. Perspektywa uwięzienia siłą rzeczy zbliżała się z roku na rok. Już teraz, by wybrać się na północ od Shirning, trzeba było robić wielki objazd, gdyż tamtejsze tereny znów zamieniły się w bagnisko. Szosy stawały się coraz gorsze, bo deszcze i potoki powodowały erozję, a korzenie roślin kruszyły nawierzchnię. Można już było oszacować okres, po którym nie będziemy już mogli podjechać pod dom cysterną z paliwem. Zresztą niech tylko jedna taka cysterna utkwi na bocznej drodze, a zablokuje ją na dobre. Terenówka wciąż będzie sobie radzić w każdym terenie, byle dość suchym, ale z czasem coraz trudniej będzie znaleźć niezatarasowaną drogę.

– I musimy ostatni raz się zabawić – powiedziałem. – Znowu się ładnie ubierzesz i pojedziemy do…

– Tss! – przerwała mi Josella, unosząc palec i nastawiając ucho pod wiatr.

Wstrzymałem oddech i wytężyłem słuch. Raczej poczułem, niż usłyszałem drganie powietrza. Dźwięk był ledwie dosłyszalny, ale narastał.

– To… to samolot! – wyszeptała Josella.

Patrzyliśmy na zachód, osłaniając oczy dłońmi. Warkot wciąż był niewiele głośniejszy od brzęczenia owada. Wzmagał się tak wolno, że mógł go wydawać jedynie śmigłowiec. Samolot w ciągu tego czasu przeleciałby już nad nami albo oddaliłby się tak, że byśmy go nie słyszeli.

Josella pierwsza go zobaczyła. Mikroskopijna kropka lecąca równolegle do brzegu i najwyraźniej zdążająca w naszą stronę. Wstaliśmy i zaczęliśmy machać rękami. Im większa stawała się kropka, tym gwałtowniej machaliśmy i – niezbyt rozsądnie – krzyczeliśmy na cały głos. Pilot musiałby zobaczyć nas na otwartej plaży, gdyby leciał dalej w tym kierunku, niestety jednak o kilka mil od nas skręcił ostro na północ ku lądowi. Machaliśmy wciąż jak szaleni, w nadziei, że nas jeszcze zauważy. Ale śmigłowiec nie zboczył ani na chwilę z kursu, nie dosłyszeliśmy żadnej zmiany w równomiernym warkocie silnika. Bucząc monotonnie, zniknął za wzgórzami.

Opuściliśmy ramiona i spojrzeliśmy po sobie.

– Jeśli raz przyleciał, może przyleci znowu – powiedziała Josella, jednak bez wielkiego przekonania.

Ale widok helikoptera radykalnie wszystko zmienił. Zburzył tak starannie przez nas wzniesioną zaporę rezygnacji. Mówiliśmy sobie dotychczas, że muszą być jakieś inne grupy, ale z pewnością nie są w lepszej sytuacji od naszej, może nawet w gorszej. Gdy jednak śmigłowiec przeleciał nad nami niczym widmo i odgłos przeszłości, obudził w nas coś więcej niż wspomnienia: stanowił dowód, że ktoś gdzieś radzi sobie lepiej od nas. Może była w tym uczuciu odrobina zazdrości? Poza tym uświadomiliśmy sobie, że choć mieliśmy naprawdę dużo szczęścia, to jednak wciąż jesteśmy z natury istotami towarzyskimi.

Helikopter odebrał nam spokój, popsuł humor, zakłócił bieg naszych myśli. Bez słowa zaczęliśmy zgodnie pakować rzeczy, a następnie, zamyśleni, wsiedliśmy do terenówki i ruszyliśmy do domu.

Łączność nawiązana

Byliśmy już mniej więcej w pół drogi do Shirning, kiedy Josella zauważyła dym. Na pierwszy rzut oka zdawało się, że to chmura, gdy jednak wjechaliśmy na szczyt wzgórza, ujrzeliśmy pod bardziej rozproszoną górną warstwą ciemnoszary słup dymu. Josella wskazała na niego i spojrzała na mnie bez słowa. Od lat widywaliśmy pożary tylko z rzadka, powstające samoczynnie podczas letnich suszy. Oboje zorientowaliśmy się od razu, że ten słup dymu wznosi się w pobliżu Shirning.

Nasz samochód nigdy jeszcze nie rozwijał takiej szybkości na złych drogach. Trzęsło nami okrutnie, a mimo to zdawało się, że posuwamy się w żółwim tempie. Josella przez cały czas siedziała w milczeniu, zaciskając usta i nie odrywając oczu od kolumny dymu. Wiedziałem: szuka jakiegoś znaku, że pożar jest bliżej lub dalej, gdziekolwiek, byle nie w samym Shirning. Ale im bardziej się zbliżaliśmy, tym mniej można było mieć wątpliwości. Ostatni odcinek drogi do domu przebyliśmy pędem, nie myśląc o trujących wiciach smagających dach i boki samochodu.

Wreszcie, na zakręcie, ujrzeliśmy, że to nie dom się pali, lecz sąg drewna opałowego.

Susan wybiegła na dźwięk klaksonu i pociągnęła za linę otwierającą bramę z bezpiecznej odległości. Coś krzyknęła, ale warkot silnika zagłuszył jej słowa. Wskazywała coś wolną ręką – nie płonące drewna, lecz fronton domu. Gdy wjechaliśmy na dziedziniec, przyczyna jej podniecenia stała się jasna. Na środku trawnika stał helikopter, który przedtem widzieliśmy.

Zanim zdołaliśmy wysiąść z samochodu, z domu wyszedł mężczyzna w skórzanej kurtce i bryczesach. Był wysoki, jasnowłosy i mocno opalony. Przeszło mi od razu przez myśl, że musiałem go już gdzieś widzieć. Ruszyliśmy do niego spiesznie, a on przywitał nas machnięciem ręki i przyjaznym uśmiechem.

– Pan Bill Masen, jak sądzę. Nazywam się Simpson, Ivan Simpson.

– Przypominam sobie – powiedziała Josella. – To pan tamtego wieczoru przyleciał helikopterem na uniwersytet.

– Zgadza się. Pamiętała pani, moje uznanie. Ale mogę dowieść, że nie tylko pani ma dobrą pamięć: pani jest Josella Playton, autorka...

– Myli się pan – przerwała mu stanowczo. – Jestem Josella Masen, autorka Davida Masena.

– A, owszem. Oglądałem właśnie pierwsze wydanie. Dzieło godne podziwu, jeśli wolno się tak wyrazić.

– Chwileczkę – przerwałem im. – Ten pożar...?

– Niczym nie grozi. Wiatr zwiewa płomienie od domu. Ale niestety, prawie cały pański zapas drzewa poszedł z dymem.

– Co się stało?

– To robota Susan. Chodziło jej o to, żebym nie przegapił waszej siedziby. Kiedy usłyszała warkot silnika, chwyciła miotacz ognia i wybiegła, żeby jak najprędzej dać mi znak. Sągi były najbliżej, no i nikt z pewnością nie przegapiłby takiego gigantycznego ogniska.

Weszliśmy do domu, gdzie czekali na nas pozostali domownicy.

– Ale, ale – zwrócił się do mnie Simpson – Michael kazał mi zaraz na wstępie najpokorniej pana w jego imieniu przeprosić.

– Przeprosić? – powtórzyłem zdziwiony.

– Tylko pan przewidział, jakim niebezpieczeństwem będą tryfidy, a on panu nie uwierzył.

– Ale... czy to znaczy, że wiedzieliście, gdzie jestem?

– Dowiedzieliśmy się przed kilkoma dniami, w jakim okręgu mniej więcej należy pana szukać, a poinformował nas o tym człowiek, którego wszyscy mamy powody pamiętać: niejaki Coker.

– Więc Coker też ocalał – powiedziałem. – Po tym, co widziałem w Tynsham, myślałem, że dopadła go zaraza.

Później, po obiedzie, do którego wyciągnęliśmy nasz najlepszy koniak, Simpson opowiedział wreszcie dzieje swojej grupy.

Kiedy Michael Beadley i jego towarzysze ruszyli dalej, pozostawiając Tynsham na łasce panny Durrant i jej niewzruszonych zasad, nie skierowali się bynajmniej do Beaminster. Udali się na północny wschód, do Oxfordshire. Panna Durrant musiała rozmyślnie udzielić nam błędnych informacji, gdyż o Beaminster w ogóle nie było mowy.

W Oxfordshire znaleźli posiadłość ziemską, która, jak się z początku zdawało, spełniała wszystkie ich wymagania, byliby się też bez wątpienia oszańcowali tam jak my w Shirning, ale wobec stale narastającej groźby tryfidów zaczęły wychodzić na jaw braki i wady obranej siedziby. Po roku zarówno Michael, jak i pułkownik uznali, że perspektywy pozostania tam na dłuższą metę są niezachęcające. Wprawdzie włożono już w tę posiadłość bardzo dużo pracy, lecz pod koniec drugiego lata wszyscy zgodnie doszli do wniosku, że należy pomyśleć o zmianie miejsca. Żeby zbudować prawdziwą społeczność, musieli planować na lata – na długi szereg lat naprzód. Musieli również brać pod uwagę, że im dłużej będą zwlekać, tym trudniejsza będzie przeprowadzka. Potrzeba im było terenu, na którym mogliby się rozwijać i rozprzestrzeniać, obszaru posiadającego naturalne granice obronne, który po oczyszczeniu z tryfidów można by bez trudu przed nimi chronić. Tu, gdzie teraz mieszkali, znaczna część wysiłków szła na naprawy i doglądanie ogrodzeń. A przecież w miarę jak liczba mieszkańców będzie rosła, trzeba będzie linię ogrodzeń przedłużyć. Sam przez się nasuwał się wniosek, że najlepszą i najłatwiejszą do utrzymania linią obrony jest woda. Odbyli więc dyskusję na temat zalet i wad poszczególnych wysp. Względy klimatyczne przeważyły szalę na rzecz wyspy Wight, mimo pewnych obaw co do nadmiernej wielkości obszaru, który wypadnie oczyścić. Zgodnie z postanowieniem w marcu następnego roku spakowali dobytek i wyruszyli.

– Kiedy przyjechaliśmy – mówił Ivan – tryfidów było na wyspie bodaj więcej nawet niż tam, skąd wyjechaliśmy. Ledwie zaczęliśmy się instalować w wielkim majątku ziemskim pod Godshill, gdy już tysiące ich zebrały się wokół murów. Odczekaliśmy ze dwa tygodnie, żeby się ich zgromadziło jak najwięcej, a potem zaatakowaliśmy je miotaczami ognia.

Po unicestwieniu tych pierwszych poczekaliśmy, aż znów się zgromadzą, i znów je spaliliśmy, i tak dalej. Mogliśmy sobie pozwolić na dokładne ich tępienie, bo wiedzieliśmy, że skoro raz się ich pozbędziemy, miotacze ognia nie będą nam już potrzebne. Na wyspie mogła być tylko ograniczona liczba tryfidów, wobec tego im więcej tych szkaradzieństw gromadziło się wokół naszej siedziby, żeby dać się spalić, tym bardziej nam to odpowiadało.

Ze dwanaście razy musieliśmy je niszczyć, nim nasza akcja odniosła dostrzegalny skutek. Dookoła murów powstał szeroki pas zwęglonych pieńków – dopiero wtedy stały się ostrożniejsze. Było ich tam mnóstwo, znacznie więcej, niż się spodziewaliśmy.

– Na wyspie istniało co najmniej sześć czy siedem szkółek hodujących wysokogatunkowe rośliny, nie mówiąc już o okazach w posiadłościach prywatnych i w parkach – powiedziałem.

– Wcale mnie to nie dziwi. Nam się zdawało, że tam było co najmniej sto szkółek. Zanim się wszystko zaczęło, to gdyby mnie ktoś pytał, powiedziałbym, że w całej Anglii jest ich tylko parę tysięcy. Ale musiały być setki tysięcy.

– Bo i były setki tysięcy – odparłem. – Rosną prawie na każdej glebie, a przynosiły olbrzymie zyski. Dopóki były unieruchomione na fermach i w szkółkach, nie wydawało się, że jest ich tak dużo. Mimo to, sądząc po liczbie zgromadzonych tutaj, dookoła naszych gruntów, całe połacie kraju muszą być teraz od nich wolne.

– Zgadza się – stwierdził Simpson. – Ale niech tylko ktoś zamieszka na takim terenie, a po paru dniach zaczną się gromadzić. Najlepiej to widać z powietrza. Nawet bez pożaru, który urządziła Susan, poznałbym, że tu ktoś mieszka. Tryfidy tworzą ciemną obwódkę wokół każdego zamieszkanego miejsca.

W każdym razie udało nam się po pewnym czasie przerzedzić trochę ten gąszcz dookoła naszych murów. Może tryfidy doszły do wniosku, że okolica jest dla nich nie najzdrowsza, a może nie podobało im się, że muszą chodzić po zwęglonych szczątkach swoich krewniaków. Poza tym w końcu było ich oczywiście mniej. Wówczas, zamiast czekać, zaczęliśmy wychodzić na zewnątrz i urządzać na nie polowania. Przez długie miesiące było to nasze główne zajęcie. Podzieliliśmy się na oddziałki i przeszukaliśmy każdy cal wyspy – a przynajmniej tak się nam zdawało. Po zakończeniu akcji sądziliśmy, że nie przepuściliśmy ani jednemu straszydłu, dużemu czy małemu. Mimo to trochę ich pokazało się znów w następnym roku i jeszcze rok później. Teraz każdej wiosny intensywnie sprawdzamy wyspę, bo wiatr przywiewa nasiona z lądu, i z każdym wykrytym okazem robimy od razu koniec.

Przez cały czas trwania tej walki zajmowaliśmy się również organizacją wewnętrzną. Było nas na początku pięćdziesiąt czy sześćdziesiąt osób. Robiłem wypady helikopterem i kiedy widziałem gdzieś oznaki życia, lądowałem i zapraszałem wszystkich chętnych, żeby się do nas przyłączyli. Niektóre grupy połączyły się z nami, ale zdumiewająco duża liczba ludzi wręcz odrzucała zaproszenie: byli zadowoleni, że nikt teraz nimi nie rządzi, i mimo wszystkich swoich kłopotów i trudności nie chcieli znów się znaleźć pod czyimiś rządami. W południowej Walii jest kilka grup, które założyły coś w rodzaju wspólnot plemiennych i z odrazą myślą o jakiejkolwiek organizacji życia prócz tego minimum, które sami sobie ustalili. Podobne grupy można też znaleźć w pobliżu kopalń węgla. Przywódcami są zazwyczaj mężczyźni, którzy akurat byli pod ziemią na nocnej zmianie, wobec czego nie widzieli zielonych szczątków komety – chociaż Bóg jeden wie, w jaki sposób wydostali się potem z szybów. Niektórzy tak stanowczo nie życzą sobie jakiejkolwiek ingerencji z zewnątrz, że strzelają do śmigłowców. Jest taka jedna grupa w Brighton…

– Wiem – wtrąciłem. – Ja też dostałem tam ostrzeżenie.

– Ostatnimi czasy jest więcej takich. Jedna w Maidstone, druga w Guildford, są też podobne w innych okolicach. One stanowią główny powód, dla którego nie wytropiliśmy pana w tym ustroniu. Okręg wydawał się dość niebezpieczny i staraliśmy się go omijać z daleka. Nie wiem, co ci ludzie sobie wyobrażają – pewnie natrafili na wielkie zapasy żywności i boją się, żeby ktoś nie chciał im ich odebrać. W każdym razie nie ma sensu się narażać, więc daję im spokój – niech się gotują we własnym sosie.

Sporo ludzi jednak się do nas przeniosło. W ciągu roku liczba mieszkańców wyspy wzrosła do blisko trzech setek. Oczywiście nie wszyscy widzą.

Dopiero mniej więcej przed miesiącem natrafiłem na Cokera i jego grupę... Nawiasem mówiąc, on prawie na wstępie zapytał, czy pan do nas dotarł... Coker i jego grupa przeżyli ciężkie chwile, zwłaszcza na początku.

Kilka dni po jego powrocie do Tynsham dwie kobiety przyjechały tam z Londynu i przywiozły ze sobą zarazę. Coker odseparował je przy pierwszych objawach, ale było już za późno. Postanowił więc czym prędzej przenieść się gdzie indziej. Panna Durrant nie chciała się stamtąd ruszyć. Oświadczyła, że zostanie i będzie pielęgnować chorych, a jeżeli będzie mogła, przyjedzie później. Nie przyjechała.

Ci, którzy pojechali z Cokerem, zabrali ze sobą infekcję. Musieli odbyć jeszcze trzy pośpieszne przeprowadzki, zanim udało im się od niej uwolnić. Znaleźli się wówczas aż w Devonshire i przez jakiś czas wcale nieźle sobie radzili. Ale potem zaczęły się te same kłopoty, które nękały zarówno nas, jak i pana. Coker wytrwał tam trzy lata, a potem wykoncypował plan bardzo podobny do naszego. Tyle tylko, że jemu nie przyszła na myśl wyspa. Zamiast tego wybrał obszar nad rzeką i postanowił odgrodzić skrawek Kornwalii. Po przybyciu na miejsce spędzili pierwsze miesiące na budowaniu bariery, a potem zaczęli tępić tryfidy wewnątrz obszaru, tak jak myśmy to robili na wyspie. Mieli jednak znacznie trudniejszy teren i nie udało im się wytępić ich całkowicie. Ogrodzenie na początku się sprawdzało, ale nie mogli być go tak pewni, jak my byliśmy pewni granicy morskiej, toteż za dużo ludzi musiało marnować czas na ustawiczne patrole.

Coker sądzi, że zaczęliby radzić sobie całkiem dobrze z chwilą, gdy dzieci dorosłyby już na tyle, aby móc pracować, ale warunki życia musiałyby wciąż być bardzo ciężkie. Kiedy ich znalazłem, bez wahania postanowili się do nas przenieść. Zaczęli od razu ładować swoje łodzie rybackie i po dwóch tygodniach wszyscy byli na wyspie. Kiedy Coker się dowiedział, że pana u nas nie ma, wyraził przypuszczenie, że może pan wciąż jest gdzieś w tych okolicach.

– Niech mu pan powie, że to zmazuje wszelkie pretensje, jakie mogłabym do niego mieć – odezwała się Josella.

– Coker niewątpliwie będzie dla nas bardzo użyteczny – powiedział Ivan. – A sądząc z tego, co mówi, pan również może bardzo nam się przydać – dodał, patrząc na mnie. – Pan jest biochemikiem, prawda?

– Biologiem – sprostowałem. – Z pewną znajomością biochemii.

– Dobra, może pan zachować dla siebie te subtelne rozróżnienia. Rzecz w tym, że Michael usiłuje zorganizować zespół badawczy, który opracowałby metodę tępienia tryfidów. Bo taką, naukową metodę koniecznie trzeba znaleźć, jeżeli w ogóle mamy coś osiągnąć. Jak dotychczas trudność polega na tym, że zajmują się tym ludzie, którym dawno już wywietrzało z głowy wszystko, czego się z zakresu biologii nauczyli w szkole. Więc co pan na to? Chce pan zostać profesorem? Praca warta zachodu.

– Nie wyobrażam sobie pracy, która byłaby go bardziej warta – rzekłem.

– Czy to znaczy, że zaprasza pan nas – wszystkich – do waszego schronienia na wyspie? – spytał Dennis.

– No, w każdym razie na okres wzajemnej próby – odparł Ivan. – Bill i Josella pamiętają pewnie ogólne zasady sformułowane owego wieczoru na uniwersytecie. Te zasady wciąż obowiązują. Nie zamierzamy dokonywać rekonstrukcji, chodzi nam o zbudowanie czegoś nowego i lepszego. Niektórym osobom to nie odpowiada. A jeżeli im nie odpowiada, to się do nas nie nadają. Po prostu nie chcemy mieć u siebie opozycji, która stara się kontynuować dawne złe zwyczaje. Wolimy, żeby tacy ludzie udali się gdzie indziej.

– W tych warunkach „gdzie indziej" stanowi niezbyt miłą perspektywę – zauważył Dennis.

– Ależ to wcale nie znaczy, że rzucamy ich tryfidom na pożarcie. Było jednak sporo takich ludzi i trzeba było znaleźć dla nich jakieś miejsce, więc zorganizowano wyprawę, która udała się na Wyspy Normandzkie i zaczęła tam oczyszczać teren z tryfidów w ten sam sposób, w jaki oczyszczaliśmy wyspę Wight. Około stu osób potem się tam przeniosło. Bardzo dobrze im się powodzi.

Mamy więc teraz ów okres wzajemnej próby. Nowo przybyli spędzają z nami pół roku, po czym odbywa się zebranie rady. Jeżeli przybyszom nie podobają się nasze zasady, mówią to, a jeżeli my sądzimy, że się do nas nie nadają, także to mówimy. Jeżeli do nas pasują, zostają z nami, jeżeli nie, dbamy o to, żeby się dostali na Wyspy Normandzkie – albo z powrotem na ląd, jeżeli ktoś jest takim dziwakiem, żeby się przy tym upierać.

– Trochę to zakrawa na dyktaturę... A w jaki sposób tworzy się i z kogo się składa ta wasza rada? – pragnął się dowiedzieć Dennis.

Ivan potrząsnął głową.

– Za długo by to trwało, gdybym miał teraz wdawać się w wyjaśnienia spraw konstytucyjnych. Najlepiej zapoznać się z nimi na miejscu i osobiście się przekonać. Jeżeli się wam spodobamy, zostaniecie – ale nawet jeśli nie zostaniecie, myślę, że uznacie Wyspy Normandzkie za lepsze miejsce od tego, jakim ta wasza twierdza stanie się przypuszczalnie za parę lat.

Po południu, kiedy Ivan wystartował w kierunku południowo-zachodnim i zniknął nam z oczu, wyszedłem i usiadłem na swojej ulubionej ławce w rogu ogrodu.

Patrzyłem na dolinę, przypominając sobie dobrze osuszone, pielęgnowane łąki, które niegdyś się tu rozpościerały. Teraz wszystko wróciło już niemal do stanu dzikości. Zaniedbane pola upstrzone były skupiskami krzewów, pasmami trzciny, sadzawkami. Większe drzewa grzęzły powoli w podmokłym gruncie.

Pomyślałem o Cokerze, o tym, co mówił o przywódcy, nauczycielu i lekarzu – i o ogromie pracy, jakiego będzie potrzeba, żebyśmy mogli się utrzymać z naszych kilkunastu hektarów. O tym, jaki wpływ wywrze sytuacja na każde z nas, jeżeli zostaniemy tu uwięzieni. O trojgu niewidomych, którzy z wiekiem czują się coraz bardziej bezużyteczni i sfrustrowani. O Susan, której powinno się stworzyć możliwość posiadania męża i dzieci. O Davidzie, córeczce Brentów i o innych dzieciach, które mogą się narodzić, a będą musiały ciężko pracować, skoro tylko będą miały na to dość sił. O Joselli i o sobie, o tym, że z czasem mimo wieku będziemy musieli harować jeszcze bardziej, bo będzie więcej osób do wyżywienia i więcej pracy, którą trzeba będzie wykonywać ręcznie…

A na dobitkę te cierpliwie czekające tryfidy. Setki ich tworzą w tej chwili ów ciemnozielony żywopłot za ogrodzeniem. Trzeba koniecznie szukać środka zaradczego, trzeba znaleźć jakiegoś naturalnego wroga, jakąś truciznę, środek zakłócający równowagę biologiczną tryfidów, trzeba znaleźć na nie jakiś sposób. Musi być na to czas wolny od innej pracy, i to szybko. Czas jest po stronie tryfidów. Wystarczy, żeby zaczekały, aż zużyjemy swe zasoby. Najpierw zabraknie paliwa, potem drutu do reperacji ogrodzenia. A one albo ich potomkowie będą tu wciąż czekały, kiedy rdza przeżre druty…

A przecież Shirning stał się naszym domem. Westchnąłem. Na trawie zaszeleściły lekkie kroki. Josella usiadła przy mnie. Objąłem ją.

– Co oni o tym myślą? – spytałem.

– Są okropnie zaniepokojeni, biedaczyska. Pewnie trudno im sobie wyobrazić, jak tryfidy czekają wokół ogrodzenia, skoro tych tryfidów nie widzą. Poza tym tutaj mogą po omacku wszędzie trafić. Jak się jest ślepym, okropna musi być myśl, że pojedzie się do zupełnie nieznanego miejsca. Oni wiedzą tylko to, co im mówimy. Wątpię, czy zdają sobie sprawę, jak niemożliwe wkrótce stanie się życie. Gdyby nie dzieci, powiedzieliby chyba stanowczo: „nie". Zrozum, to ich dom, wszystko, co im zostało. – Urwała na chwilę, po czym dodała: – Tak się im zdaje, ale oczywiście dom wcale nie jest ich, jest nasz, prawda? Zdobyliśmy go ciężką pracą. – Położyła dłoń na mojej ręce. – Ty go dla nas stworzyłeś i utrzymywałeś, Bill. Jak myślisz? Zostaniemy tu jeszcze przez rok albo dwa?

– Nie – odparłem. – Pracowałem, bo zdawało się, że wszystko zależy tylko od mojej pracy. Teraz ta praca wydaje się... dość bezcelowa.

– Och, kochany, nie mów tak! Byłeś błędnym rycerzem. Walczyłeś za nas wszystkich, broniłeś przed smokami.

– Chodzi przede wszystkim o dzieci – powiedziałem.

– Tak... dzieci są najważniejsze – przyznała.

– Bo wiesz, cały czas prześladują mnie słowa Cokera: pierwsze pokolenie – robotnicy nieznający chwili wytchnienia, następne pokolenie – dzikusy... Myślę, że powinniśmy się przyznać do porażki już teraz i przenieść się, nie zwlekając.

Josella ścisnęła moją rękę.

– To nie porażka, Bill, tylko – jak to się mówi? – odwrót strategiczny. Wycofujemy się, żeby działać planowo aż do chwili, kiedy będziemy mogli tu wrócić. Bo kiedyś tu wrócimy.

Nauczysz nas, jak wytępić co do jednego te ohydne tryfidy i odzyskać zagarniętą przez nie ziemię.

– Nie brak ci wiary, kochanie.

– Czemu miałoby mi jej brakować?

– No, w każdym razie będę walczył z tryfidami. Ale przede wszystkim musimy się przenieść. Kiedy wyruszamy?

– Jak myślisz, nie moglibyśmy spędzić tu jeszcze lata? Byłyby to dla nas wszystkich swego rodzaju wakacje, skoro nie potrzeba robić przygotowań na zimę. A przecież zasłużyliśmy sobie na wakacje.

– Chyba możemy sobie na to pozwolić – zgodziłem się po zastanowieniu.

Siedzieliśmy, patrząc, jak dolina rozpływa się w zapadającym zmierzchu. Josella przerwała milczenie:

– Dziwna rzecz, Bill, ale teraz, kiedy mogę stąd odjechać, wcale nie mam na to ochoty. Ten dom czasami wydawał mi się więzieniem, a teraz opuszczenie go zakrawa na zdradę. Bo widzisz, ja… ja byłam tu szczęśliwsza niż kiedykolwiek w życiu. Mimo wszystko.

– Jeżeli chodzi o mnie, najmilsza, to w ogóle przedtem nie znałem radości życia. Ale czekają nas jeszcze lepsze czasy, przyrzekam ci.

– To niemądre, ale kiedy nadejdzie chwila odjazdu, będę płakać. Będę się zalewała łzami. Żebyś mi nie miał za złe – powiedziała.

Tak się jednak złożyło, że nikt z nas nie miał czasu na łzy…

Odwrót strategiczny

Do pośpiechu, jak słusznie zauważyła Josella, nie było powodu. Postanowiliśmy, że spędzimy lato w Shirning, a ja przez ten czas obejrzę naszą nową siedzibę na wyspie i odbędę kilka podróży, żeby przewieźć tam nagromadzone przez nas zapasy żywności i co cenniejsze narzędzia. Tymczasem jednak nie mieliśmy drzewa na opał. Potrzeba go było teraz tylko tyle, żeby przez kilka tygodni palić pod płytą kuchenną, toteż rano wybraliśmy się z Susan po węgiel.

Terenówka nie nadawała się do tego celu, wzięliśmy więc ciężarówkę z napędem na cztery koła. Najbliższy kolejowy skład węgla znajdował się w odległości zaledwie dziesięciu mil, ale objazdy spowodowane złym stanem dróg sprawiły, że wyprawa zabrała nam prawie cały dzień. Mimo że nie spotkało nas nic złego, wracaliśmy do domu dopiero pod wieczór.

Gdy wzięliśmy ostatni zakręt przed domem, przy czym niestrudzone tryfidy smagały pudło ciężarówki ze zwykłym zapałem, wytrzeszczyliśmy oczy ze zdumienia. Za bramą, zaparkowany na naszym dziedzińcu, stał olbrzymi, przedziwny pojazd. Jego widok tak nas oszołomił, że znieruchomieliśmy na dłuższą chwilę, nim Susan włożyła hełm i rękawice i wysiadła, żeby otworzyć bramę.

Wjechałem do środka, po czym poszliśmy razem obejrzeć wehikuł. Podwozie spoczywało na metalowych gąsienicach, co sugerowało na wojskowe pochodzenie pojazdu. Całość sprawiała wrażenie czegoś pośredniego między samochodem pancernym a zbudowanym przez majsterkowicza wozem campingowym. Susan i ja przyjrzeliśmy się wehikułowi, potem spojrzeliśmy na siebie, unosząc brwi, i weszliśmy do domu, żeby dowiedzieć się czegoś więcej o tej monstrualnej landarze.

W domu oprócz domowników zastaliśmy czterech mężczyzn w szarozielonych mundurach polowych. Dwaj mieli pistolety w kaburach, pozostali dwaj trzymali pistolety maszynowe obok krzeseł, na których siedzieli.

Kiedy weszliśmy, Josella zwróciła ku nam twarz zupełnie bez wyrazu.

– Proszę, jest mój mąż – powiedziała. – Bill, to jest pan Torrence. Jak twierdzi, jest osobą urzędową. Ma dla nas pewne propozycje.

Tak oziębłego tonu nigdy jeszcze u Joselli nie słyszałem.

Przez chwilę nic nie odpowiedziałem. Mężczyzna, którego wskazała mi Josella, nie poznał mnie, ale ja poznałem go od razu. Nie zapomina się twarzy widzianych nad wycelowaną lufą rewolweru. W dodatku miał ognistorude włosy. Pamiętam doskonale, jak ten energiczny młodzieniec skłonił do odwrotu moją brygadę w Hampstead. Ukłoniłem mu się. On, wpatrując się we mnie, powiedział:

– O ile się orientuję, jest pan tu gospodarzem, panie Masen?

– Posiadłość należy do obecnego tu pana Brenta – odparłem.

– Chcę powiedzieć, że pan jest organizatorem tej grupy?

– Tak, w tych warunkach.

— Doskonale — stwierdził z taką miną, jakby mówił: „No, wreszcie dojdziemy do porozumienia". — Jestem komendantem Okręgu Południowo-Wschodniego — dodał.

Ton rudowłosego wskazywał, że komunikuje mi coś bardzo ważnego. Dla mnie jednak słowa te nic nie znaczyły i nie omieszkałem o tym powiedzieć.

— To znaczy — wyjaśnił — że jestem naczelnym dowódcą sprawującym władzę wykonawczą w Południowo-Wschodnim Okręgu Wielkiej Brytanii z ramienia Rady Nadzwyczajnej tego okręgu. Zgodnie z powyższym do moich obowiązków należy nadzór nad rozdziałem i rozmieszczeniem personelu.

— Ach tak — powiedziałem. — Nigdy dotąd nie słyszałem o tej… radzie.

— Całkiem możliwe. My też nie wiedzieliśmy o istnieniu waszej grupy, dopóki nie zobaczyliśmy wczoraj ognia.

Czekałem, co powie dalej.

— Kiedy taka grupa zostaje odkryta — powiedział — moim obowiązkiem jest zbadać ją, ocenić i dokonać niezbędnych korekt. Zechce więc pan uznać, że jestem tu w charakterze urzędowym.

— Z ramienia legalnie wybranej rady… czy może jest to rada samozwańcza? — spytał Dennis.

— Musi istnieć prawo i ład — stwierdził oschle rudowłosy, po czym zmieniając ton, zwrócił się znów do mnie:

— Ma pan tu dobrze zagospodarowaną posiadłość, panie Masen.

— To pan Brent ją ma — sprostowałem.

— Pomińmy na razie pana Brenta. Jest tutaj tylko dlatego, że pan umożliwił mu pozostanie na miejscu.

Spojrzałem na Dennisa. Twarz miał zaciętą.

— Mimo wszystko posiadłość należy do niego — powiedziałem.

– Należała, o ile mi wiadomo. Ale społeczeństwo, które sankcjonowało prawo do tej posiadłości, przestało istnieć. Wszelkie tytuły własności są już więc nieważne. Pan Brent jest ociemniały, w żadnym razie nie może więc sprawować jakiejkolwiek władzy.

– Ach tak – powtórzyłem.

Nabrałem odrazy do tego człowieka i jego drastycznych metod już przy pierwszym naszym spotkaniu. Dalsza znajomość nie wpływała wcale na złagodzenie tego uczucia. Rudowłosy mówił dalej:

– Chodzi teraz o przetrwanie rodzaju ludzkiego. Przy stosowaniu niezbędnych środków zaradczych nie wolno się bawić w sentymenty. Otóż pani Masen poinformowała mnie, że jest was tu osiem osób. Pięcioro dorosłych, ta młoda dziewczyna i dwoje małych dzieci. Wszyscy macie normalny wzrok z wyjątkiem tych trojga. – Wskazał na Dennisa, Mary i Joyce.

– Zgadza się – przyznałem.

– Hm. Wielka dysproporcja, sam pan chyba rozumie. Trzeba będzie niestety wprowadzić pewne zmiany. W obecnych czasach musimy się kierować realizmem.

Josella zerknęła na mnie. W jej oczach wyczytałem ostrzeżenie. Ale nie zamierzałem z miejsca wybuchnąć protestem. W swoim czasie widziałem rudowłosego w akcji i chciałem dowiedzieć się dokładniej, z czym będę musiał walczyć. On najwidoczniej jednak zorientował się, że ze mną nie pójdzie mu zbyt łatwo.

– Najlepiej będzie, jeżeli zapoznam pana z sytuacją – powiedział. – Mówiąc pokrótce, sprawa przedstawia się następująco. Sztab Główny okręgu znajduje się w Brighton. Londyn bardzo szybko stał się nie do wytrzymania. Ale w Brighton udało się nam oczyścić część miasta i urządzić tam kwarantannę. Brighton to duże miasto. Kiedy zaraza wygasła i odzyskaliśmy swobodę ruchów, mieliśmy na początek pod dostatkiem sklepów i składów. Ostatnimi czasy sprowadzamy niezbędne artykuły konwojami z innych miast. Ale to się już kończy. Drogi tak się popsuły, że ciężarówki nie mogą przejechać, a na dodatek za daleko trzeba jeździć. Oczywiście musiało do tego dojść.

Liczyliśmy wprawdzie, że przetrwamy w Brighton jeszcze przez kilka lat, ale cóż, trudna rada. Być może podjęliśmy się od początku opieki nad zbyt wielką liczbą ludzi. W każdym razie musimy się teraz rozproszyć. Jedynym sposobem utrzymania się przy życiu będzie teraz praca na roli. W tym celu musimy się podzielić na mniejsze jednostki. Ustaliliśmy podstawową jednostkę: jedna osoba widząca na dziesięcioro ślepych plus ewentualne dzieci. Ma pan tu bardzo dobrą posiadłość, która może wyżywić dwie takie jednostki. Przydzielimy panu siedemnaście osób niewidomych, co wraz z trzema tu obecnymi będzie stanowiło dwadzieścia, oraz oczywiście dzieci, które mogą się urodzić.

Patrzyłem na niego zdumiony.

— Mówi pan serio, że dwadzieścia osób i ich dzieci ma się utrzymać z płodów tego skrawka ziemi? — spytałem. — Ależ to absolutnie niemożliwe. Zastanawiamy się, czy sami zdołamy się tu wyżywić.

Potrząsnął głową, całkowicie pewien swego.

— To najzupełniej możliwe. Proponuję panu ponadto dowództwo podwójnej jednostki, którą tu zainstalujemy. Będę szczery: jeżeli nie zechce go pan przyjąć, damy tu kogoś, kto się chętnie zgodzi. W obecnych czasach nie możemy sobie pozwolić na marnotrawstwo.

— Ależ niech pan obejrzy posiadłość — upierałem się. — Ona po prostu nie wyżywi tylu ludzi.

— Zapewniam pana, że wyżywi, panie Masen. Oczywiście

będzie pan musiał obniżyć trochę poziom życia – wszyscy będziemy musieli żyć skromniej przez najbliższe kilka lat, ale kiedy dzieci trochę podrosną, będzie pan miał pod dostatkiem rąk roboczych. Przez sześć czy siedem lat sam pan będzie musiał ciężko pracować, przyznaję. Na to nie ma rady. Jednak potem będzie panu stopniowo coraz lżej, aż w końcu pana obowiązki ograniczą się tylko do nadzoru. To chyba dobra odpłata za kilka trudniejszych lat? Bo w tej sytuacji jaką pan ma przed sobą przyszłość? Harówka ponad siły, aż w końcu padnie pan i wyzionie ducha – a pańskie dzieci będą musiały tak samo tyrać, żeby się tylko utrzymać przy życiu, nic ponadto. Skąd się mają w tych warunkach wziąć przyszli administratorzy i przywódcy? Przy pańskiej metodzie postępowania za dwadzieścia lat będzie pan ruiną człowieka i wciąż nie zdoła się wyzwolić z jarzma, a wszystkie pańskie dzieci do cna schłopieją. Przy naszej metodzie zostanie pan głową klanu pracującego na pana, a w dodatku będzie pan miał dziedzictwo do przekazania swoim synom.

Zaczęło mi coś świtać. Spytałem z niedowierzaniem:

– Czy mam przez to rozumieć, że proponuje mi pan coś w rodzaju feudalnego lenna?

– Aha, widzę, że zaczyna pan pojmować. Jasne, że w obecnym stanie rzeczy taki układ społeczny i gospodarczy narzuca się sam przez się.

Nie ulegało wątpliwości, że rudowłosy traktuje swój plan najzupełniej serio. Powstrzymałem się od komentarzy, powtórzyłem tylko:

– Ta posiadłość nie wyżywi tylu osób.

– Cóż, przez kilka lat będzie pan musiał żywić ich głównie tłuczonymi tryfidami. Tego surowca, jak widać, na pewno nie zabraknie.

– Pasza dla bydła! – odparłem.

— Ale pożywna. Zawiera podobno wszystkie najważniejsze witaminy. A żebracy, zwłaszcza ślepi, nie mogą być wybredni.

— Mówi pan poważnie, że mam wziąć wszystkich tych ludzi i żywić ich bydlęcą paszą?

— Panie Masen, proszę mnie posłuchać. Gdyby nie my, nikt z tych ślepców już by teraz nie żył, nie mówiąc o ich dzieciach. Muszą więc robić, co im każemy, brać, co im dajemy, i być wdzięczni za wszystko, co dostają. Jeżeli odmówią, to ich rzecz. Sami wydadzą na siebie wyrok.

Uznałem, że na razie nie będzie rozsądnie mówić, co sądzę o jego planach. Spróbowałem z innej beczki:

— Nie bardzo jednak rozumiem... Niech mi pan powie, jaka jest w tym wszystkim rola pana i pańskiej rady?

— Rada ma najwyższą władzę administracyjną i ustawodawczą. Będzie rządziła krajem. W jej gestii będą również siły zbrojne.

— Siły zbrojne! — powtórzyłem oszołomiony.

— Oczywiście. Siły zbrojne zostaną w miarę potrzeby utworzone spośród rekrutów z dóbr lennych, jak je pan nazywa, i utrzymywane z danin płaconych przez te dobra. W zamian za to będzie pan miał prawo zwrócić się do rady o pomoc w razie ataku z zewnątrz lub zamieszek wewnętrznych.

Poczułem, że brak mi tchu.

— Wojsko! Wystarczy chyba mały, ruchliwy oddział policji?

— Widzę, że nie ogarnia pan jeszcze sytuacji w całej rozciągłości. Katastrofa dotknęła przecież nie tylko nasze wyspy. Dotknęła cały świat. Wszędzie panuje chaos — musi tak być, bo w przeciwnym razie już byśmy dotychczas coś o tym wiedzieli. W każdym też kraju ocalała przypuszczalnie pewna liczba ludzi. Logika podpowiada, że pierwsze państwo, które znów stanie na nogi i zaprowadzi u siebie ład, będzie miało szansę zaprowadzenia ładu gdzie indziej, nieprawdaż? Chce pan więc, żebyśmy pozostawili to zadanie jakiemuś innemu państwu i pozwolili mu się stać nową dominującą siłą w Europie, a może i na odleglejszych obszarach? Jasne, że nie. Patriotyczny obowiązek każe nam możliwie jak najprędzej odzyskać równowagę wewnętrzną i stać się mocarstwem, aby nie dopuścić do powstania zagrażających nam wrogich ośrodków. Im prędzej więc zdołamy utworzyć wojsko mogące odstraszyć ewentualnych agresorów, tym lepiej.

W pokoju na chwilę zaległa cisza. Potem Dennis roześmiał się nienaturalnie.

– Boże Wszechmogący! Przeżyliśmy to wszystko, a teraz ten człowiek zamierza wszcząć wojnę!

– Widocznie nie dość jasno się wyraziłem – uciął krótko Torrence. – Słowo „wojna" jest niczym nieusprawiedliwioną przesadą. Będzie to po prostu sprawa pacyfikacji i wzięcia pod zarząd plemion, które powróciły do pierwotnego bezprawia.

– Chyba że im przyjdzie do głowy ta sama szczęśliwa myśl – oświadczył Dennis.

Uświadomiłem sobie, że Josella i Susan usilnie się we mnie wpatrują. Josella wskazała spojrzeniem Susan. Domyśliłem się powodu.

– Wyjaśnijmy wszystko dokładnie – powiedziałem. – Chce pan, żebyśmy, widzący, ponosili we troje całkowitą odpowiedzialność za dwadzieścioro ociemniałych dorosłych i nieсprecyzowaną liczbę dzieci. Otóż mnie się zdaje…

– Ślepcy nie są całkiem niedołężni. Mogą robić dużo rzeczy, włączając w to ogólną opiekę nad swoimi dziećmi i pomoc przy gotowaniu dla siebie pożywienia. Przy właściwej organizacji mnóstwo robót można zredukować do nadzoru i wskazówek. Ale nie we troje, panie Masen, Będzie państwa dwoje – pan i pańska żona.

Spojrzałem na Susan. Miała na sobie zgrabny granatowy kombinezon, we włosach czerwoną wstążeczkę. Siedziała sztywno wyprostowana i przenosiła spojrzenie ze mnie na Josellę z wyrazem rozpaczliwego błagania.

– Troje – powiedziałem.

– Przykro mi, panie Masen. Zgodnie z normą może być tylko jedna osoba widząca na dziesięcioro ślepców. Dziewczynka może pojechać z nami do sztabu. Znajdziemy dla niej pożyteczną pracę, dopóki nie dojdzie do wieku, kiedy będzie mogła sama kierować jednostką.

– Moja żona i ja uważamy Susan za córkę – poinformowałem go oschle.

– Przykro mi, powtarzam. Ale takie są przepisy.

Przez chwilę wpatrywałem się w niego. Spokojnie wytrzymał moje spojrzenie. Wreszcie przerwałem milczenie.

– Gdyby jej odjazd był konieczny, wymagalibyśmy oczywiście zagwarantowania jej odpowiednich warunków – powiedziałem.

Usłyszałem kilka stłumionych okrzyków. Ale Torrence wyraźnie złagodniał.

– Naturalnie udzielimy państwu wszelkich gwarancji w granicach rozsądku.

Skinąłem głową.

– Muszę mieć czas, żeby sobie wszystko przemyśleć. Byłem nieprzygotowany, więc cała sprawa jest dla mnie zaskoczeniem. Ale niektóre rzeczy od razu przychodzą mi na myśl. Nasze wyposażenie techniczne jest już bardzo zniszczone, a niełatwo znaleźć teraz części w dobrym stanie. Przewiduję, że wkrótce będzie mi potrzeba kilka mocnych koni pociągowych.

– O konie jest trudno. Mamy ich jeszcze bardzo niewiele. Przypuszczalnie będzie pan musiał na razie używać zespołów złożonych z ludzi.

– Poza tym sprawa pomieszczeń – dodałem. – Budynki gospodarcze będą teraz za małe do naszych potrzeb, a sam nie poradzę sobie z ustawieniem nawet prefabrykowanych baraków.

– Sądzę, że w tej sprawie będziemy mogli panu pomóc.

Omawialiśmy tego rodzaju szczegóły jakieś dwadzieścia minut albo i więcej. Pod koniec rozmowy Torrence stał się nieomal uprzejmy. Wówczas pozbyłem się go, wysyłając na zwiedzenie całej posiadłości. Nadąsana Susan poszła z nim w charakterze przewodniczki.

– Bill, co cię napadło? – zaczęła Josella, kiedy za nim i jego towarzyszami zamknęły się drzwi.

Opowiedziałem jej, co wiem o rudowłosym i o jego metodzie pokonywania trudności za pomocą szybkostrzelnej broni.

– Wcale mnie to nie dziwi – stwierdził Dennis. – Dziwi mnie natomiast co innego: poczułam nagle życzliwość do tryfidów. Gdyby nie ich interwencja, pewnie mielibyśmy już więcej takich wizyt i projektów. Jeżeli tryfidy stanowią jedyny czynnik, który uniemożliwia powrót niewolnictwa, to życzę im szczęścia.

– Cały ten projekt to bzdura – powiedziałem. – Nic z niego nie może być. W jaki sposób Josella i ja mielibyśmy się opiekować taką gromadą ludzi i do tego bronić ich przed tryfidami? Ale – dodałem – nie możemy wprost i bez ogródek odrzucić propozycji, którą czyni nam czterech uzbrojonych mężczyzn.

– Więc masz zamiar...?

– Kochanie – powiedziałem – czy naprawdę wyobrażasz sobie mnie w roli pana feudalnego zaganiającego batem do pracy swoich niewolników i poddanych? Nawet jeśli przedtem nie dopadną mnie tryfidy?

– Ale sam powiedziałeś...

– Słuchaj – przerwałem jej. – Robi się ciemno. Za późno już, żeby teraz odjechali. Będą musieli zostać tu na noc. Przypuszczam, że jutro zechcą zabrać ze sobą Susan: będzie doskonałą zakładniczką, gwarantującą naszą uległość i posłuszeństwo. Może też zostawią jednego czy dwóch ludzi, żeby mieli nas na oku... Nie możemy przecież do tego dopuścić, co?

– No nie, ale...

– Otóż przekonałem go już chyba, że jestem skłonny przystać na jego projekt. Urządzimy dziś kolację, którą powinien uznać za oznakę zgody. Postaraj się, żeby była dobra. Wszyscy mają dużo jeść. Dzieciom też daj sporo jedzenia. Postaw na stół nasze najlepsze trunki. Pilnuj, żeby Torrence i jego chłopcy pili jak najwięcej, ale my wszyscy musimy pić bardzo ostrożnie. Pod koniec kolacji zniknę na pewien czas. Baw gości, żeby nie zwrócili na to uwagi. Puszczaj im głośną, wesołą muzykę czy coś w tym rodzaju. I wszyscy niech się starają, żeby zabawa była udana. I jeszcze coś – nikomu nie wolno wspomnieć ani słowem o Beadleyu i jego grupie. Torrence na pewno wie o osiedlu na wyspie Wight, ale nie przypuszcza, że my o nim wiemy. Teraz potrzeba mi worka cukru.

– Cukru? – powtórzyła Josella, nie rozumiejąc.

– Nie ma cukru? To daj mi dużą bańkę miodu. Myślę, że miód nada się równie dobrze.

Przy kolacji wszyscy bardzo sumiennie wykonali swoje zadanie. Towarzystwo nie tylko się podchmieliło, ale wręcz zaczęło się coraz bardziej rozkręcać. Josella w dodatku do znanych i uznanych trunków wystawiła jeszcze mocny miód pitny własnej produkcji, który został nader życzliwie przyjęty. Goście byli już rozkosznie odprężeni, kiedy niepostrzeżenie wymknąłem się z pokoju.

Chwyciłem tłumok z kocami i ubraniem, paczkę żywności – wszystko wcześniej przygotowałem – i pospieszyłem przez dziedziniec do szopy, w której trzymaliśmy dżipa. Wężem z cysterny zawierającej nasze zapasy benzyny napełniłem baki. Potem zająłem się dziwnym wehikułem Torrence'a. Przyświecając sobie latarką, znalazłem korek wlewu i wlałem do zbiornika około dwóch litrów miodu. Pozostałą zawartość wielkiej bańki miodu wlałem do cysterny.

Z domu dobiegały śpiewy, widocznie goście wciąż dobrze się bawili. Dodałem do bagażu załadowanego już do samochodu jeszcze trochę broni przeciwtryfidowej i różnych rzeczy, które w ostatniej chwili przyszły mi na myśl, po czym wróciłem do jadalni i brałem udział w zabawie, aż wreszcie zakończyła się w nastroju, który nawet uważny obserwator uznałby za wyraz pijackiego rozrzewnienia i ogólnej życzliwości.

Daliśmy im dwie godziny, żeby zasnęli jak należy.

Wszedł księżyc, biała poświata spowiła dziedziniec. Zapomniałem naoliwić drzwi szopy i przeklinałem je przy każdym skrzypnięciu. Z domu sunęła już do mnie procesja domowników. Brentowie i Joyce byli dość obeznani z terenem, aby nie potrzebować pomocnej ręki. Za nimi szły Josella z Susan, niosąc dzieci. Senny głosik Davida rozbrzmiał w pewnej chwili i natychmiast ucichł, bo Josella szybko zakryła mu usta. Wciąż trzymając synka, wspięła się do szoferki. Usadowiłem pozostałych z tyłu i pozamykałem drzwi. Potem usiadłem przy kierownicy, pocałowałem Josellę i głęboko odetchnąłem.

Przez szerokość dziedzińca widziałem, że tryfidy stłoczyły się przy bramie, jak zawsze, kiedy ich przez kilka godzin nikt nie niepokoił.

Z łaski niebios silnik zapalił od razu. Wrzuciłem na pierwszy bieg, wykręciłem, żeby objechać wehikuł Torrence'a, i ruszyłem wprost na bramę. Ciężki zderzak wyłamał ją z trzaskiem. Dodałem gazu i dżip, cały w festonach z drutu i połamanych palików, wyrwał do przodu, przewracając kilkanaście tryfidów, gdy tymczasem reszta w furii smagała go wiciami. Po minucie znaleźliśmy się na drodze.

W miejscu, gdzie zakręt pozwolił nam spojrzeć na Shirning, zahamowałem i wyłączyłem silnik. W niektórych oknach widać było światło, a gdy tak patrzyliśmy, zapłonęły światła pojazdu, iluminując fasadę domu. Rozległ się warkot silnika. Serce zabiło mi mocniej na ten odgłos, chociaż wiedziałem, że nasz samochód ma przewagę szybkości nad tamtą landarą. Machina zaczęła się obracać przodem do bramy. Nim dokończyła obrotu, silnik zacharczał i umilkł. Znów zaterkotał rozrusznik. Przez dłuższą chwilę burczał gniewnie, lecz bez rezultatu.

Tryfidy odkryły już, że bramy nie ma. Przy księżycu i odbitym świetle reflektorów widzieliśmy, jak wysokie, smukłe kształty suną na dziedziniec w pokracznym pochodzie, a inne nadciągają z pobocza, żeby pójść ich śladem...

Spojrzałem na Josellę. Nie zalewała się łzami; w ogóle nie płakała. Przeniosła wzrok ze mnie na śpiącego w jej ramionach Davida.

— Mam wszystko, czego mi naprawdę potrzeba — powiedziała — a przyjdzie czas, że przywieziesz nas tu z powrotem, Bill.

— Ufność żony to piękna cecha, kochanie, ale... Nie, do diabła ciężkiego, żadnych ale: przywiozę nas tu z powrotem — odparłem.

Wysiadłem, by usunąć z przedniej części dżipa szczątki bramy i oczyścić szybę z tryfidziego jadu, żebym miał dobrą widoczność, jadąc przez wzgórza daleko na południowy zachód.

Odtąd moje osobiste dzieje łączą się już z dziejami całej grupy. Znajdziecie je w doskonałej kronice kolonii pióra Elspeth Cary.

Wszystkie nasze dzieje teraz skupiają się tutaj. Mało prawdopodobne, aby coś wynikło z feudalnych planów Torrence'a, chociaż kilkanaście jego dóbr lennych wciąż istnieje; a ich mieszkańcy pędzą podobno za ogrodzeniami żywot nie do pozazdroszczenia. Ale jest tych punktów coraz mniej. Co pewien czas Ivan melduje, że jeszcze jedna placówka padła i że tryfidy, które ją otaczały, rozproszyły się, zasilając szeregi oblegających gdzie indziej.

Musimy więc na własną rękę, bez niczyjej pomocy, dążyć do wytyczonego celu. Jesteśmy już chyba na dobrej drodze, ale jeszcze przed nami mnóstwo pracy i badań naukowych, zanim nadejdzie dzień, kiedy my sami – albo nasze dzieci lub ich dzieci – przeprawimy się przez wąskie cieśniny i rozpoczniemy wielką krucjatę, tępiąc tryfidy i zmuszając je do odwrotu, aż wreszcie zetrzemy ostatniego z powierzchni ziemi, którą zagarnęły.

Spis treści

2021

Nevil Shute OSTATNI BRZEG

James Blish KWESTIA SUMIENIA

Frank Herbert RÓJ HELLSTROMA

Joe Haldeman WIECZNA WOLNOŚĆ

Theodore Sturgeon WIĘCEJ NIŻ CZŁOWIEK

Eric Frank Russell OSA

George R. Stewart ZIEMIA TRWA

Philip K. Dick OPOWIADANIA NAJLEPSZE

2022

Robert Silverberg UMIERAJĄC, ŻYJEMY

George Orwell ROK 1984

Clifford D. Simak CZAS JEST NAJPROSTSZĄ RZECZĄ

Arthur C. Clarke ODYSEJA KOSMICZNA 2001

George Orwell FOLWARK ZWIERZĘCY

Isaac Asimov KONIEC WIECZNOŚCI

2023

Arthur C. Clarke ODYSEJA KOSMICZNA 2010

Isaac Asimov RÓWNI BOGOM

Arthur C. Clarke SPOTKANIE Z RAMĄ

Poul Anderson OLŚNIENIE

Arthur C. Clarke ODYSEJA KOSMICZNA 2061

Harry Harrison BILL, BOHATER GALAKTYKI

Pat Frank BIADA BABILONOWI

Arthur C. Clarke ODYSEJA KOSMICZNA 3001. FINAŁ

Arthur C. Clarke, Gentry Lee RAMA II